RETIRÉ

Tome 3 – Feux Furieux

Du même auteur

Les Histoires du Pays de Santerre

L'Eldnade

Tome 1 : *Ardahel le Santerrian*
Tome 2 : *Loruel l'Héritier*
Tome 3 : *Eldwen la Désignée*
Tome 4 : *Vorgrar l'Esprit Mauvais*

Les Princes de Santerre

Tome 1 : *Premier Mal*
Tome 2 : *Rouge frères*
Tome 3 : *Feux furieux*
Tome 4 : (à paraître)

Luc Saint-Hilaire

Tome 3 – Feux Furieux

ÉDITIONS DE MORTAGNE

Catalogage avant publication de Bibliothèque et Archives nationales du Québec et Bibliothèque et Archives Canada

Saint-Hilaire, Luc

  Les Princes de Santerre

  Sommaire: t. 1. Premier mal -- t. 2. Rouge frères -- t. 3. Feux furieux.

  ISBN 978-2-89074-747-0 (v. 3)

  I. Titre. II. Titre: Premier mal. III. Titre: Rouge frères. IV. Titre: Feux furieux.

  PS8613.O79P74 2008   C843'.6   C2007-941415-X
  PS9613.O79P74 2008

Édition
Les Éditions de Mortagne
Case postale 116
Boucherville (Québec)
J4B 5E6

Distribution
Tél. : 450 641-2387
Téléc. : 450 655-6092
Courriel : info@editionsdemortagne.com

Aspects visuels
Conception de l'auteur
Illustration de la couverture : Carl Pelletier
Dessins des cartes : François St-Hilaire
Signature de la série et graphisme des cartes : Roger Camirand

Dépôt légal
Bibliothèque et Archives Canada
Bibliothèque et Archives nationales du Québec
Bibliothèque Nationale de France
2ᵉ trimestre 2010

ISBN : 978-2-89074-747-0

1 2 3 4 5 – 10 – 14 13 12 11 10

Imprimé au Canada

Nous reconnaissons l'aide financière du gouvernement du Canada par l'entremise du Programme d'aide au développement de l'industrie de l'édition (PADIÉ) et celle du gouvernement du Québec par l'entremise de la Société de développement des entreprises culturelles (SODEC) pour nos activités d'édition. Gouvernement du Québec – Programme de crédit d'impôt pour l'édition de livres – Gestion SODEC.

Membre de l'Association nationale des éditeurs de livres (ANEL)

À Monique, Bernard et Louis,
mes « frœurs » à moi,
chacun mon modèle et mon inspiration
dans toute la diversité, les contradictions
et la richesse des liens fraternels.

Remerciements

Je veux remercier tellement de gens que j'ai peur d'en oublier. Voici donc, de façon bien incomplète assurément, quelques personnes dont l'apport est si apprécié.

D'abord, je tiens à exprimer ma reconnaissance à chaque lecteur qui me fait l'honneur de m'accompagner en Pays de Santerre. Je souhaite vous entraîner dans un voyage fantastique.

Aussi, Hélène, mon épouse, qui facilite à sa manière mes incessants voyages en Monde d'Ici. Monique, ma grande sœur, qui assume le rôle ingrat de première lectrice et critique. François, mon fils aîné, qui fait les dessins finaux de mes cartes, traçant patiemment et habilement arbres, montagnes et rivages du Monde d'Ici. Roger, confrère de pub et néanmoins ami, brillant concepteur visuel à qui je dois de voir mes brouillons devenir dignes d'être présentés aux lecteurs. L'équipe des Éditions de Mortagne que je salue en bloc (et « Y », dictionnaire en main), chacune et chacun m'étant si précieux par leur enthousiasme et leur complicité.

Amicalement,

Luc

... Dans ce monde que ses habitants nomment tout simplement le Monde d'Ici, je crus d'abord qu'il n'y régnait qu'une seule conscience. Celle qui dirigeait les pensées, les paroles et les actes des Races Anciennes, des Races Premières et du Moyen Peuple.

Puis, je constatai qu'un peuple était guidé autrement. Celui qui présidait à son épanouissement engendra une Pensée différente. Il indiqua une autre voie à ceux qu'il aimait. Il voulut qu'elle s'inscrive dans les esprits et les cœurs de tous les autres peuples qui vivent en ce Monde.

> *Les Pensées s'affrontèrent.*
> *Les Races se tournèrent le dos.*
> *Les Peuples levèrent les armes.*
> *Les Familles se disloquèrent.*
> *Les Frères s'opposèrent.*

Heureusement, le Dieu de tous les Mondes de l'Univers ne demeura pas insensible. Dans leur liberté, il leur offrit des Guides pour retrouver sa Pensée Bienveillante...

Gouand

Les Princes de Santerre
Tome 3 : Feux furieux

~

Présentation des cartes de Gouand........ 11

– Le Monde d'Ici 12
– Les Terres du Lentremers 14
– Le Pays de Santerre 16
– Belbaie 18
– La Contrée des Sormens 19

Avant-propos 20

Épisodes précédents............................ 23

Temps des choix................................... 29
Haine et serments 66
Soif de grandeur 88
Chemins de guerre 112
Choix de cœur 148
Le premier choc.................................... 180
Chant de bataille.................................. 206
Mer de feu.. 237
Fer et peur.. 268
Quand tout bascule 290
Le blanc brasier 312

Épilogue du troisième tome 336

Les Histoires du Pays de Santerre.......... 339

À propos du Monde d'Ici....................... 340

Index des principaux personnages......... 349

Présentation des cartes de Gouand

~

Les cartes qui suivent ont été réalisées par Gouand afin d'aider le lecteur à se situer. Certains points doivent être mentionnés.

Le Monde d'Ici : Le Monde d'Ici est traditionnellement représenté de la Terre Cahan à la Terre Abal, et des Terres Blanches aux Terres de Glace. Le continent du Lentremers occupe une place centrale puisque c'est de là qu'originent toutes les Races. L'orientation se fait en référence au mouvement du soleil, soit le Levant, la Mi-Jour, le Couchant et la Mi-Nuit.

Les Terres du Lentremers : Gouand a tracé des cartes illustrant différents moments de l'histoire du Lentremers. Cette carte correspond à l'époque de gloire du Grand Seigneur Alisan Mithris Sauragon.

Le Pays de Santerre : Le plus puissant et le plus important des états du Couchant, le Pays de Santerre est en fait une confédération de quatre régions à la fois distinctes et interdépendantes. Cette carte date de l'époque du Roi Alahid.

Belbaie : C'est dans cette ville portuaire de la Région des Baïhars que se trouvent le Temple Baïa et la Résidence des Sages d'où s'exerce le pouvoir central.

La Contrée des Sormens : Chasseurs aux habitudes nomades, les Sormens habitent surtout à proximité du Grand Cap et de BaiNorde, la cité du Roi.

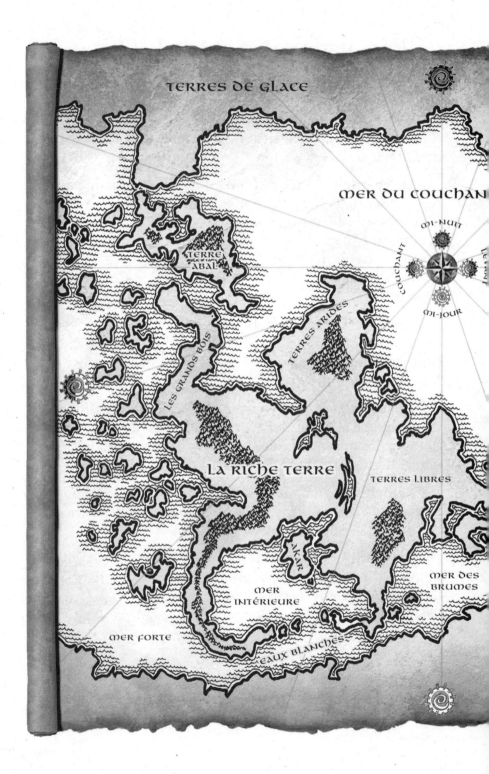

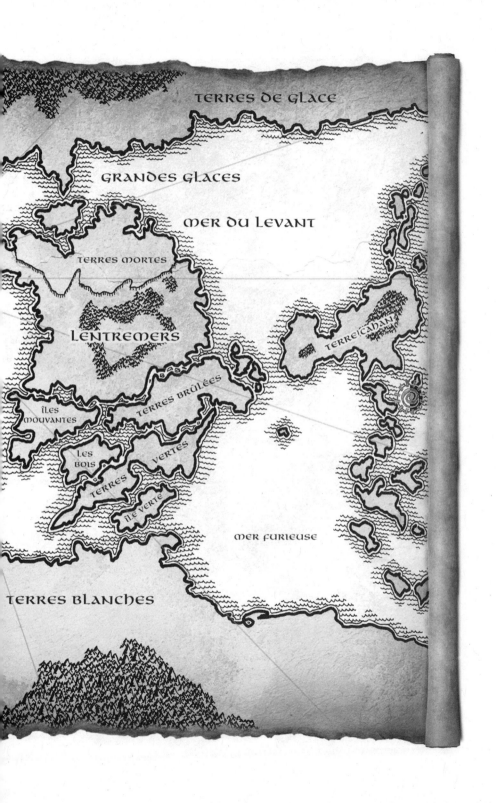

ERRES MORTES

MER
DU
LEVANT

GUELD

NCIENS

KALAR OHUN

LES PETITES ROCHEUSES

COUBALISER

TERRES DU LEVANT

MAUSER

LE HAUT-
PLATEAU

LA LONGUE FALAISE

HIPPAR

DES ALISANS

PAYS DE
DARCHEZ

LE BAS-
PLATEAU

UR-ALMETH

LES MONTS SOLEIL

PAYS
DES
SEMEURS

LE HAYLABEC

KAHOPIE

QUAYL

SAMRO

CONTRÉE DES
NOMADES

ITURE D'EAU

LES TERRES BRÛLÉES

LES CHASSEURS

CONTRÉE D...

LE GRA...

GLACIER
DES EAUX

RÉGION D...

TEMPLE
FRET

RÉGION DES ARTANS

PAYS

LA DOUCE EAU

TEMPLE
ARTA

RIVIÈRE DES EAUX

MONTS

CHANTANTS

TEMPLE
BAÏA

RÉGION DES BAÏBARS

TEMPLE
CULT

DES CULTE

MER DU
COUCHANT

LA POINTE

RÉGION

LONGUE RIVIÈRE

MI-NUIT

COUCHANT

LEVANT

MI-JOUR

TERRES MORTES

CONTRÉE
DES
SORMENS

BaiNorde

Le grand cap

Les
chasseurs

SANTERRE

BELBAIE

MI-NUIT

COUCHANT   LEVANT

MI-JOUR

MER
DU
COUCHANT

Avant-propos

Vouloir situer le Monde d'Ici s'avère à la fois facile et impossible. Gouand, le troubadour, le diseur et le chantre du Moyen Peuple, a rédigé moult récits qu'il assembla en des livres fort instructifs. Il eut accès à des cartes très précises qu'il recopia minutieusement, illustrant les régions connues des marins, depuis la Terre Abal jusqu'à la Terre Cahan. Ses documents permettent aussi de constater l'évolution du Lentremers, le plus important continent, ainsi que du Pays de Santerre où il élut domicile durant son séjour en Monde d'Ici. Donc, rien n'est plus simple que de situer les lieux qu'il connaissait alors qu'il entreprit de transcrire la tradition orale des Gens du Moyen Peuple. Toutefois, il s'avère utopique de situer Santerre par rapport à nous puisque Gouand ne donna aucun point de repère sur les Mondes d'Ailleurs, cela autant en ce qui concerne les endroits que les époques.

Et Gouand lui-même, qui est-il vraiment ? Bien malin celui qui pourrait affirmer quoi que ce soit à son sujet. Il va et vient de par les Mondes de l'Univers, sage ou naïf, peut-être les deux à la fois, posant sur les gens et les événements un regard qui sait toujours s'émerveiller. C'est probablement, et même certainement, ce qui compte le plus. Qu'importe de savoir d'où il vient, vers où il se dirige ? Diseur et jongleur, autant avec les objets que les mots ou les idées, il ne demande qu'à raconter ses histoires à ceux qui savent encore s'ouvrir au merveilleux, se laisser emporter dans ses mondes magiques conçus pour charmer. Nous savons toutefois, grâce à un petit récit autobiographique, que Gouand possède le don des langues et qu'il peut ainsi converser aussi bien avec les Races Premières qu'avec des membres de la Race Ancestrale ou des Basses Races. Gouand rencontra maintes gens au cours de voyages qui lui permirent d'apprendre en détail les événements survenus dans le Monde d'Ici. Son désir de mettre tous les faits par écrit, d'en séparer le véridique de la légende et d'en faire un document à transmettre par tous les Mondes lui ouvrit même le fameux Vérécit méticuleusement tenu à jour en Augenterie. La profonde sincérité de Gouand apparaît si manifestement dans ses écrits qu'il n'y a aucune raison de douter que le troubadour ne s'acquitta de sa tâche avec le plus grand sérieux.

Les Histoires du Pays de Santerre

Parmi les écrits de Gouand figurent les *Histoires du Pays de Santerre* qui sont, et cela de son propre avis, ses plus belles chroniques. Bien qu'elles couvrent des événements ayant eu lieu par tout le Monde d'Ici, Gouand les intitula ainsi car ce fut le Pays de Santerre qui devint sa patrie d'adoption durant son séjour en ce monde.

En abordant ce récit, le lecteur doit se souvenir que le texte qu'il lit est une traduction de la langue du Moyen Peuple, fort différente de la nôtre. Les noms des gens ou les toponymes prennent donc une saveur nouvelle. Parfois, le lecteur trouvera des désignations qui traduisent le sens littéral, parfois ce sera le terme d'origine qui sera utilisé. Il faut se rappeler que tous les titres tels que Prince, Sage, Noble, Prétendant, Capitaine ou Gens s'utilisent indifféremment pour les hommes ou pour les femmes. La langue du Moyen Peuple ne fait aucune distinction entre le féminin et le masculin. Le lecteur devra prendre note, en lisant des mots comme *Roi* ou *Reine*, que cette différenciation est apparue seulement à la traduction.

21

D'autre part, les désignations comportent des nuances parfois très subtiles selon les circonstances et les interlocuteurs. Par exemple, « mi-jour » au masculin et écrit en minuscules signifie un moment de la journée, le midi, tandis que « Mi-Jour » au féminin et écrit avec des majuscules désigne un point cardinal, le Sud. En outre, comme si la tâche de traduire les récits de Gouand n'était pas assez ardue, certains mots de la langue du Moyen Peuple n'ont aucun équivalent dans notre langage. Notons ainsi l'emploi du mot *frœur* qui s'applique seulement pour désigner les liens familiaux des membres de la Race Ancestrale, ceux-ci étant des hermaphrodites. Ce texte-ci diffère légèrement de celui de Gouand, mais malgré tout, que le lecteur soit assuré que l'essence des récits de ce troubadour enchanteur ne fut aucunement altérée.

Enfin, précisons que l'œuvre de Gouand s'articule autour de deux récits majeurs dans l'histoire du Pays de Santerre. En premier lieu, le récit *Les Princes de Santerre*, dont l'action se situe à l'époque de la scission entre Vorgrar et ses frœurs de la Race Ancestrale. Gouand nous plonge alors à l'origine même du Mal en Monde d'Ici. Ensuite, cinquante générations plus tard, *L'Eldnade* apporte la conclusion du combat contre l'Esprit Mauvais.

Il reste un dernier fait à souligner. Pour commencer ses histoires, Gouand utilise une formule bien connue de nous : *Il était une fois...* Si cette expression n'est pas reprise dans la traduction, c'est qu'il fallait amalgamer différents textes et inclure dans le récit certaines descriptions de pays ou de peuples que Gouand avait consignées ailleurs et que le lecteur devait connaître pour mieux suivre la présente chronique. Mais il aurait été dommage de passer ce détail sous silence, car il prouve que dans tous les Mondes de l'Univers, les récits merveilleux demeurent les mêmes, c'est-à-dire des moments privilégiés où l'esprit oublie la raison pour rêver à des histoires peut-être plus vraies que la réalité perçue par nos sens. Sait-on jamais...

Alors donc : *Il était une fois en Monde d'Ici...*

Épisodes précédents

~

Tome 1 – Premier Mal

Lors d'une rencontre des membres de la Race Ancestrale, le conflit qui se dessinait entre les six frœurs se transforme en affrontement direct. Désormais isolé, désigné par les siens du nom de Vorgrar, *Celui-dont-la-Pensée-est-différente*, Orvak Shen Komi se prétend malgré tout le seul vrai et le plus grand serviteur du dieu créateur Elhuï pour conduire le Monde d'Ici à sa plénitude. Afin de réaliser son projet, il jette son dévolu sur les jumeaux Mithris Egohan et Mithris Santhair. En effet, fils du Grand Seigneur Alisan et de son épouse originaire du Pays de Santerre, ces nouveaux-nés réunissent en eux le passé d'une Race Première et l'avenir du Moyen Peuple. Il grave sa marque personnelle dans leur chair en attendant qu'ils deviennent adultes pour, alors, former leur esprit afin qu'ils deviennent les maîtres d'un monde guidé par la perfection de sa Pensée.

Si le dessein de Vorgrar réjouit leur père Mithris Sauragon, il répugne à leur mère qui a reçu autrefois l'enseignement du Roi Alahid et du Sage Delbon. Au fil des ans, ce sujet oppose les deux époux au point de transformer leur amour en haine et d'obliger Delbiam à fuir Saur-Almeth, la fabuleuse cité alisane. Elle entraîne avec elle Mithris Santhair, surnommé Francœur, dans une fuite qui semble désespérée. Heureusement, elle obtient l'aide de deux compagnons originaires du Pays de Santerre, le puissant Herkas et le ménestrel Jhibé, puis de Gouïk, un surprenant membre de la Race des Gouhachs.

Convaincu par Mithris Sauragon de diriger les recherches pour capturer les fuyards, le Sorvak Raidak se lance à leurs trousses. Toutefois, celui-ci cache à ses compagnons un engagement pris en secret avec le Grand Seigneur Alisan. Lorsque Delbiam et ses compagnons parviennent au Haylabec, un pays de pêcheurs, ils sont faits prisonniers par une famille désireuse de toucher la récompense promise par Raidak. Shau,

23

une jeune femme révoltée par la Tradition oppressante de son peuple, les aide à s'échapper et se joint à eux afin de se réfugier elle aussi en Pays de Santerre.

Pendant ce temps, à Saur-Almeth, Egohan se rebelle contre son père et cherche un sens à sa destinée dans les fanges de la Cité. C'est à ce moment que l'esprit de Vorgrar s'insinue dans le sien et que débute une période de déchirements douloureux pour le jeune homme qui épouse à son insu les ambitions de domination d'Orvak Shen Komi sur le Monde d'Ici. Pire encore, le membre de la Race Ancestrale se retrouve séquestré par ses frœurs en Terres Mortes, ce qui laisse Egohan sans repères, hanté par les ambitions dévorantes d'un Guide absent et la froideur d'un père obsédé par ses échecs.

Plus Mithris Sauragon se plonge tout entier dans ses recherches, plus il laisse l'administration de la Cité alisane entre les mains d'Egohan. Celui-ci se rend sur le Haut-Plateau afin de tirer au clair une situation qui inquiète les Nobles Alisans locaux. En effet, les Saymails du Roi Otrek œuvrent à creuser un col dans les montagnes avec l'aide des Géants. À cette occasion, le jeune Seigneur Alisan fait la rencontre de Guelnou avec qui il se lie rapidement d'une rare et surprenante amitié. Après avoir tenté de conclure une entente à son avantage avec les Géants, Egohan échappe de justesse à la colère d'Urgagon le Roux. Il s'apprête alors à revenir à Saur-Almeth où son père s'isole de plus en plus dans sa colère contre Delbiam et dans son désespoir de parvenir enfin à compléter l'œuvre grandiose de sa famille.

Ainsi, en cette fin d'été en Lentremers, les jumeaux *Marqués-du-Destin* vont officiellement quitter l'adolescence pour entrer dans l'âge adulte selon la tradition des Alisans. Or, tous deux cherchent leur voie dans des directions résolument opposées. Sur le Plateau des Alisans, l'esprit soumis à la Pensée de Vorgrar, Egohan se retrouve seul, mais déterminé à exercer le pouvoir promis par le membre déchu de la Race Ancestrale. De son côté, indécis mais lié par sa promesse d'écouter les

Temps des choix

1.

— Ainsi, tu me laisses seul en Pays de Santerre ?

— Avons-nous vraiment besoin d'être deux ici ? Notre frœur Shar Mohos Varkur, Maître Sorvak, n'assume-t-il pas à lui seul la responsabilité de l'épanouissement des nombreux pays au Levant du Lentremers ? Pour sa part, l'Ancêtre est fort occupé à sa tâche d'enfantement des peuples du Monde d'Ici. Quant à Maître Alios, il se consacre totalement à mener le combat contre Vorgrar. Le Pays de Santerre est certes le plus important auquel appartient le Moyen Peuple, mais en t'y employant entièrement, tu suffis à le guider sous ton identité de Roi Alahid. N'est-il donc pas plus judicieux que je m'attarde à veiller sur les autres Pays du Couchant ?

Jein Dhar Thaar, sous les traits du Sage Delbon, exprimait le bons sens. Pourtant, son frœur Shan Tair Cahal ressentait un malaise. Il redoutait la solitude. Depuis que Vorgrar avait brisé l'harmonie entre les membres de la Race Ancestrale, tous leurs repères étaient faussés. Ensemble, ils avaient rayonné d'une pure lumière intense et complète, véritable phare pour ce monde dont ils avaient reçu la responsabilité. Puis leur Guide si puissant et si aimé s'était isolé dans une Pensée différente, une Pensée *Mauvaise*. Son éclat rouge jetait autrefois sur le Monde d'Ici un éclairage riche d'amour. Désormais, il brillait avec une tout autre signification. Le rouge violent, sanglant, du désir d'une perfection imposée par la loi des plus redoutables, des plus forts, des plus orgueilleux.

Face à cette situation inédite pour la Race Ancestrale, Alahid doutait de toutes les convictions qui l'avaient guidé jusqu'à maintenant. Il ressentait le besoin de partager ses interrogations et d'en discuter en profondeur. Mais avec qui d'autre que son frœur et complice de toujours ? Aussi, il considérait avec appréhension la volonté qu'exprimait Delbon de quitter le Pays de Santerre.

— Les Princes de Santerre sont appelés à jouer un rôle crucial pour contrer les desseins de Vorgrar, rappela Alahid avec douceur. Tu as commencé la formation de l'esprit de Francœur. Il aura besoin que tu le guides encore.

— Tu peux le faire aussi bien que moi, sinon mieux, rétorqua Delbon en souriant. Et puis, je vais revenir régulièrement à Belbaie. Nous pourrons partager notre savoir et notre questionnement. Nous pourrons nous éclairer mutuellement dans nos tâches.

— Je serai donc le Roi de ces Princes, celui qui les dirige, qui leur donne des ordres et qui leur demande des comptes...

— Tu seras aussi celui qui veille sur eux. Je sais que chacune de tes décisions sera la bonne, que chacune de tes paroles sera la juste. Pour ma part, je tenterai de transmettre aux peuples du Couchant la Pensée du Bien, celle d'Elhuï, pour qu'ils ne succombent jamais à celle de Vorgrar.

— Tu le feras à merveille, mon frœur. Va donc ! Mes prières t'accompagneront tous les jours.

Comme tout cela sonnait étrange à leurs oreilles. Voilà qu'ils n'avaient plus de certitudes sur lesquelles s'appuyer. Ils ne profitaient plus de leur unité d'autrefois qui leur permettait de tout connaître et de tout décider simultanément, dans la plus totale harmonie. Même s'il subsistait une partie des liens complexes entre eux, chaque membre de la Race Ancestrale était devenu un individu indépendant de ses frœurs pour penser, statuer et agir.

Et cela s'avérait aussi terrifiant que séduisant.

– Shau, je t'en prie, où es-tu ? SHAU !

Perdu dans le noir, Francœur se mit à hurler de toutes ses forces le nom de celle qu'il comprenait plus que jamais aimer intensément. Le nom de celle qu'il se maudissait d'avoir blessée. Il cria comme une bête paniquée. En vain.

Des bruits de course attirèrent son attention. Puis des lueurs apparurent tout près. Trois gardes royaux surgirent d'entre les arbres, des torches à la main, suivis d'Herkas, Delbiam, Jhibé et Gouïk.

– Que se passe-t-il ? s'inquiéta Delbiam. Où est Shau ?

– Elle s'est éloignée dans la forêt et elle ne me répond pas.

– Krtipak, comment se fait-il qu'elle se retrouve solitaire dans le noir ?

Le ton de Gouïk laissait sous-entendre un reproche que Francœur accepta honteusement. Oui, tout était de sa faute, le résultat de sa jalousie et de sa maladresse. Il serra les dents pour s'expliquer.

– J'ai douté d'elle et je lui ai causé de la peine.

– Mais pourquoi rester sourde à tes appels, seule en pleine nuit dans les bois ? fit Herkas en exprimant les craintes de chacun. Quelque chose ne va pas... Explorons le secteur en nous tenant deux par deux, un groupe dans chaque direction à partir d'ici.

Le Frett organisa la battue à la lueur des torches, donnant les consignes nécessaires pour fouiller les alentours efficacement. Ils se trouvaient dans un boisé au sol régulier, sans vraiment d'accident de terrain notable. Ainsi, il n'y avait pas d'endroit particulier pour se cacher ni de ravins ou autres pièges dans lesquels tomber par inadvertance. Les arbres, surtout de grands conifères aux troncs peu branchus à leur base, n'offraient pas d'obstacles majeurs aux recherches... ou à la fuite. Bientôt, le ciel commença à s'éclaircir, puis l'arrivée du jour facilita les recherches. Malgré leur vigilance dans la quête du moindre indice et leurs appels répétés, ils demeurèrent sans nouvelles de la jeune femme.

Au moment de faire le point après avoir quadrillé un nouveau secteur, l'un des gardes royaux laissa tomber une remarque qui bouleversa Francœur.

– C'est à n'y rien comprendre. On dirait que Prince Shau ne veut pas nous répondre... ou qu'elle ne le *peut* pas. Comme si elle avait été entraînée de force !

Des flammes douloureuses se répandirent aussitôt dans l'âme et dans le cœur du jeune homme, lui labourant les entrailles pour en faire jaillir une haine comme il n'en avait jamais connue. Une hostilité furieuse, viscérale.

– Egohan !

Le nom de son jumeau tomba des lèvres de Francœur avec une rage et une hargne qui glacèrent le sang de Delbiam. Livide, elle s'approcha de son fils, constatant avec effroi le feu terrible dans ses yeux.

– C'est impossible ! Jamais ton frère n'aurait fait enlever Shau ! Et pourquoi ?

Herkas s'avança à son tour, désireux de calmer le jeune homme et de réfléchir froidement à la situation.

– En effet, il est peu probable que ce soit ton frère. Nous l'avons rencontré par hasard hier. Je conçois mal qu'il ait pu organiser si rapidement un tel enlèvement. Ce n'est pas la piste appropriée à suivre pour retrouver Shau.

Le Frett exprimait le bon sens, mais cela ne fit qu'enrager davantage Francœur. Il explosa littéralement de fureur.

– Du hasard ? Peu probable ? Mais voyons, Egohan est désormais capable de tout pour parvenir à ses fins, c'est évident ! Avez-vous déjà oublié ce qu'il a réussi à faire lors du dernier équinoxe ? Il a projeté une matérialisation de lui-même les portes de l'âge adulte selon la tradition des Alisans. Oui, il n'était plus son enfant. Même en étant toujours son fils, il était devenu entièrement Francœur, autonome et distinct d'elle. Elle songea à Egohan qui, lui aussi, n'était plus son enfant. Voilà qu'il avait fait ses choix et qu'il s'imposait totalement comme le *Marqué-du-Destin* au service de la Pensée de Vorgrar. Tout était clair. Triste, douloureux, mais inévitable et désormais si précis. Et ce vide que créait l'absence des jumeaux se voyait comblé avec tellement d'amour par la présence du Frett.

Delbiam s'écarta d'Herkas juste assez pour plonger son regard dans les yeux du Frett. Une chaleur savoureuse se répandit en elle, accompagnant une brûlante certitude.

– Herkas, j'aimerai toujours Egohan comme une mère aime ses enfants, confia-t-elle d'une voix de plus en plus ferme. Toutefois, même s'il m'est impossible de le renier, je ne peux approuver ce qu'il est devenu. Je saurai me dresser devant lui et le combattre au besoin. De la même manière, Francœur est mon fils et je le laisserai désormais tracer sa voie sans tenter de la diriger. Il obtiendra mes conseils lorsqu'il les sollicitera, mais je lui fais confiance pour discerner la route à suivre.

– Cela est sage de ta part, approuva tendrement Herkas. Je sais que la peine sera sans cesse présente, que tu ne pourras jamais demeurer insensible à l'affrontement entre tes fils. Cela est bien. Autrement, tu ne serais pas Delbiam. Alors, lorsque le cœur te fera mal, n'hésite pas à te confier à moi. Je serai toujours là, même si je ne trouve pas les meilleurs mots à dire pour faire renaître ton magnifique sourire. Au moins, il y aura une oreille attentive pour toi, si humble et si ordinaire soit-elle.

Une intense expression de bonheur illumina le visage de Delbiam qui afficha ensuite un grand sérieux.

– Oui, je le ferai. Je te prierai de m'écouter et je sais que tu trouveras les mots, ou le silence, qui me feront du bien. Et j'ai encore plus à te demander...

41

– Bien sûr, accepta d'avance Herkas, intrigué. Tout ce que tu voudras...

Un torrent d'émotions contradictoires fit vaciller la Culter. Elle s'agrippa au Frett dans une étreinte dont elle ne savait plus si elle exprimait son amour pour cet homme au cœur immense, ou son amitié pour le compagnon fidèle, ou son désespoir de mère dont les fils s'opposaient désormais en ennemis jurés. Subitement, à la recherche d'un refuge solide dans le tourbillon qui l'emportait, elle avait souhaité demander à Herkas un engagement total, définitif. L'Union Sacrée. Au dernier moment, les mots refusaient de franchir ses lèvres. Après avoir été unie au Grand Seigneur Alisan, comment ce simple guerrier pourrait-il être son compagnon de vie ? Pourtant, elle était si bien en sa présence, certaine de l'amour inconditionnel qu'il lui portait.

Elle l'embrassa avec fougue, en profitant pour retarder sa requête, pour réfléchir encore, pour tenter de voir clair en elle-même. De toute évidence, le moment n'était pas venu. Alors, elle se ressaisit, s'écarta légèrement du Frett et lui parla d'un ton ferme.

– Peux-tu à la fois être mon compagnon et m'attendre ? Es-tu capable d'accepter que je t'aime, mais sans savoir encore comment ? Je sais que j'exige beaucoup de toi, mais...

Souriant avec amour et résignation, Herkas mit ses doigts sur la bouche de Delbiam pour l'empêcher de parler. Partager la vie d'une si merveilleuse compagne était un fol espoir auquel il voulait croire aussi longtemps que cela serait possible.

– Ne dis rien maintenant. Nous avons beaucoup à faire pour retrouver Shau.

Delbiam l'enlaça de nouveau. Sous la douceur du geste, Herkas sentit clairement son énergie. Elle était redevenue elle-même, forte et déterminée, non seulement la plus admirable des femmes, mais aussi une force indispensable pour lutter contre Vorgrar. Et contre son fils.

3.

Tant qu'elle en avait été capable, Shau avait couru de toutes ses forces, droit devant elle, sans réfléchir, sans vouloir rien comprendre, sans raisonner surtout. Il lui semblait que seule la fatigue de son corps pouvait soulager l'épouvantable détresse de son cœur. Quand elle s'arrêta enfin, à bout de souffle, elle s'effondra sur le tronc d'un arbre que des grands vents avaient terrassé autrefois. La mousse qui recouvrait le géant inerte l'accueillit avec une douceur réconfortante lorsqu'elle s'y agrippa en haletant et en pleurant en même temps. Comme l'amour se révélait cruel et difficile à comprendre ! N'aurait-il pas été plus simple d'accepter la Tradition du Haylabec qui privait certes de merveilleux bonheurs, mais qui savait éviter de tels tourments ?

Un timide rayon de soleil se faufila jusqu'à la Haylaboise, lui faisant prendre conscience que le jour se levait. L'étourdissant tourbillon de peine, d'incompréhension, de panique, de découragement, d'impuissance et de colère s'apaisa lentement. Au même rythme que la lumière prenait possession de la forêt, de nouvelles émotions gagnaient Shau. La jeune femme ressentait un intense besoin de solitude et de calme pour voir clair dans ce qui lui arrivait. Pour cela, elle devait rester seule, le temps qu'il faudrait, ce qu'elle n'avait jamais eu l'occasion de faire depuis son départ du Haylabec. Qu'importe si Francœur allait s'inquiéter ! C'était lui qui avait installé le doute en elle et entre eux.

Shau se releva, soudainement effrayée à l'idée d'être retrouvée par les autres et de ne pas pouvoir méditer à sa guise sur les événements qu'elle vivait. Elle tendit l'oreille et elle entendit effectivement des voix au loin. Son cœur se remit à battre la chamade. Il fallait fuir sans laisser de traces susceptibles de trahir sa présence. Sa course folle recommença, mais cette fois en prenant soin de brouiller ses pistes. Elle dévala une pente qui la mena à un lac dont les berges étaient couvertes de gros galets et de roches où son passage pouvait difficilement être repéré. Après avoir longé la rive sur une bonne distance, elle arriva devant des parois abruptes qui s'avançaient dans l'eau, lui coupant ainsi la route. Déçue, la jeune femme examinait le paysage autour d'elle lorsqu'elle nota un encaissement qui semblait lui permettre de poursuivre plus facilement son chemin. Contournant les rochers, elle tourna dos au lac et elle s'engagea dans le sentier qui s'offrait à elle.

Au fur et à mesure qu'elle pénétrait plus avant dans la forêt, elle ressentit d'étranges sensations. Les lieux lui donnaient l'impression d'être figés, comme coupés du monde. Les arbres, de vieux et majestueux pins, s'élançaient vers le ciel jusqu'à caresser les nuages. Leurs troncs couverts d'une mousse touffue et dépourvus de branches sur les premiers tails de hauteur ressemblaient à autant de colonnes d'un palais grandiose. Le sol était recouvert de tant d'aiguilles, tombées depuis tellement de saisons, qu'il était devenu un épais et doux tapis aux reflets roux. Aucun bruissement d'air, aucun son ne troublait la tranquillité exceptionnelle de l'endroit. Seule une odeur riche et subtile de terre confirmait la réalité de ce sanctuaire et l'intensité de la vie qui l'habitait.

Émerveillée, ressentant un grand calme intérieur, Shau se mit à errer dans ce décor insolite. Elle marchait maintenant sans se presser, n'osant faire le moindre bruit qui risquerait de rompre l'atmosphère apaisante des lieux. Parfois, elle s'arrêtait un moment pour s'adosser à un tronc et se laisser envahir par la quiétude de l'endroit. Les événements depuis sa rencontre avec Francœur semblaient subitement devenir si peu importants à l'échelle du Monde d'Ici. Ses sentiments lui paraissaient dérisoires, si infimes comparativement à l'éternelle grandeur de la Terre nourricière de tous les peuples. Elle était si petite, Shau du Haylabec, devant la permanence de la nature. Elle était si ignorante face à la sagesse de l'Univers...

Au milieu du jour, son errance avait guidé la jeune femme dans une éclaircie. Elle y découvrit un curieux agencement de rochers de trois à quatre fois sa hauteur, couverts en partie d'une épaisse mousse d'un vert profond, qui ressemblaient vaguement à des personnes se tenant debout. Ils étaient disposés en un cercle plus ou moins régulier, créant un espace libre d'une vingtaine de jambés de diamètre. Au centre, trois pans de roche semblaient s'être effondrés les uns sur les autres, formant ainsi une sorte d'abri assez vaste pour s'y glisser et s'y étendre confortablement. Shau nota ce détail avec satisfaction, se disant qu'elle pourrait s'y réfugier éventuellement. Puis elle se dirigea vers l'un des rochers dressés devant elle, fascinée par ses contours adoucis par l'usure des saisons et les lourds filaments végétaux qui enlaçaient la pierre et qui pendaient par endroits, certains allant jusqu'à toucher le sol.

Dans les formes créées par le hasard du temps, Shau se surprit à reconnaître des traits familiers. La masse de granit lui apparut brusquement comme une monumentale représentation de son père Kors. La jeune femme porta le poing à sa bouche et le mordit afin de retenir un cri. Elle recula lentement, puis elle tourna les yeux vers le rocher voisin. Celui-là évoquait grossièrement sa mère. Des larmes se mirent à couler silencieusement sur ses joues. Elle fit volte-face pour échapper à leur regard pesant, mais tous ces géants de pierre la fixaient eux aussi. Là, c'était sans contredit son frère Pakas, son oncle Tikas, et différentes personnes de sa vie en Haylabec. Plus loin, elle reconnaissait Francœur et Egohan, l'un à côté de l'autre, si semblables et si différents. Elle vit aussi les Princes de Santerre, le Roi Alahid ainsi que d'autres visages encore inconnus et déjà familiers.

Un cri jaillit de ses lèvres, sans qu'elle puisse le retenir.

– NON ! Vous n'existez pas... Vous n'êtes que le fruit de mon imagination.

Les paroles de la Haylaboise lui parurent immédiatement ridicules. Elle éclata d'un rire nerveux.

– Voilà que je parle à des gros cailloux ! Suis-je en train de perdre la raison ?

Totalement déroutée, Shau se mit à marcher à l'intérieur du cercle, examinant tour à tour chacune des masses de pierre qui le composaient. Elle avait beau chercher à se convaincre qu'il ne s'agissait que de roches et de mousse façonnées par la nature, elle voyait nettement des visages précis. Lorsqu'elle se retrouva de nouveau face aux personnages lui rappelant Francœur et Egohan, elle s'immobilisa un long moment exactement entre les deux.

– Que me voulez-vous ? grogna finalement la jeune femme. Toi, Francœur, j'ai décidé de t'aimer, mais ça ne te satisfait pas ! Il faut que tu doutes de moi ? Mes propres questions ne suffisent pas, il faut que tu en ajoutes d'autres ? Toi, Egohan, qu'as-tu à me poursuivre, à m'obséder ? Tu n'es qu'un mirage, une illusion. Je ne te connais même pas ! Es-tu aussi mauvais qu'on le dit ? N'es-tu pas comme Francœur, mais avec plus de force ? Plus de détermination ? Là où Francœur affiche ses hésitations, tu proclames tes certitudes. Tu serais bien à ton aise dans la Tradition de mon peuple.

Furieuse, Shau courut vers les images de sa famille.

– Vous l'aimeriez, n'est-ce pas ? Vous seriez heureux que je le préfère à Francœur. Egohan est comme la Tradition, le cœur et l'esprit guidés par de grandes convictions. Il est rassurant comme toi, papa, un vrai roc sur lequel on peut s'appuyer et éviter de réfléchir ! Il est comme toi, oncle Tikas, qui te crois tout permis, qui es persuadé que tout t'appartient.

La figure de son frère Pakas sembla se faire narquoise, ce qui piqua Shau au vif.

– Toi, ne te mêle pas de ça ! Tu aimerais bien me convaincre que je ne suis qu'une femme du Haylabec, donc que je n'ai aucune valeur autre que de servir des hommes comme toi ! Même si c'est moi qui ai triomphé de toi lorsque tu souhaitais prendre ma vie, tu voudrais continuer à me faire croire à ta supériorité. Tu penses que ce qui m'arrive n'est qu'un hasard ! C'est faux, tu te trompes. Je suis Prince de Santerre parce que je le vaux, et non parce que je suis au service de Francœur. Je me retrouve au cœur des combats à venir parce que je suis Shau, par ma seule valeur, et non parce que je suis une femme soumise à un homme plus grand que moi !

Shau hurla de toutes ses forces.

– Je suis Prince de Santerre. Tu vas le voir, et les autres aussi.

Un silence désespérant succéda à son cri du cœur. Il y avait dans ce cercle et dans le paysage aux alentours une telle absence du moindre bruit, du moindre mouvement, que Shau se sentit subitement seule comme jamais, abandonnée de tous. Elle leva la tête vers le ciel et sa voix se fit encore plus forte, mais cette fois chargée de défi et de désespoir à la fois.

– Elhuï, si tu existes, réponds-moi ! N'y a-t-il aucun dieu dans cet univers qui puisse me donner une parcelle de certitude, même la plus petite qui soit, pour que je m'y agrippe, qu'elle soit mon roc, mon refuge... Dieux du Monde d'Ici, cessez de me torturer. Dites-moi quoi faire ! Parlez-moi !

Jamais autant d'émotions contradictoires et puissantes n'avaient ravagé la jeune femme dans tout son être. Elle était ballottée entre les extrêmes de son cœur et de sa raison dans une ronde exténuante où elle se sentait pure, assurée, grande et précieuse, puis, l'instant d'après, sale et insignifiante. La volonté de s'affirmer se disputait avec le goût d'abandonner. La soif de vivre cédait à la tentation d'en finir. Shau recommença à tourner à l'intérieur du cercle en laissant surgir en elle les souvenirs et les émotions qu'elle associait à chacune des personnes évoquées par les formes des rochers. Ce fut d'abord une rafale incohérente d'images et d'impressions qui la faisaient tour à tour rire et pleurer. Prisonnière des personnages immobiles qui l'entouraient, la jeune femme les fuyait pour ensuite foncer vers eux et leur adresser la parole. Insultes, promesses, regrets, espoirs et défis à leur endroit se succédaient dans une tentative encore désordonnée de se libérer de leur emprise, de s'arracher au passé pour entrer totalement dans le présent.

Shau dut s'arrêter pour reprendre son souffle. Elle s'étendit – ou plutôt elle s'écroula – sur le lit d'aiguilles de pin couvrant le sol. Un long moment, son esprit refusa de se fixer sur une quelconque idée. Enfin, elle recommença à réfléchir, lentement, retournant avec prudence dans ses souvenirs, s'obligeant à les remettre en ordre, à revivre les événements dans une suite logique, à la recherche d'un sens précis. Malgré l'invraisemblance de la situation, elle sentait monter en elle une volonté farouche de croire en son destin et de le prendre en main. Elle avait trouvé la force de fuir la Tradition du Haylabec, elle avait découvert l'amour avec Francœur le *Marqué-du-Destin*, elle avait eu le privilège d'être nommée Prince de Santerre et elle avait accès aux secrets des membres de la Race Ancestrale du Monde d'Ici ! Tout cela n'était certes pas en vain. Tout son être refusait cette éventualité. Elle devait absolument se battre, avoir foi en elle et en son avenir.

Elle n'était plus une Haylaboise pour qui les autres décident de tout. Elle était désormais Shau, Prince de Santerre ! Elle s'adressa à son père.

– Toi, tu me comprends, j'en suis certaine. Tu m'as aidée dans ce passage vers une autre vie. Ensuite, j'ai pris un engagement plus grand que ma propre existence. J'ai accepté de porter la tâche de Prince de Santerre pour le bien des autres. Pas pour moi, pas pour mon intérêt personnel immédiat. Pour celui des gens que je connais et pour celui de ceux dont j'ignore tout. Mon combat est celui de la Pensée du Bien. Tu me comprends, papa ? Est-ce que tu m'entends ? Dis-moi que tu m'approuves ! Que tu vas m'aider sur ma route. Tu sais – vous le savez tous – que je vais poursuivre mon chemin parce que je suis convaincue que ça ne peut être autrement. C'est impossible que ce soit autrement !

Mais Shau n'obtenait de la pierre que son silence et son immobilité. Sa colère éclata.

– Vous ne voulez pas me répondre ? Personne ! Alors, regardez-moi bien. Je vais rester ici jusqu'à ce que l'un d'entre vous me fasse un signe. Ou bien je suis folle et ma vie se terminera ici à espérer en vain de connaître mon rôle. Ou alors, j'ai raison et j'obtiendrai ce que je veux.

Refoulant toute émotion, toute pensée ou toute logique, Shau se retira au centre du cercle pour attendre un bien improbable message de la part des vieux géants de pierre.

4.

Finalement, la tombée du jour obligea à faire une halte que Francœur n'accepta qu'à contrecœur. Il marchait nerveusement autour du feu, refusant de manger tant l'angoisse et le sentiment d'impuissance lui nouaient l'estomac.

— N'y a-t-il pas quelque chose d'utile que nous puissions faire durant la nuit ? s'impatienta-t-il brusquement.

— Oui, répondit Herkas avec le plus grand calme possible. Nous pouvons reprendre nos forces pour demain et, surtout, éviter de perdre la piste en essayant contre toute logique de continuer dans le noir.

Le jeune homme fixa le Frett, puis s'éloigna en grommelant.

Hanté par des idées sombres, Francœur ne faisait que somnoler sans parvenir à se reposer. Il avait le sentiment d'errer dans la Grande Forêt, envahi par l'affolante sensation de tourner en rond sans espoir de retrouver la trace de Shau. Il maudissait son frère Egohan qu'il tenait responsable de l'enlèvement de la Haylaboise. Même s'il n'avait pas de tour de garde à prendre, Francœur quitta son abri pour aller s'asseoir près du feu où veillaient Tolcan et Jhibé. Il donna congé au garde royal, l'assurant qu'il tiendrait compagnie au ménestrel.

Les deux Princes de Santerre restèrent un long moment à fixer les flammes. Ce fut le Baïhar qui finit par briser le silence.

– Tu t'interroges sans cesse, n'est-ce pas ?

Le visage de Francœur se crispa.

– Oui, trop, je suppose ! soupira le jeune homme. Je vivais dans un palais magnifique où je cherchais un sens à ma vie. Puis ma mère m'a entraîné en Santerre où des êtres exceptionnels me donnent des réponses à des questions que je ne m'étais jamais posées ! Alors, j'ai un objectif pour mes actions, mais toujours pas de but pour mon existence !

– Je ne saisis pas très bien et j'aimerais beaucoup que tu m'expliques tout cela. Je ne suis pas comme toi, éduqué durant toute son enfance pour diriger les gens, tant par la parole que par les armes, et désormais instruit par des membres de la Race Ancestrale... Je ne suis qu'un simple ménestrel, mais nous sommes emportés par les mêmes événements. Alors, je pourrais peut-être comprendre ce qui te tourmente.

Jhibé désirait amener son compagnon à se confier, convaincu que cela lui ferait le plus grand bien de parler, de donner forme à ce qu'il ressassait au plus profond de lui. Sans plus insister, il attendit. Francœur fixa longuement le feu sans prononcer un mot. Avec Alahid ou Delbon, il raisonnait. Il réfléchissait logiquement à la destinée du Monde d'Ici, aux aspects qui justifiaient de défendre une certaine Pensée plutôt que celle qui s'y opposait. Tout cela était fort juste et primordial à rationaliser, mais qui se souciait des émotions qui chaviraient son cœur ? Ce n'était pas avec un membre de la Race Ancestrale qu'il pouvait discuter de ses sentiments intimes. Par contre, s'il y avait un Prince avec qui il pouvait les partager, c'était bien ce tendre poète.

Cette nuit, Francœur avait besoin comme jamais de faire le point, d'arrêter le tourbillon d'images contradictoires qui le hantaient. Il se mit à parler doucement, s'adressant en apparence à Jhibé, mais sans quitter le feu des yeux comme s'il souhaitait que les flammes consument ses paroles au fur et à mesure. Comme si cela pouvait le soulager, mais sans trop le compromettre.

– Oui, c'est vrai. Mon enfance à Saur-Almeth a été essentiellement un apprentissage pour devenir un Grand Seigneur Alisan. Et j'ai vécu cela avec mon frère Egohan. Nous avons connu tellement de bons moments ensemble. Bien sûr, il y avait une rivalité entre lui et moi. De nous deux, c'est lui le convaincu, le dominant, le *splendide* comme l'est notre père. Aux armes, il me battait toujours parce qu'il tenait à tout gagner, alors que pour moi, cela n'avait guère d'importance. Ça le choquait que je ne démontre pas la même ferveur que lui dans notre rôle. Pire encore, je me moquais du fait d'être *Marqué-du-Destin*. Nous avions parfois des discussions à ce sujet qui duraient toute la nuit. Mais si quelquefois nous étions prêts à en venir aux coups, le quotidien était en général agréable. Nous étions une famille ! Un père, une mère, des frères. Il y avait des moments heureux. Il existait une complicité entre Egohan et moi. Je nous revois rire, jouer des tours aux serviteurs du palais, mettre le grand laboratoire en émoi... Une nuit, nous y étions entrés et nous avions attaché toutes sortes d'objets en métal sur la roue d'énergie. Lorsqu'elle avait été enclenchée, il y avait eu un vacarme incroyable et des étincelles partout qui avaient déchaîné un chaos extraordinaire ! Les savants couraient en tous sens et papa criait qu'il allait nous arracher la tête ! Egohan et moi, on riait comme des fous, mais on avait eu la peur de notre vie. On s'est cachés durant deux jours dans les écuries...

Ce souvenir avait fait sourire Francœur, mais aussi fait naître des larmes qui coulaient sur ses joues sans qu'il se donne la peine de les essuyer.

– Il voulait tellement que je prenne notre rôle aussi au sérieux que lui. C'est pour cela qu'Egohan cherchait constamment à me faire réagir en me défiant. Il désirait que je finisse par triompher de lui aux armes. Il m'humiliait parfois devant les autres, mais je sais que c'était sa manière de me provoquer pour que je me redresse, que je m'affirme.

Il se tourna un instant vers Jhibé, le visage défait par des sentiments qu'il peinait à avouer.

– Tu comprends, je hais un frère qui m'aime... et que j'aime aussi !

Comme s'il venait de confesser une énormité, Francœur détourna aussitôt le regard. Il fixa de nouveau les flammes en silence.

– Je ne suis pas surpris que Shau soit troublée par lui. Ce n'est pas la première fois qu'il me ravit l'attention des personnes qui entrent dans nos vies. Tous mes amis – surtout les filles, évidemment – finissaient par trouver Egohan plus intéressant que moi... Et c'est vrai qu'il l'est ! Cependant, le pire dans tout cela, c'est que maintenant... tout m'oblige à affronter Egohan pour le vaincre.

Francœur baissa la tête et serra nerveusement les mains sans rien ajouter. Pour la première fois, Jhibé relança son compagnon.

– Ne doute pas de ta valeur, celle qui était déjà la tienne à Saur-Almeth et qui te distingue de ton jumeau. Vous avez parcouru votre enfance sur le même chemin, mais vous êtes devenus des hommes par des voies différentes. Tant de choses vous uniront toujours, alors que tant d'autres vous opposent désormais. Tu n'as pas à renier le bonheur du passé qui te lie à ton frère. Mais cela appartient à une autre réalité, celle d'autrefois.

Francœur haussa les épaules.

– Et aujourd'hui serait plus réel ? Parfois, je me demande si tout cela n'est pas que le fruit de mon imagination. Si nous vivons une aventure tellement extraordinaire, comme le prétendent les membres de la Race Ancestrale, pourquoi ne sommes-nous pas des gens hors du commun, détenteurs de pouvoirs et de savoirs fabuleux ? Toi-même, Jhibé le poète, comment expliques-tu avoir mérité le titre de Prince de Santerre autrement que par un concours de circonstances ? Honnêtement, sans vouloir t'offenser, tu n'es pas l'un de ces guerriers dont la présence fait trembler l'ennemi, ni un Sage en possession de secrets cruciaux.

– Je me suis posé exactement les mêmes questions, répondit le ménestrel avec le plus grand sérieux. Et je crois que la réponse que j'ai trouvée pour moi vaut pour nous tous, même pour le *Marqué-du-Destin* que tu es censé être...

– Ah oui ? Alors, hâte-toi de me l'expliquer, je t'en prie !

Il y avait autant de lassitude que de scepticisme dans la voix du jeune homme. Le doute l'avait constamment rongé, lourd et inavouable devant ses compagnons. Si Jhibé savait chaque fois choisir parfaitement les mots pour ses chansons, il hésitait toujours quant à ceux qu'il devait utiliser pour aborder un sujet sérieux. Pourtant, à cet instant, il était convaincu de ce qu'il devait dire à son ami.

– Ce qui fait la différence entre ceux qui répondent ou non à un appel qui dépasse l'ordinaire, ce n'est pas d'être une personne extraordinaire, affirma Jhibé avec assurance. C'est simplement d'entendre l'appel en question et de décider humblement d'obéir.

Francœur joua un moment dans les flammes avec le long bâton qui lui servait de tisonnier. Il soupira, continuant la conversation sans quitter le feu du regard.

– Ainsi, même cette fameuse marque faite par Vorgrar sur mon frère et sur moi serait sans réelle signification, selon que j'y crois ou non ?

– N'est-ce pas ce qui s'est passé jusqu'ici ? Ton frère Egohan croit fermement depuis son enfance qu'il est un personnage extraordinaire. Alors, il se comporte comme tel. Ses actions se nourrissent de cette certitude. De ton côté, tu n'as jamais voulu l'accepter et il faut que tous ceux qui t'entourent s'acharnent sans cesse à te convaincre de jouer le rôle qui t'est désigné. Tu as écouté l'enseignement du Sage Delbon et du Roi Alahid parce que tu en avais fait le serment à ta mère. Tu as pris la tête des Princes parce que nous t'avons incité à le faire. Tu t'investis dans le combat toujours abstrait que nous annoncent les membres de la Race Ancestrale parce que ton ressentiment envers ton frère a éclaté. Tu te convaincs de croire à ta tâche parce que tu portes la même marque sur ta poitrine que ton jumeau si flamboyant. Il est temps que tu deviennes un véritable Prince de Santerre... ainsi que tu as toi-même décrit notre rôle. Et Shau ne demande pas mieux !

Après avoir déplacé encore quelques braises en silence, Francœur se leva pour marcher lentement autour du feu. Il s'arrêta finalement devant Jhibé, visiblement à la recherche de réponses qui apaiseraient ses tourments.

– Qu'est-ce vraiment qu'un Prince de Santerre ?

– Rappelle-toi tes propres paroles. *Nous ne devons pas tenter de dominer, mais au contraire empêcher quelque domination que ce soit. Nous ne devons pas rechercher la guerre, mais éviter qu'elle n'éclate. Nous ne devons pas abattre celui qui pense autrement, mais le faire grandir dans la Pensée du Bien.* À ta suite, nous avons alors pris l'engagement d'être les premiers serviteurs du Pays de Santerre et, surtout, d'une Pensée que nous nommons le Bien. Nous avons dit oui à l'appel qui nous a été fait, sans prétention et sans restrictions.

– Mais te sens-tu la responsabilité de décider des actions à poser, des combats à livrer, des enjeux à soupeser ? demanda Francœur presque avec désespoir. Vous mettez tant de poids sur mes épaules. Je ne suis pas comme Egohan, sûr de moi, déterminé à imposer ma vision, brûlant de régner sur le Monde d'Ici ! Je n'ai pas l'étoffe des Grands Seigneurs Alisans qui dictent leur volonté. Je suis toujours l'autre, le deuxième frère, le jumeau qui ressemble au premier sans être à sa hauteur...

Jhibé se leva à son tour. Les poings sur les hanches, il se tenait bien droit, autoritaire.

– Francœur, je ne suivrais jamais ton frère. Par contre, je suis prêt à prendre les armes à tes côtés, moi, un simple ménestrel. Tu sais pourquoi ? Pas vraiment et moi non plus ! C'est ce qu'on appelle la confiance, l'instinct, la connaissance du cœur... Je ne rationalise pas mon rôle de Prince de Santerre.

J'y crois ! Même si je t'expliquais toute la nuit pourquoi tu dois y croire toi aussi, je ne parlerais qu'à ta raison. C'est à ton cœur qu'il faut s'adresser. C'est en lui que doivent se former les certitudes que tu recherches. Mieux que moi, même beaucoup mieux que les membres de la Race Ancestrale, c'est Shau qui va le mieux t'aider. Parce que tu l'aimes avec ton cœur, et non avec ta raison.

Un long silence suivit jusqu'à ce que Francœur pose la main sur l'épaule de Jhibé. Il y avait en lui un peu de paix et beaucoup d'espoir.

– Ménestrel, ce n'est pas un simple concours de circonstances qui a fait de toi un Prince de Santerre. Nous avons tous besoin de toi, cela de bien des manières que seul l'avenir connaît ! Ou uniquement Celui qui nous appelle !

5.

Dans l'abri au centre du cercle des personnages de pierre, Shau avait longtemps lutté pour rester éveillée. Malgré ses efforts, la somnolence avait gagné la jeune femme. C'est alors qu'une image avait traversé son esprit, celle d'une indéfinissable présence qui s'était déjà manifestée dans un moment de désespoir.

Cela remontait à si loin, dans un autre lieu, une autre vie, lui semblait-il. Cela s'était passé quelques jours avant qu'elle participe à la capture de Francœur sur l'ordre de son père Kors.

Tout son univers venait de basculer. Ou plutôt, son statut au sein de son peuple était devenu douloureusement concret. Shau avait surpris une conversation entre adultes la concernant. Elle avait compris que le fils d'une riche famille de Quayl, une importante ville portuaire du Haylabec, l'avait remarquée. Désireux de l'obtenir comme épouse, il avait envoyé une négociatrice auprès de Kors pour fixer les conditions d'un mariage avec sa fille. Le père de Shau savait qu'il devrait un jour se résoudre à lui choisir un époux et celui-ci semblait convenir. De toute manière, en se montrant habile, les termes de l'entente pourraient être fort avantageux pour chacun, même pour Shau. L'affaire était donc pratiquement conclue et il pourrait certes annoncer une décision finale avant la prochaine lunaison.

Révoltée par ce marchandage pourtant inévitable, incapable de se soumettre à un tel accord, le cœur brisé de se sentir ainsi abandonnée par son père qu'elle aimait tant, la jeune Haylaboise ressentait une telle détresse qu'elle envisageait de plonger dans la Ceinture d'Eau pour fuir à tout jamais en son sein. Comme elle n'était pas censée savoir que son mariage serait bientôt conclu, elle ne pouvait pas en discuter. L'unique personne à qui elle aurait pu se confier était son père qu'elle admirait tant, son seul véritable complice dans la vie. Or, il était au cœur même de son malheur.

Puis, au cours d'une nuit où le sommeil refusait de la soulager un moment de son accablement, quelqu'un avait franchi les frontières de son chagrin solitaire. Une mystérieuse présence l'avait comprise et écoutée. Au début, elle avait imaginé qu'il s'agissait d'un songe fou issu de sa prière désespérée pour échapper au joug de la Tradition. Pourtant, elle voulait tellement y croire, car quelqu'un lui promettait des jours meilleurs. De la façon la plus incroyable, l'être fabuleux affirmait qu'un étranger aux sentiments purs lui ouvrirait les portes d'une nouvelle vie. Le jour où il viendrait vers elle, Shau devrait obéir à ce que son cœur lui dicterait. Jusqu'à cet instant, elle devrait garder secrets ses espoirs. Elle devrait relever la tête et affermir sa volonté.

Shau avait souhaité en savoir plus. Poser des questions. Prolonger cette rencontre réconfortante. Toutefois, la présence était restée sourde à ses demandes et s'était éloignée. Dans son demi-sommeil, elle avait voulu croire de toutes ses forces à ses promesses fabuleuses... À son réveil, elle s'était convaincue que rien de cela n'était réel, qu'il s'agissait d'une réaction affolée après le choc d'apprendre que son père la livrait en mariage à un inconnu.

Lorsque Francœur et ses compagnons avaient été capturés, Shau avait été bouleversée. Durant l'échauffourée initiale, le jeune homme l'avait un moment tenue contre lui, l'épée sur la gorge. Elle n'avait ressenti aucune crainte. Au contraire, elle avait eu spontanément l'impression d'être entre les mains d'un ami. Ensuite, pendant que les prisonniers attendaient de connaître leur sort dans la cabane des pêcheurs, elle leur avait apporté de l'eau et du pain. C'était pour examiner Francœur, pour savoir si c'était celui qu'elle espérait secrètement. Comme il était différent et semblable à la fois de l'image qu'elle s'en faisait. Il n'arrivait pas en conquérant, mais plutôt en vaincu. Il n'était pas un libérateur, mais un captif. Pourtant, dans ses yeux, elle découvrait avec une ivresse délicieuse tout ce qu'elle désirait. Il lui avait demandé de plonger son regard dans le sien. *Est-ce les ténèbres ou la lumière que tu vois ?* C'était la lumière ! Une lueur radieuse et chaleureuse. Un éclat admirable qui lui indiquait la voie pour échapper à la Tradition. Pour être libre.

Libre. Shau l'avait été durant un temps merveilleux. D'abord au cours du voyage sur la Ceinture d'Eau, ensuite pendant l'apprentissage d'une nouvelle vie en Santerre, la découverte de l'amour avec Francœur, la tâche de Prince, l'entraînement aux armes. Et surtout, la participation en égale à toutes les décisions concernant le groupe. Mais voilà qu'elle était de nouveau face au mur sombre du doute.

Cette fois, Shau refusait le désespoir. Elle trouverait le moyen de se battre. Cette nuit-là en Haylabec, lorsque l'être mystérieux était entré dans son rêve, elle ne savait pas pourquoi. Maintenant, elle avait la certitude que quelqu'un comptait sur elle pour participer à une tâche plus grande que sa propre vie.

– « Tu as compris, Shau du Haylabec et Prince de Santerre. »

La merveilleuse voix était familière, évidemment ! La présence était revenue vers elle, franchissant une deuxième fois les portes du rêve, lui adressant de nouveau la parole directement dans son esprit, sans que des mots soient prononcés.

– « Ta valeur était cachée, masquée par tes doutes et ton ignorance de la tâche à accomplir. Elle se révélera maintenant. Tu vas vivre des épreuves qui écraseraient toute autre personne que toi. Pourtant, jamais tu n'abandonneras. »

Shau sentit une douce chaleur se répandre dans tout son être. Les questions se bousculaient dans son esprit, mais elle tenait d'abord à exprimer sa reconnaissance.

– « Je vous remercie de m'avoir enseigné que Francœur me conduirait vers la liberté et vers la tâche qui est la mienne en Monde d'Ici. Comment pourrais-je un jour vous dédommager à la juste valeur de ce cadeau inestimable ? »

– « Cela ne compte pas pour l'instant, Shau. L'important, c'est que tu as la capacité de comprendre ce qui se passe autour de toi. Tu as le don – ou plutôt, l'habileté du cœur – pour discerner la vérité et la route à suivre. »

– « Est-ce que vous pouvez mieux m'instruire sur la direction à prendre, ou dois-je tracer seule mon chemin ? »

– « Je te dirai ceci : tu n'as pas été choisie parce que tu étais supérieure aux autres ou infaillible dans tes actions. Tu as reçu ta tâche parce que ton cœur est bon. Il n'est pas demandé aux gens extraordinaires d'accomplir des exploits en ces temps qui sortent de l'ordinaire. Il est plutôt demandé à des gens ordinaires d'éviter que l'extraordinaire n'engloutisse le Monde d'Ici. »

– « Vorgrar est l'extraordinaire, n'est-ce pas ? L'extraordinairement mauvais pour chacun de nous ! »

– « Et les Princes de Santerre sont l'ordinaire appelé à contrer l'extraordinaire... Ainsi, tu comprends ta valeur auprès d'un guerrier à l'âme droite, d'un ménestrel aux mots justes, d'une mère aimante au cœur ravagé, d'un excentrique naïf et, surtout, auprès de celui qui est *Marqué-du-Destin*. »

– « De celui, ou de ceux qui sont les *Marqués-du-Destin* ? Les deux frères ne le sont-ils pas également ? »

– « Il n'y en a qu'un seul... »

– « Lequel ? »

– « Celui que tu choisiras. »

– « Mais mon choix est fait ! »

– « Pas encore, Shau du Haylabec. »

Le choc de cette affirmation fit ouvrir les yeux à Shau. Émergeant de son rêve, elle ne ressentit plus la présence près d'elle. Fébrile, elle quitta l'abri de pierre. Autour d'elle, les rochers étaient devenus des êtres fantomatiques et anonymes. Elle se tourna vers ceux qui figuraient les jumeaux, mais elle était incapable de distinguer leurs traits dans les ténèbres.

– Je ne vous vois plus ! cria-t-elle brusquement. Je ne sais plus lequel est lequel. Francœur, pourquoi est-ce que tu te dérobes ?

Elle courut dans le cercle des géants immobiles qui paraissaient la narguer dans la nuit. Elle s'immobilisa devant l'un d'eux, celui qui personnifiait Francœur.

– C'est toi que je veux choisir. Uniquement toi, et pas ton frère !

Soudain, Shau réalisa qu'elle n'était pas certaine de se tenir en face de la représentation de Francœur. C'était peut-être celle d'Egohan. Dans l'obscurité, elle doutait de s'adresser à celui qu'elle voulait. La colère l'emporta.

– C'est Francœur que je choisis, hurla la jeune femme. Vous m'entendez tous ? Vous tous du Haylabec, de Santerre et d'ailleurs, ne vous trompez pas. Je ne veux pas qu'Egohan soit le seul *Marqué-du-Destin*. Je ne peux pas faire ça. Si mon cœur osait le souhaiter, je l'arracherais de ma poitrine. Je suis Shau, Prince de Santerre.

Les images des deux rencontres entre les jumeaux auxquelles elle avait assisté vinrent hanter l'esprit de la jeune femme. Ces frères si semblables et si différents. Egohan si fort, si dominant. Francœur si incertain. Pourquoi le Bien n'était-il pas défendu par le plus éclatant champion ? Pourquoi le Mal brillait-il de toute sa certitude et que le Bien reposait-il sur le doute ?

Shau eut peur. Elle tourna le dos au rocher symbolisant le *Marqué-du-Destin* pour courir vers ceux représentant sa famille. Encore une fois, dans les ténèbres, elle ne savait plus lequel évoquait son père.

– Restez cachés dans votre indifférence ! s'exclama-t-elle avec dédain. Laissez-moi seule, je n'ai pas besoin de vous pour décider ce que je dois faire ! Je l'ai dit, je suis Shau, Prince de Santerre, et je choisis Francœur pour être le *Marqué-du-Destin*. Dès que le soleil brillera, je vais retourner vers lui et nous préparerons Santerre à faire face à Egohan ou à tout autre serviteur de la Pensée Mauvaise !

S'obligeant à marcher lentement, d'un pas ferme, Shau regagna l'abri de pierre pour y attendre le lever du jour. Elle lutta jusqu'à l'épuisement pour chasser les visages de Francœur et d'Egohan qui ne cessaient de surgir dans son esprit en l'exhortant chacun à le choisir.

6.

Le soleil matinal éclairait les rochers sous un tout autre angle, créant de nouvelles ombres dans les formes de granit et de mousse. Shau les regarda, incapable de reconnaître un seul des visages pourtant si évidents la veille. Elle avait fini par s'endormir, mais sans que cela lui procure un repos véritable. Maintenant, elle avait faim et froid. Elle se sentait terriblement solitaire et elle s'interrogeait si elle était devenue folle, ou si elle avait obtenu les réponses qu'elle réclamait. Ses récentes péripéties lui paraissaient irréelles et l'endroit où elle se trouvait semblait tellement banal. Pourtant, la première manifestation de la présence mystérieuse avait été le signe précurseur d'événements bien concrets.

Shau frissonna. Elle n'avait plus rien à faire ici, sinon que perdre son temps et attraper une vilaine fièvre. Elle chassa de son esprit les questions qui l'assaillaient et les certitudes qu'elle désirait leur opposer. Elle quitta les lieux à grands pas, tout autant pour se réchauffer que pour s'éloigner le plus vite possible. Presque pour fuir.

Jusqu'au mi-jour, elle marcha sans arrêt, ne s'accordant que de courtes pauses pour tendre l'oreille dans l'espoir de localiser ses compagnons qui la recherchaient certainement encore. Enfin, elle discerna des voix. Elle s'élança dans leur direction, retenant son envie de crier elle aussi. Ils n'étaient plus très loin. Aux appels qu'elle entendait, Shau sut que les

Princes et les gardes royaux formaient une longue ligne qui s'avançait en fouillant systématiquement la Grande Forêt. Francœur se trouvait au centre, un peu à l'avant des autres. La jeune femme se précipita vers lui, mais elle s'immobilisa avant qu'il puisse l'apercevoir. Elle se cacha dans un fourré d'où elle pouvait l'observer sans être vue. Le cœur battant, elle le laissa s'approcher, puis passer à quelque distance d'elle. Elle remarqua combien il était inquiet, mais calme, et qu'il dirigeait la battue avec assurance. Elle aurait tellement aimé sentir monter du plus profond de son âme quelque chose d'irrésistible, une certitude absolue que c'était bien lui qu'elle choisissait, qu'il était le seul jumeau vraiment *Marqué-du-Destin*. Pourtant, rien d'exceptionnel ne se produisait en elle. Justement, n'était-ce pas cela qu'il fallait apprendre maintenant ? Que l'extraordinaire n'existait pas réellement et que c'était à elle de le faire surgir de l'ordinaire !

Le cœur de Shau battait à tout rompre. Déjà, Francœur s'éloignait. Il scrutait le paysage et, soudain, il lança un grand cri chargé à la fois d'inquiétude et d'amour.

– Shau !

Sans plus hésiter, la jeune femme bondit de sa cachette.

– Francœur !

Il se retourna. En voyant Shau, Francœur n'eut même pas une exclamation. Il sauta à bas de sa monture et se précipita vers elle pour l'enlacer et l'embrasser, longuement, passionnément. Puis les amoureux trouvèrent des mots maladroits pour exprimer leur joie de se retrouver, l'angoisse qu'ils avaient vécue et, surtout, ce qu'ils souhaitaient pour l'avenir.

– Je ne douterai plus jamais de toi, murmura Francœur comme si ce souvenir était trop douloureux pour l'évoquer à voix haute. Je n'ai pas le droit...

Shau obligea son compagnon à se reculer un peu. Comme il était bon d'être dans ses bras. Elle plongea son regard dans le sien, chargé de toute la tendresse, de toute la passion et de tout l'amour qu'elle pouvait imaginer ressentir pour un homme.

– Francœur, j'ai fait deux rêves. Deux songes exceptionnels qui furent en même temps des conversations bien réelles avec un être fabuleux, une présence indescriptible et tangible à la fois. Deux rêves qui m'ont transformée. Le premier m'a donné la force de quitter ma vie en Haylabec. La nuit dernière, le second m'a fait comprendre pourquoi. Ces deux rêves ont existé pour que je puisse te trouver et te choisir.

– Et moi, je sais désormais pourquoi tu es si importante, si précieuse. Il n'y a que toi pour me permettre de croire à ma tâche. Parce que je t'aime.

– Francœur, je veux t'aimer autant que tu m'aimes ! Nous aurons des doutes, mais il faut se faire confiance. Toujours.

Ils s'embrassèrent encore, comme s'ils étaient seuls en Monde d'Ici. Finalement, ils réalisèrent que leurs compagnons les entouraient, avides eux aussi de partager ce moment de joie. La ronde des accolades et des questions fébriles reprit de plus belle.

Au-dessus d'eux, le soleil en avait profité pour monter plus haut, radieux et généreux. Le retour en Santerre serait assurément des plus agréable, non seulement en raison du bonheur d'être de nouveau réunis, mais aussi parce que la nature leur accordait ce redoux typique de l'automne dans la région, ces chaudes journées qui précèdent l'arrivée véritable de la saison froide.

Tout en serrant Shau contre lui, Francœur voulut y voir un heureux présage.

Haine et serments

7.

Dès le lendemain du pacte entre le Roi Mornac et Raidak, ce dernier s'était mis à la tâche de former des troupes prêtes à envahir le Pays de Santerre au printemps suivant.

L'assurance, l'efficacité et l'ingéniosité du guerrier avaient fini par forcer l'admiration d'Armac, le bras droit du Roi, qui le secondait maintenant avec enthousiasme. À la tête d'une vingtaine de cavaliers disciplinés et énergiques, ils longeaient le Grand Cap depuis maintenant vingt-sept jours, s'arrêtant dans les principaux lieux habités pour jeter les bases de l'armée Sormens.

Ce matin-là au réveil, comme tous les autres jours, Raidak s'était éloigné du campement pour réfléchir. Il prétextait avoir besoin de ces moments d'isolement pour évaluer les gestes posés et décider de ceux à venir. En fait, tourné vers la Mi-Jour, il se permettait un instant d'échapper à la réalité pour plonger dans ses souvenirs. Il revoyait le visage de Vardal. Il recréait dans son imagination chacune de ses formes, se rappelant la chaleur enivrante de sa peau, l'odeur de son corps si riche de vie, le goût suave de son intimité et, surtout, les derniers mots qu'elle avait prononcés avant de quitter le Monde d'Ici. Ces mots que Raidak aurait souhaité entendre à chaque présence avec elle. Ces mots dont il aurait voulu l'abreuver sans arrêt, savourant de ne jamais pouvoir étancher leur soif d'amour ni d'en tarir la source. Ces mots trop longtemps refusés, retenus, et enfin dits lorsqu'il était trop tard.

Mais invariablement, les souvenirs de l'amour étaient chassés par les projets de la haine. L'image de Delbiam refaisait surface, immonde, attisant la fureur qui dévorait maintenant Raidak en permanence. La mission que lui avait confiée Sauragon auprès du Roi Mornac s'était transformée en moyen de se venger. À la tête de l'armée qu'il levait en Terres Mortes, il reviendrait en Santerre pour châtier la meurtrière de Vardal. Il allait la détruire, l'anéantir, la réduire en poussière qu'il foulerait du pied, *elle*, la chienne infâme, et tout ce qui lui était lié. Son enfant Francœur, ses compagnons et tout le Pays de Santerre ne seraient bientôt que cendres. Même le fils cher à Sauragon, Egohan, ne serait épargné que le temps que cela lui serait utile.

Un mouvement proche de lui le tira de ses rêveries. Irrité, il se crut d'abord dérangé par l'un de ses hommes, mais il réalisa rapidement qu'il s'agissait d'un étranger qui se présentait à lui en se tenant dos au soleil levant. Ainsi placé à contre-jour pour le Sorvak, le capuchon rabattu sur son visage, il s'avérait impossible de bien distinguer ses traits. Raidak ne pouvait que deviner une peau cuivrée et une barbe noire. De taille moyenne, apparemment costaud, l'inconnu s'emmitouflait dans une cape grise et portait sur son dos une longue épée à deux mains.

– Je te salue, Raidak.

– Je te salue à mon tour, étranger, répondit prudemment le Sorvak. Qui es-tu ?

– Celui à qui Mithris Sauragon a confié d'assurer le lien entre BaiNorde et Saur-Almeth. Tu peux m'appeler Föhn.

La méfiance de Raidak s'estompa aussitôt. Il avait bel et bien été avisé par le Grand Seigneur qu'il conserverait un contact avec lui, affirmant que cela serait « par le vent », des propos qui étaient alors demeurés bien obscurs. Or, le terme *foehn* désignait un vent qui soufflait dans les montagnes entourant le Plateau des Alisans. L'étranger était donc au service de Mithris Sauragon. Un nouveau sentiment gagna le Sorvak, un mélange imprécis d'irritation et de dégoût, impossible à justifier puisqu'il avait effectivement des comptes à rendre à l'Alisan. En fait, son aversion provenait du fait que la présence de ce mystérieux Föhn lui rappelait qu'il ne pouvait agir selon sa seule volonté. Or, pour Raidak, la situation n'était plus la même depuis qu'il avait quitté Saur-Almeth. C'était maintenant son combat personnel.

Cet envoyé de Sauragon le plaçait sur la défensive, presque agressif, avant même qu'il ait parlé.

— Qu'as-tu à me faire savoir de la part de l'Alisan ? demanda-t-il froidement.

— Tu dois me faire le rapport le plus détaillé possible de tes actions pour que je le transmette à notre employeur commun. Pour l'instant, je n'ai d'autre instruction que de te dire de poursuivre ce que tu as si bien commencé. Par ailleurs, tu risques bientôt de croiser Mithris Egohan avec ses mercenaires. Il est en route pour rencontrer le Roi Mornac. Prends soin de rappeler au souverain Sormens que la volonté du père prédomine sur celle du fils.

À ce nom qu'il associait à Delbiam, le Sorvak s'était raidi. Il parvint à masquer sa haine, mieux à la chasser loin de son esprit, et il poursuivit posément.

— Ne serait-il pas mieux que le jeune Seigneur retourne sans tarder chez lui, sans prendre contact avec Mornac ?

— Je n'ai pas d'ordre particulier à te transmettre pour cela. Agis pour que l'autorité de Mithris Sauragon soit respectée par le Roi Sormens, ainsi que tu le fais toi-même...

Le Sorvak savait fort bien que Sauragon souhaitait éviter que son pouvoir ne soit un jour menacé par celui de son propre fils. Le Grand Seigneur Alisan s'assurait d'être le seul à contrôler les relations avec les autres souverains majeurs du Lentremers. Finalement, cela convenait à Raidak qui désirait garder les coudées franches en Terres Mortes.

– D'accord, la présence d'Egohan sera brève et sans conséquence pour les ententes entre Sauragon et les Sormens, promit le Sorvak en haussant les épaules, feignant ainsi d'obéir tel un bon serviteur.

Ensuite, il fit le compte-rendu réclamé par Föhn. Ce dernier l'écouta attentivement, sans le moindre commentaire et sans demander plus de précisions. Lorsque Raidak eut terminé, il se contenta de s'informer s'il avait quelque message à transmettre.

– Non, rien. Par contre, je suis curieux de savoir comment te joindre si cela s'avérait nécessaire.

– C'est moi ou un autre messager qui prendrons contact si cela est justifié. Adieu.

Sans ajouter quoi que ce soit, Föhn s'éloigna, disparaissant rapidement derrière des rochers à proximité. Le Sorvak scruta en vain les alentours à la recherche d'un indice sur la direction prise ensuite par son interlocuteur. Il soupira en se disant qu'il devait être difficile de trouver plus discret que Föhn pour assurer le contact avec Sauragon. Même au palais de Saur-Almeth, personne ne devait avoir connaissance du réseau que l'Alisan avait assurément déployé par tout le Lentremers et peut-être au-delà. Cela le rassura en fin de compte. Quand Mornac dominerait les Pays du Couchant, ce serait à son tour de s'imposer en Pays du Levant. Le pouvoir qu'il aurait alors entre les mains serait immense. Bien sûr, cela ne suffirait pas à remplacer Vardal. Mais au moins, son esprit serait sans cesse absorbé par sa tâche. Sa douleur serait moins vive, comme lorsqu'il commandait les guerriers, qu'il organisait l'armée, qu'il établissait des plans, qu'il s'épuisait dans l'action et qu'enfin, exténué, il sombrait dans le sommeil, parvenant à chasser un moment l'image de la si merveilleuse femme qui le hantait.

Raidak regarda le soleil s'élever dans le ciel, dispensant une lumière sans chaleur sur ce paysage monotone de roches grises et de maigres bosquets de conifères rabougris. Déjà, quelques plaques de neige résistaient aux rayons du jour, annonçant l'hiver proche, plus précoce ici qu'en Terres du Levant. Heureusement qu'il y avait beaucoup à faire pour transformer les Sormens en redoutables guerriers qui anéantiraient le Pays de Santerre. Cela occuperait bien la saison froide ! Le Sorvak finit par secouer sa torpeur et se dirigea vers le campement en aboyant ses ordres pour prendre le repas du matin et ensuite lever le camp.

Il y avait d'autres hommes à enrôler dans le prochain village.

8.

Immédiatement après l'affrontement avec son frère, Egohan avait respecté leur engagement de s'éloigner chacun en direction opposée. Guidée par Guelnou et quelques Saymails, la troupe avait forcé l'allure pour parvenir en seulement quatre jours au pied du Grand Cap. Évidemment, Guelnou et lui en avaient profité pour renouer avec le plaisir d'être ensemble. Cependant, le jeune Seigneur faisait montre de beaucoup moins de spontanéité que lors de leur première rencontre. Devant ses guerriers fortement impressionnés par son amitié avec cette formidable Race Ancienne, Egohan soignait son image. Il n'était plus question de faire des pitreries ou de rire sans retenue.

Déçu par son attitude réservée, le Saymail lui en avait fait la remarque.

– Hal ! Tu ne t'amuses plus comme avant. Cela est bien dommage pour toi.

– Je n'ai pas changé, mon ami. Mais comprends que tous ces hommes sous mes ordres sont bien plus âgés que moi. Je ne peux me permettre de le leur rappeler en me comportant comme un enfant !

– Hal ! Le pouvoir doit-il rendre si tristes ceux qui l'exercent ?

Malgré tout, ils passèrent de bons moments jusqu'à leur arrivée au pied du Grand Cap. Avec l'aide des Saymails, les cavaliers avaient emprunté un passage relativement facile dans la falaise. Parvenus sur les hauteurs, ils avaient découvert un paysage inhospitalier, plat et rocheux, auquel la forêt éparse de conifères n'ajoutait guère de traits plus accueillants. À première vue, il était presque inconcevable d'imaginer que l'on puisse y vivre. Pourtant, ils savaient que de nombreux villages s'entêtaient à défier les hivers au sommet du Grand Cap.

Avant qu'ils se quittent, Guelnou avait attiré son ami à l'écart pour tenter une dernière fois de le persuader de rentrer à Saur-Almeth.

– Hal ! Pourquoi t'obstiner à te rendre chez les Sormens ? Tu ne feras que te geler les oreilles et le bout du nez inutilement !

Malgré l'humour qu'il mettait dans ses propos, le Saymail s'inquiétait sérieusement des intentions de son ami. Il essayait de les deviner, convaincu que cela aurait des répercussions sur la vie dans la Grande Forêt. Les prétentions du jeune homme à titre de *Marqué-du-Destin* pour dominer le Monde d'Ici lui semblaient de fort mauvais augure.

– Je te l'ai dit, je veux établir des liens avec Mornac, expliqua Egohan d'un ton rassurant. Toutes les bonnes ententes entre les Alisans et les autres peuples du Lentremers ne peuvent qu'être bénéfiques.

– Hal ! Les Sormens appartiennent à une terre fort rude. Alors, ils le sont eux aussi. Ne crois-tu pas que tu ferais de bien meilleures alliances avec les Gens des Terres du Couchant, en Santerre, en Saglak ou en Contrée des Marins ? Je m'explique mal ton intérêt pour le Roi Mornac.

Il n'était pas possible de répondre à Guelnou avec franchise sans aborder des projets que le Saymail n'approuverait jamais. Sans mentir à son ami, Egohan « adaptait » la vérité pour qu'elle convienne à chacun.

– Tu sais combien ton amitié m'est précieuse, affirma Egohan. J'ai un grand idéal, beau et rassembleur pour tous les peuples. Il faut que les qualités des plus forts soient mises à profit et que les défauts des plus faibles soient corrigés. Tout le Monde d'Ici en sortira grandi, plus parfait et plus heureux. Or, à sa façon, ce Mornac fait partie des puissants. Je dois donc l'associer le premier à mes projets. J'ignore encore comment. Voilà pourquoi je dois le rencontrer rapidement. Tu t'inquiètes pour rien, mon ami.

Egohan baissa la voix, comme pour faire une confidence importante.

— Et sache que je ne m'attarderai pas longtemps auprès du Roi Mornac. Je ne pense déjà qu'au moment où je reviendrai visiter les Magomiens. Il y a chez eux une jeune femme que j'ai bien hâte de revoir !

Guelnou balança le tronc d'avant en arrière, à la manière typique des Saymails qui hésitent et qui réfléchissent intensément.

— Hal ! Je crois que tu es franc dans tes paroles, soupira-t-il. Mais j'ai peur de ce que tu considères comme des qualités et de ce que tu estimes être des défauts. Je crains encore plus ce que tu es prêt à faire pour bonifier les unes et corriger les autres...

Ces paroles attristaient Egohan. Comment cet ami si sincère – son seul véritable, en fait – pouvait-il douter de la grandeur de sa tâche ? Toutefois, ce n'était ni le moment ni l'endroit pour se lancer dans de longues explications pour convaincre le Saymail. Egohan cacha ses sentiments derrière une bonne humeur désinvolte.

— Tu verras, mon ami, tu apprécieras ce que je fais. Tu vas m'approuver et m'en remercier un jour. Alors, nous referons de fameuses pitreries comme lors de notre visite des Nobles Alisans du Haut-Plateau et nous rirons comme les gens les plus heureux du Monde d'Ici.

— Hal ! Depuis notre première rencontre, il s'est passé bien des drames et bien des changements dans nos cœurs. J'espère que nous pourrons encore rire comme tu le dis...

Egohan ne sut quoi répondre. Il se contenta de serrer Guelnou très fort. Ensuite, il se hâta de rejoindre ses hommes. Il donna l'ordre de prendre la route tandis que les Saymails retournaient vers la Grande Forêt. Intérieurement, les mercenaires pestaient déjà contre le vent glacial qui balayait la Contrée des Sormens. Cet itinéraire les rebutait. Quelle folle idée de ne pas être restés le plus longtemps possible dans la Grande Forêt ! Malgré le temps moins clément, le jeune Seigneur Alisan estimait qu'ils progresseraient beaucoup plus vite sur le plateau des Terres Mortes.

Éclairés par une lumière vive et froide, les onze cavaliers offraient un spectacle étonnant dans ces terres mornes et ternes. Les magnifiques chevaux blancs resplendissaient d'un éclat avec lequel seule la neige pouvait rivaliser. Les longues capes jaunes des mercenaires bougeaient sans cesse, brillantes comme des rayons de soleil accrochés à leur silhouette noire. Devant eux, ouvrant la marche, le Seigneur Alisan se distinguait par le rouge et le noir de sa tenue.

Des chasseurs Sormens les virent passer de loin. Ils rapportèrent à leur campement l'étonnante description d'une lente bourrasque de neige coiffée de lumière qui portait des hommes des ténèbres. Plus étrange encore, celui qui les précédait n'était pas entouré de soleil, mais plutôt de sang.

Assurément, les villages sur leur route devraient craindre leur arrivée.

✧ ✧ ✧

Trois jours s'écoulèrent à longer le Grand Cap sans rencontrer âme qui vive. Trois journées pénibles pour les hommes et pour les bêtes qui n'avaient pas l'habitude de ce milieu hostile. Régulièrement, les cavaliers mettaient pied à terre afin de marcher pour se dégourdir et pour soulager leur monture.

Même lorsque les conditions devenaient plus clémentes, le voyage s'avérait terriblement monotone. Egohan se réfugiait alors dans ses réflexions. Il repensait aux paroles de

Guelnou et, surtout, à sa rencontre avec sa mère et son frère. Mentalement, il s'adressait à Francœur comme s'il se tenait devant lui.

– « Pourquoi te dresses-tu contre moi ? Tu n'as rien compris de la grandeur de notre destin ! Nous devrions être plus unis que jamais ! Aurais-tu oublié combien nous étions forts lorsque nous agissions ensemble ? Quand nous avions un plan en tête, il n'y avait rien pour nous arrêter. Bien sûr, il fallait souvent que je te pousse à l'action, sinon tu n'entreprenais rien par toi-même. Tu étais si docile, si obéissant des règles édictées par nos parents ! Mais dès que tu étais engagé, quel complice merveilleux tu étais. »

Même s'il demeurait stoïque sur sa monture, Egohan passait intérieurement par toute la gamme des émotions. Seul le pétillement de son regard trahissait l'intensité de ses sentiments.

– « Nous étions heureux avant que Delbiam ne commence à vouloir nous enseigner une Pensée différente de celle du Guide des Alisans. Je sais que notre père se montrait froid et distant envers nous. Encore plus envers toi qui lui préférais notre mère. Mais admets que Sauragon s'est toujours imposé comme un modèle irréprochable. Il a sans cesse été conscient de la grandeur de la famille Mithris, notre appartenance. Ses décisions pour Saur-Almeth sont parfaites en toutes circonstances. C'est sa responsabilité. Guelnou non plus ne saisit pas ce que cela représente de décider pour les autres en pensant plus loin que l'immédiat. C'est sérieux. Les gestes que nous posons doivent se justifier dans le présent et dans l'avenir... Ah ! Francœur, comment rétablir les liens avec toi maintenant ? Comment te faire prendre la mesure réelle de ce que tu es ? Je n'aurais peut-être pas dû te provoquer comme autrefois, comme lorsque nous étions des enfants et que je devais décider pour nous deux. Il y a d'autres façons maintenant de te faire réaliser la responsabilité dont tu es chargé puisque tu es *Marqué-du-Destin*. S'il faut que j'utilise ta compagne Shau pour y parvenir, je n'hésiterai pas. D'ailleurs, je m'étonne qu'elle t'amuse tant. Il y a tant d'autres femmes plus dignes de notre rang en Monde d'Ici et avec qui conclure des alliances bénéfiques pour la grandeur des Alisans... Tu me fais parfois pitié, mon frère. Décidément, il faut que je te reprenne sous mon aile pour que tu te réalises vraiment. Je t'aime trop pour te laisser commettre de bêtes erreurs ! »

Sans accorder de repos à son esprit, Egohan échafaudait constamment de nouveaux plans pour contrôler chaque détail sur sa route vers la domination du Monde d'Ici. Il imposerait alors totalement la Pensée unique qui le soutenait et qui justifiait ses actions. Ce qu'il ignorait, c'était qu'il était devenu l'instrument de Vorgrar dans son combat contre ses frœurs. En effet, depuis que l'Esprit Mauvais s'était insinué en lui, la logique du jeune Seigneur Alisan ne faisait plus qu'une avec celle du membre honni de la Race Ancestrale.

9.

Pour une rare fois, en cette fin de journée, le vent s'était totalement apaisé. La troupe traversait une plaine monotone de roches et d'herbage clairsemé qu'une mince couche de neige compacte recouvrait tant bien que mal. Ils suivaient un chemin apparemment assez fréquenté qui leur donnait l'espoir d'aboutir enfin dans un village Sormens. Tout à coup, Harchal désigna un point précis à l'horizon.

– Regardez, il y a du mouvement là-bas !

– Si c'est un troupeau de bêtes, ce sera l'occasion de refaire nos provisions, souhaita l'un des hommes.

– Si ce sont des gens, ils nous offriront l'hospitalité, lança un autre.

– Hâtons-nous d'approcher, ordonna joyeusement Egohan.

Retrouvant un peu d'ardeur, les cavaliers firent accélérer le pas à leur monture. Bientôt, les formes se précisèrent, devenant finalement de petits chevaux à l'épais pelage brun portant des guerriers vêtus de chauds vêtements de cuir noir et de fourrure sombre ornés de savants agencements de griffes, de dents ainsi que de plumes aux couleurs vives. Lorsqu'ils furent assez près pour les dénombrer, Harchal constata qu'ils étaient vingt-cinq Sormens à venir à leur rencontre. Il donna le signal de s'arrêter, puis il prit place devant ses hommes aux côtés d'Egohan.

— Ils sont plus du double de nous, armés et sur leurs terres, fit le Darchais, visiblement sur ses gardes. Je te recommande la prudence ainsi que la plus grande politesse !

Le jeune Seigneur opina de la tête. Plus les cavaliers s'approchaient, plus il était intrigué par celui qui se tenait au centre. Soudain, un large sourire illumina son visage.

— Réjouis-toi, mon cher Harchal ! Celui à la chevelure rousse m'est connu. C'est un guerrier Sorvak au service de mon père.

En effet, Raidak commandait les Sormens. Et lui aussi savait déjà à qui il avait affaire. L'un des fils de cette chienne de Delbiam venait vers lui. Un moment, le regard du Sorvak brûla d'une rage effrayante, puis il retrouva sa froideur impénétrable. Pour l'instant, il fallait obéir à Mithris Sauragon et préserver son amitié pour la suite, lorsque Santerre sera rayé du Monde d'Ici. Donc, Egohan devait retourner à Saur-Almeth immédiatement, sain et sauf. Raidak allait agir en ce sens, bien qu'il eût préféré prendre sans tarder la vie de ce bâtard, comme il anéantirait bientôt son jumeau et, surtout, leur mère. Lorsqu'elle serait entre ses mains, elle souffrirait les pires tourments imaginables dans sa chair et dans son âme, jusqu'à regretter d'avoir vu le jour, d'avoir posé le moindre geste en Monde d'Ici, dont le plus exécrable de tous, celui d'avoir enlevé la vie de Vardal. Elle allait expier ce crime dans la douleur, en compagnie de ses fils qui appartenaient eux aussi à ce pays maudit, car le sang de Santerre coulait en leurs veines. Comme cela lui faisait du bien d'imaginer la scène d'une Delbiam à bout de vie le suppliant de mettre un terme à ses souffrances et l'implorant d'abréger celles de ses enfants éventrés vifs devant elle. Raidak ferma les yeux un moment afin de mieux s'en repaître. Cependant, le temps n'était pas encore venu et le Sorvak enfouit au plus profond de son esprit cette haine dévorante envers la mère qu'il reportait avec tant de rage sur tout ce qui la lui rappelait.

Maîtrisant parfaitement ses sentiments, Raidak donna ses instructions.

– Celui en rouge et noir est bien Mithris Egohan avec une troupe des habituels mercenaires à la solde des Alisans. Alors, tu agis comme nous avons convenu. Tu te présentes comme le chef du groupe, le seul à qui il doit s'adresser. Quant à moi, je n'interviendrai aucunement.

– Je ne te comprends pas, soupira Armac. Les Alisans ne sont-ils pas nos alliés ?

– Son père, oui. Mais lui...

Raidak ne termina pas sa phrase. Il cracha plutôt sur le sol d'une façon éloquente.

Les deux groupes se rejoignirent bientôt. Spontanément, celui d'Egohan serra les rangs derrière le Seigneur Alisan et leur commandant Harchal, tandis que les Sormens se déployaient en arc de cercle avec au centre Raidak et Armac.

Egohan fut le premier à parler, la voix pleine d'enthousiasme.

– Gens de la Contrée Sormens, soyez salués respectueusement. Je suis Mithris Egohan, Grand Seigneur venu du Plateau des Alisans pour rencontrer votre Roi avec des intentions d'échanges respectueux et de collaboration fructueuse. Je te salue aussi, Raidak du peuple Sorvak, que je sais en mission ici au nom de mon père Mithris Sauragon. Quel plaisir de faire ta rencontre tellement surprenante en ce jour.

Le Sorvak demeura impassible et ce fut Armac qui répondit à la salutation. Sa voix était autoritaire, presque menaçante.

– Étrangers, je suis Armac, conseiller principal du Roi Mornac, commandant des guerriers Sormens et fondé de pouvoir sur toutes les terres auxquelles nous appartenons. Je vous salue et je vous dis adieu. Votre présence n'est pas désirée auprès de notre souverain. Il est donc inutile pour vous de poursuivre votre voyage. Je vous ordonne de faire demi-tour et de quitter notre contrée.

Stupéfiés par cet accueil, tous les membres de la troupe d'Egohan restèrent un moment silencieux à s'interroger du regard. Le jeune Seigneur passa de l'incrédulité à une irritation qu'il s'efforça de dissimuler de son mieux.

— Je comprends mal la raison de cet ordre contraire à toutes les lois de l'hospitalité, fit-il le plus calmement possible. Nous avons fait un long périple pour établir des liens avec votre peuple. N'est-il pas normal de prendre le temps d'échanger, de dialoguer...

— Il n'y a rien à discuter, trancha le Sormens. La connaissance que nous possédons au sujet des Alisans nous suffit amplement. Nous n'avons aucun intérêt envers votre peuple. Surtout, nous ne tolérons aucun étranger en Contrée des Sormens. Quittez immédiatement ces terres de votre plein gré, sinon nous vous expulserons par les armes.

— Mais qu'est-ce que tout cela ? s'emporta Egohan. Raidak n'est-il pas lui-même un étranger !

S'adressant directement au Sorvak, Egohan ne put s'empêcher de le tenir responsable de la situation.

— Qu'as-tu raconté aux Sormens pour que je reçoive un tel accueil ? N'es-tu pas ici au service de la famille Mithris, donc à *mon* service ? Aurais-tu trahi la confiance de mon père et celle des Alisans ?

Raidak garda obstinément le silence, n'affichant même aucune émotion. Furieux, le jeune Seigneur s'adressa de nouveau à Armac.

— Cette situation doit être tirée au clair ! Le Sorvak qui se tient à tes côtés a été recruté et grassement payé par les miens pour établir les premiers contacts avec votre peuple ! S'il est considéré par les Sormens et que nous ne le sommes pas, cela signifie qu'il a agi avec traîtrise, qu'il vous ment, qu'il vous a trompés d'une manière ou d'une autre. J'exige de le confronter en présence de votre Roi !

Ainsi qu'il avait été convenu, le Sormens s'imposa comme le seul avec qui discuter.

— Qu'est-ce qui te fait croire que ce Sorvak est estimé ici et qu'il est autorisé à répondre aux étrangers en ma présence ? Quant à toi, il n'y a rien que tu puisses réclamer.

Avant qu'il n'ait le temps de poursuivre, Harchal mit la main sur le bras du jeune homme pour l'inciter à se contenir.

— Seigneur Egohan, n'insiste pas, fit-il à voix basse. Ils sont en position de force.

— Nous ne ferons pas demi-tour comme de vulgaires intrus indignes d'être reçus par le maître des lieux ! s'offusqua Egohan. Je suis Grand Seigneur Alisan, membre de la famille Mithris, *Marqué-du-Destin* ! Ce n'est pas un quelconque serviteur qui m'imposera sa volonté !

Malgré l'avertissement d'Harchal, Egohan s'emportait. Il cracha au sol en direction de Raidak, puis il interpella rageusement le Sormens.

— Ce Sorvak est méprisable et sa présence à tes côtés t'avilit. J'exige que tu nous conduises à ton souverain ! C'est au Roi Mornac que je dois m'adresser. C'est lui qui est mon égal en cette contrée.

Le Sormens répondit en sortant sa longue épée du fourreau fixé sur le flanc de sa monture. Aussitôt, les autres guerriers imitèrent son geste pendant que Raidak se retirait derrière eux en intimant à ses compagnons Sorvaks, Korjak et Haruk, de le rejoindre.

— Souhaites-tu quitter les lieux vivant, assis sur ta selle, ou préfères-tu qu'on attache ton cadavre au bout d'une corde que ton cheval devra tirer jusqu'à Saur-Almeth ? lança Armac d'un ton cinglant.

— C'est toi qui iras porter mon message à ton Roi, ainsi traîné sur le sol comme le plus méprisable des fardeaux, répliqua Egohan en brandissant son épée.

À son tour, Harchal leva son arme, incitant ses hommes à faire de même. Toutefois, le Darchais cherchait encore à éviter l'affrontement.

– Personne ne gagnera à se battre, cria-t-il à la ronde. Il y a sûrement une meilleure solution...

– En effet, approuva Armac. Que vous partiez sur-le-champ sans jamais revenir !

Egohan refusait de s'avouer vaincu aussi facilement. Par contre, à deux contre un, sa troupe risquait fort de subir une cuisante défaite, même s'il considérait les Sormens comme des guerriers nécessairement inférieurs aux Alisans. Jouant le tout pour le tout, il décida de défier Armac.

– Je propose un combat entre toi et moi uniquement. Le vaincu se pliera à la volonté du vainqueur sans discussion.

– J'accepte ! Cela évitera à tes hommes de souiller de leur sang la Contrée des Sormens...

Sans plus attendre, Egohan et Armac lancèrent leur monture à l'assaut et le son métallique du choc des épées retentit. L'Alisan avait d'abord cru que son cheval, plus haut de plusieurs mains, lui procurerait un net avantage. Toutefois, le Sormens se révélait plus rapide et plus mobile. De plus, il maniait avec une force redoutable une arme plus longue que celle de son adversaire. Après quelques échanges, il devint évident qu'Egohan se trouvait le plus souvent en position de défense que d'attaque. Pire encore, sa monture était manifestement en mauvaise forme et le cavalier ne pouvait pas utiliser sa puissance comme il l'aurait souhaité.

Cherchant à reprendre l'initiative, Egohan sauta au sol en signifiant à Armac de l'imiter. Le Sormens eut un sourire satisfait et il donna son accord d'un hochement de tête. Il s'éloigna un peu pour descendre de cheval et revenir calmement vers son adversaire. Les deux groupes formaient maintenant chacun la moitié d'un vaste cercle au centre duquel allait se livrer l'affrontement décisif.

Les deux combattants se toisèrent en s'évaluant silencieusement. Le Sormens était le plus grand des deux, plus large d'épaules et aux membres plus puissants. Ses gestes étaient posés, mais ils devenaient vifs au besoin. L'Alisan faisait montre de la même assurance que son vis-à-vis. Un œil exercé notait immédiatement qu'il maîtrisait parfaitement toutes les techniques de déplacement, d'assaut et de parade. Manifestement, chacun pouvait s'avérer le plus redoutable selon la manière dont l'engagement se déroulerait. Un peu en retrait, Raidak observait la scène en se remémorant leur arrivée au palais du Roi. Armac avait vaincu Haruk et Korjak tour à tour, sans être inquiété un instant. Lui-même l'avait renversé grâce à sa ruse plus qu'à sa force, cela en profitant de l'aménagement de la pièce. Ici, dans ce décor nu, le jeune Alisan ne pouvait compter que sur son habileté.

Les premiers échanges furent plus prudents que fermes. Puis une série de coups énergiques démontra la valeur exacte des rivaux. L'un combattait en force, l'autre en finesse. Ce qu'Egohan concédait en puissance, il le compensait en précision et en stratégie. Tour à tour, chacun prenait l'avantage et faisait reculer son opposant.

L'Alisan surveillait le moindre réflexe ou la plus infime expression lui indiquant que l'irritation gagnait l'adversaire. Il utilisait souvent une tactique consistant à narguer son rival pour lui faire perdre son sang-froid et ainsi l'amener à commettre des erreurs dont il profitait aussitôt. Cela l'avait toujours bien servi, particulièrement contre Francœur. Cependant, le Sormens gardait son calme, attaquant et parant sans jamais afficher de satisfaction ou de dépit. Sentant que la fatigue l'affecterait avant son adversaire, Egohan décida de forcer le jeu. Après avoir obligé Armac à se replier, tandis qu'ils reprenaient tous deux leur souffle, il se mit à le provoquer.

– Alors, c'est avec de si piètres coups que tu crois pouvoir m'empêcher de rencontrer ton Roi ? Sois assuré que je lui ferai part à quel point il est mal servi !

Le Sormens afficha une première émotion depuis le début du combat. Il haussa les épaules avec un sourire narquois.

– Ça ne fait pas très sérieux, renchérit Egohan. Tu es censé être le meilleur parmi les tiens. Jusqu'ici, ce n'est guère à l'honneur des Sormens.

L'insulte laissa Armac indifférent. Ou plutôt, cela semblait l'amuser. Voyant sa tactique demeurer stérile, l'Alisan se reporta énergiquement à l'attaque pour tenter d'en finir rapidement. Une magnifique feinte de sa part déjoua le Sormens qui se montra vulnérable. Egohan frappa de toutes ses forces, mettant désespérément un maximum de puissance dans un coup qu'il voulait décisif. Au dernier instant, la lourde lame d'Armac remonta en une parade violente sur laquelle l'arme alisane se brisa en deux.

Emporté par son élan et surpris par le bris de son épée, Egohan se trouva en déséquilibre. Armac cogna son rival juste assez pour le renverser et il tomba la face la première dans la neige. Le jeune Seigneur n'eut pas le loisir de se retourner. Immédiatement, il sentit le pied du Sormens sur son dos qui le plaquait au sol et la pointe de son arme appuyée contre sa nuque.

Après avoir largement pris le temps de confirmer sa victoire, le Sormens lui adressa enfin la parole, posément et avec force, pour que tous l'entendent bien.

– Ma volonté est claire. Vous faites demi-tour et vous ne vous arrêtez pas avant d'avoir quitté notre contrée, même pas pour dormir. Il y a un endroit près d'ici où vous pourrez redescendre le Grand Cap facilement. Compris ?

Les poings crispés, la rage au cœur, éperdument à la recherche d'une façon pour retourner la situation, Egohan tarda à répondre. Il sentit le pied du vainqueur accentuer la pression dans son dos et la pointe de la lame qui lui fouillait le cuir chevelu. Une douleur vive le fit se raidir. Quelque chose de chaud – son sang – lui mouilla la nuque.

– Compris ? redemanda Armac, toujours aussi calme et dénué d'émotion.

Un mal indescriptible ravagea l'Alisan. Il ressentit dans tout son être la brûlure cuisante de l'échec et le supplice de l'admettre devant tous. Profondément humilié, il dut se résoudre à se soumettre.

– Ça va, nous partons, abdiqua Egohan.

Le Sormens retira lentement son pied, fit bien sentir une dernière fois son arme sur la nuque du vaincu, puis il remonta à cheval pour s'approcher d'Harchal à qui il expliqua le chemin par lequel ils regagneraient facilement la Grande Forêt. Enfin, il reprit sa position au centre de ses hommes, Raidak à côté de lui, toujours silencieux, le visage fermé. Immobiles, ils surveillèrent le départ des étrangers.

Egohan se releva sans dire un mot ni se préoccuper du sang qui dégoulinait de son cou, créant une mèche rouge et poisseuse dans sa chevelure blonde. Il vit son épée alisane brisée en deux. Avec un flegme remarquable, il se pencha pour ramasser le manche, l'examiner un moment avec dédain, puis le lancer derrière lui d'un geste sec indiquant bien qu'il attribuait sa défaite à la faiblesse malencontreuse de son arme. N'exprimant aucune émotion, le visage dur, évitant de croiser les regards, il monta en selle avec aplomb. Il donna à Harchal le signal du départ, laissant ses hommes suivre le Darchais pendant qu'il se plaçait à l'arrière de la troupe, soucieux qu'aucun de ses mercenaires ne se retrouve dans son dos à l'observer et à faire ses commentaires.

Brièvement, le jeune Seigneur fixa une dernière fois Raidak en se jurant intérieurement de revenir l'abattre.

– « Savoure cet instant, ignoble traître ! La prochaine fois que je te rencontrerai, ce sera pour te faire payer de ta vie l'affront que tu viens d'infliger au *Marqué-du-Destin*. Oui, je serai bientôt de retour car je n'en ai pas terminé avec mon frère et ma mère qui se terrent en Santerre. Cependant, ma première halte sera ici, pour te faire vomir tes entrailles. »

Forçant l'allure pour quitter les lieux au plus vite, la troupe d'Egohan disparut rapidement à l'horizon, tandis que les

Sormens attendaient l'ordre de Raidak pour retourner au village où ils avaient été avertis de la présence des étrangers. Comme le Sorvak tardait à réagir, apparemment perdu dans ses réflexions, Armac brisa le silence.

– Alors, es-tu satisfait ?

Un rare sourire éclaira le visage de Raidak.

– Tu as été absolument parfait ! Je ne pouvais imaginer meilleur déroulement. Ce cher Mithris Egohan va retraiter chez son père sans rien savoir de la situation ici ni de mon rôle dans ce qui se passe.

Le Sormens opina, puis il fit part de ses impressions.

– J'ai ordre de mon Roi de t'obéir et je n'exige pas d'explication. Tu souhaitais que le Seigneur Alisan quitte la contrée, et c'est fait. N'empêche que j'ai été chanceux que son arme se brise. Ce Mithris Egohan est un fameux combattant, d'une stature hors du commun, et j'avoue qu'il aurait très bien pu avoir raison de moi. Comme il pourrait te renverser en cas d'affrontement entre vous deux.

– L'important n'est pas ce qui aurait pu arriver, mais ce qui s'est produit. Maintenant, retournons au village poursuivre l'entraînement des nouveaux guerriers. Nous avons beaucoup à faire et nous venons de perdre inutilement du temps.

– Tu ne t'arrêtes vraiment jamais, fit Armac.

Le Sorvak demeura un instant silencieux. L'image de Vardal traversa son esprit, ravivant comme chaque fois sa haine contre le pays qui lui avait ravi son aimée. Voilà ce qui le poussait à ne s'accorder aucun répit jusqu'à ce qu'il soit à la tête d'une armée prête à marcher contre Santerre. C'était désormais son principal objectif, bien avant l'engagement pris avec Mithris Sauragon. De plus, c'était *sa* guerre, *sa* vengeance. Il ne voulait pas de la présence des Alisans qui risquaient de décider avec Mornac d'épargner l'ennemi. Quant aux deux fils de Delbiam, ce sont leurs cadavres qu'il retournerait à leur père, vidés du sang maudit de Santerre.

Raidak répondit finalement à Armac tout en donnant le signal de repartir.

– Pourquoi s'arrêter ? Pour s'immobiliser devant son malheur, à le contempler et à le laisser nous ronger jusqu'à la moelle ?

Soif de grandeur

10.

Le vieillard avait encore l'œil vif et le pas assuré. Ses longs cheveux immaculés avaient conservé des traces de blondeur. Sa courte barbe blanche taillée en pointe au menton accentuait l'ovale de son visage aux traits fins, étonnamment féminins. Grand de taille, à peine voûté par l'âge, il dégageait une impression à la fois de vigueur et de calme, de force et de douceur, d'autorité et de bonhomie. Il portait une tunique et une cape où dominait le violet, couleur hautement estimée à Saur-Almeth et strictement réservée à ceux qui faisaient profession de maîtriser les sciences ou la magie. Sous cette apparence anodine en ces lieux attirant les plus grands savants du Monde d'Ici, Maître Alios prenait le pouls de la cité alisane.

Le membre de la Race Ancestrale s'intéressait naturellement à son frœur, vénéré ici comme Guide des Alisans, mais aussi à Mithris Sauragon dont la frénésie inquiétait Alios. L'activité dans le grand laboratoire était plus intense que jamais tandis que la Cité bourdonnait de chantiers grandioses nouvellement mis en œuvre. Réaménagement des jardins du palais et des parcs avoisinants, construction de temples dédiés à l'enseignement et de laboratoires secondaires, concours d'adresse intellectuelle et joutes sportives, organisation de spectacles à grand déploiement dans les lieux publics pour le plaisir des résidants, nettoyage de vastes zones des fanges à la périphérie de la ville, les projets se multipliaient sous l'impulsion du

Grand Seigneur redevenu flamboyant comme autrefois, et revendiquant de nouveau avec panache son titre de Sauragon le Splendide.

Dès son arrivée dans la Cité, Alios avait constaté que ses craintes étaient partagées. Chez certains, le Grand Seigneur s'attirait les plus vives louanges en raison de ses réalisations qui faisaient progresser la connaissance. Chez d'autres, les critiques devenaient virulentes justement parce que ces progrès leur paraissaient trop dangereux. Dans Saur-Almeth de plus en plus profondément divisée, Maître Alios se montrait attentif à toutes les opinions, relançait les discussions par une question habile, acquiesçait aux démonstrations bien étayées, identifiait une faille possible, tout en évitant de se commettre auprès de ses interlocuteurs. Pour les Alisans qui débattaient du sujet, l'intelligence de la raison faisait rarement bon ménage avec celle du cœur.

Assis à la terrasse d'une auberge fort animée, Maître Alios écoutait l'affrontement verbal entre des jeunes gens de nobles familles alisanes. Le soleil de cette belle journée d'automne semblait réchauffer leur ardeur, affûtant les arguments des uns et incitant les autres à briller de tous les feux de l'éloquence.

– Toute entrave au Savoir est une insulte à la Vie elle-même, affirma un farouche partisan de Sauragon. Comment sommes-nous devenus la Race supérieure du Lentremers, sinon par la somme des connaissances acquises par nos ancêtres et par nos pairs ? Chaque expérience interrompue est un pas en arrière, une régression du Peuple Alisan tout entier !

– Avancer est une chose, se jeter aveuglément contre un mur en est une autre, rétorqua son vis-à-vis. Je suis favorable aux recherches que l'on contrôle, et non à l'inconscience des savants qui se croient l'égal du Créateur.

– Le Créateur ? railla un compagnon du défenseur de Sauragon. Quel Créateur ? Les dieux de légende n'existent pas. L'idée du dieu Elhuï est rejetée depuis longtemps par l'intelligence. Il n'y a que les races inférieures pour encore ajouter foi à ce mythe. S'il faut se donner un Créateur, notre Guide est celui-là ! Or, il se tient en chair et en os aux côtés de notre Grand Seigneur. Qu'aurions-nous donc à craindre ?

– À craindre ? s'enflamma un autre. Mais tout ! Les savants réunis à Saur-Almeth se prennent pour ce qu'ils ne sont pas. Ils jouent avec les mystères de la Vie comme un enfant s'amuse avec tout ce qui lui tombe sous la main, sans avoir conscience des conséquences possibles. Que fait un nourrisson avec le plus précieux vase du cristal le plus fin ? Il le manipule de la même manière qu'un solide gobelet de métal. Lorsqu'il le casse en mille miettes, c'est sans malice et à sa grande surprise. Mais le mal est fait. L'objet est détruit, irrémédiablement.

– Mithris Sauragon n'est pas un bébé et les savants qui l'entourent possèdent une sagesse qui les rend justement aptes à repousser sans cesse les ténèbres de l'ignorance ! Il y a parfois des risques à prendre, mais toute limite n'est-elle pas franchie grâce à l'audace de ceux qui osent progresser ? L'enfant élevé dans le duvet d'oie ne sera jamais solide. Et grand bien lui fasse de casser quelques bibelots s'il devient ainsi un bâtisseur hardi plutôt qu'un conformiste endormi dans un immobilisme faussement sécurisant !

Les jeunes gens répétèrent les mêmes arguments que Maître Alios avait entendus des dizaines de fois depuis son arrivée. Aussi vive fût-elle, la discussion se transforma pour lui en bruit de fond bien peu captivant et il s'en désintéressa. Plongé dans ses pensées, le membre de la Race Ancestrale tourna distraitement les yeux vers le palais dont la silhouette se découpait avec une élégance prétentieuse sur le ciel d'un bleu sans taches.

Un long moment, Alios contempla l'édifice, incertain s'il appréciait ou non cette architecture à la limite du chef-d'œuvre et de la vanité. Soudain, il eut l'impression que la section centrale bougeait.

Cela se passa comme lors d'un orage où l'éclair illumine le ciel en silence, puis le son du tonnerre arrive avec un certain décalage. De sa place, Maître Alios vit la tour principale s'ouvrir de bas en haut pour laisser s'échapper une lumière d'un éclat aveuglant. On aurait dit une outre trop tendue qui cède sous la pression, libérant d'un coup ce qu'elle ne pouvait plus contenir. Le flamboiement fut intense, mais bref. Enfin, le son accompagna la vision. Ce fut un claquement sec, assourdissant, que tout le corps ressentait tel un coup de poing démesuré. Pourtant, malgré sa puissance phénoménale, le bruit fit place immédiatement à un silence des plus inquiétant.

Tout Saur-Almeth figea de surprise et d'effroi. Tournés vers le Palais Mithris, incrédules, les habitants de la Cité observaient la tour éventrée. Aucune flamme, aucune fumée ne s'échappait de la plaie béante semblable à une entaille qu'aurait faite une prodigieuse épée frappant à la verticale le ventre du bâtiment. Absolument rien ne bougeait. Finalement, un mouvement s'amorça. De partout, les gens se précipitaient vers les lieux du sinistre afin de porter secours à d'éventuelles victimes et constater de près l'ampleur des dégâts. Maître Alios laissa la foule prendre de l'avance, puis il se dirigea lui aussi vers le palais, discret mais anxieux de connaître le sort de ses occupants et, surtout, celui de son frœur Vorgrar.

Au moment de l'explosion, Mithris Sauragon se tenait sur la passerelle au niveau supérieur d'où il pouvait observer toutes les opérations en cours dans le grand laboratoire. Il se releva péniblement, encore étourdi par le choc brutal qui l'avait projeté sur le mur. Il vit à quel point l'immense pièce était sens dessus dessous. Les gémissements des blessés commencèrent à se faire entendre, les uns réclamant de l'aide, les autres réalisant avec horreur l'état critique de certains de leurs compagnons.

Le premier réflexe du Grand Seigneur Alisan fut d'examiner les lieux pour s'assurer qu'il n'y avait plus de danger. Il constata avec soulagement que l'architecture particulière de l'édifice avait bien joué son rôle. En effet, le palais formait un arc de cercle incomplet autour du laboratoire. Sur les deux tiers de sa circonférence, il était entouré d'autres pièces aux parois solides. L'autre tiers, donnant sur l'extérieur, était fermé par une cloison relativement mince qui ne supportait en réalité aucun poids. Quant à l'installation centrale qui générait la formidable énergie servant aux expériences, elle était encavée dans des formes destinées à diriger toute puissance excessive vers le mur faible. Lors de la construction du palais, tout avait été prévu pour que le laboratoire puisse subir d'importants dégâts sans que la structure générale en soit affectée sérieusement.

Déjà, les premières personnes de l'extérieur pénétraient dans la salle ravagée, se précipitant vers les victimes pour leur venir en aide. Sauragon se ressaisit et donna ses ordres d'une voix autoritaire pour organiser les secours. Puis il se hâta pour redescendre au niveau inférieur. L'estrade construite en spirale le long des murs était arrachée, ce qui obligeait Sauragon à passer par l'intérieur du palais. Il croisa Vorgrar qui se dépêchait de le rejoindre.

Contrairement à ce qu'ils laissaient croire, leurs relations n'avaient rien de chaleureux. Leurs échanges se déroulaient sous le signe de la froide politesse entre des partenaires réunis par la seule nécessité. Depuis qu'il s'était installé au Palais Mithris, la dévotion respectueuse de Sauragon à l'endroit de Vorgrar s'était transformée en une familiarité condescendante qui irritait le membre de la Race Ancestrale. Pourtant, il devait la subir, faute de meilleure place où vivre pour l'instant. De plus, il ressentait le besoin de garder l'œil sur les Mithris, père et fils.

– Qu'est-il arrivé ? demanda froidement Vorgrar.

– Nous étions à générer une énergie vitale autour d'un groupe de sujets, expliqua rapidement l'Alisan. L'un d'eux a paniqué et il a perturbé l'équilibre des forces en action. Il s'est alors produit une réaction imprévue, un éclatement brusque de puissance. C'était spectaculaire, mais les dommages restent mineurs, je crois.

– À qui la faute ?

– La tienne, peut-être, Vorgrar ! Une plus étroite implication de ta part éviterait probablement certaines erreurs dans le laboratoire... Mais ce n'est pas le moment d'en discuter.

Le Grand Seigneur et le Guide se toisèrent un instant, puis Sauragon s'empressa de descendre au niveau inférieur pour prendre la direction des opérations. Vorgrar le regarda s'éloigner en contenant son envie de répondre à l'accusation portée par l'Alisan. Il quitta les lieux à son tour pour se rendre à une terrasse d'où il pouvait observer la foule qui se pressait de plus en plus nombreuse dans les jardins du palais.

Soudain, Vorgrar ressentit une impression bizarre. Inconcevable. Comment cela se pouvait-il ? Toute attache avec les siens avait été coupée. Pire, il les avait laissés presque sans vie dans leur refuge des Terres Mortes. Or, il sentait des liens exister de nouveau. Faibles, mais réels. Immédiatement, il eut la certitude qu'un de ses frœurs rôdait dans les parages. En raison de la nature du contact, il devinait que c'était Hunis Ahos Nuhel ! Quelque part au milieu de ces gens, Maître Alios tentait de s'approcher sans être découvert. Vorgrar demeura sur la terrasse, les mains serrant la balustrade, à scruter tous ceux qui portaient des vêtements violets, couleur des savants.

Plus bas, dans les jardins, Alios s'efforçait de se rapprocher sans se faire remarquer, curieux de jeter un œil dans le laboratoire. Lui aussi perçut la présence de son frœur. Il leva la tête vers les terrasses et il vit la silhouette vêtue de rouge. Presque aussitôt, malgré la distance entre eux, leurs regards se trouvèrent et la communication s'établit.

Ce fut alors un flot d'émotions contradictoires qu'ils s'échangèrent. De Vorgrar parvenaient le soulagement de constater qu'il n'avait pas éteint la vie de ses frœurs, la rancœur à l'égard de ceux qui l'avaient rejeté, l'indignation de se savoir espionné. D'Alios émanaient l'amertume envers celui qui avait perverti sa mission, la douleur des brisures irréconciliables, le regret des sentiments anciens entre eux. Plus intensément encore, tous deux projetaient leur animosité pour celui qui avait été autrefois son plus admirable complément et qui se révélait désormais comme son plus dangereux adversaire.

Vorgrar hésitait entre provoquer un combat direct – définitif – avec son frœur, ou au contraire, susciter une discussion, un échange qui pourrait aplanir leurs divergences. Dans les jardins, Alios se demandait s'il devait saisir l'occasion de se mesurer immédiatement à son puissant frœur, au risque d'être vaincu, ou s'il était préférable de s'esquiver pour revenir dans un contexte qui lui procurerait à coup sûr l'avantage. Les deux membres de la Race Ancestrale cherchaient à dominer leurs émotions pour enfin réagir. Cependant, tous deux étaient plongés dans un tourment où leur essence à la fois complète et ambivalente les plaçait dans une situation insoluble. Ils étaient simultanément certitude et doute, amour et haine, agressifs et désireux de paix, ce qui les figeait sur place. Cette première rencontre entre Vorgrar et l'un de ses frœurs depuis leur affrontement s'avérait trop intense, trop bouleversante, pour que l'un ou l'autre se décide à agir. Chacun des deux membres de la Race Ancestrale demeurait paralysé par son indécision.

Pendant ce temps, la foule se faisait plus dense autour du palais. Le mouvement des nouveaux venus se heurtait à l'immobilité d'Alios et ce dernier se faisait régulièrement bousculer par ceux qui passaient près de lui. Il devenait difficile de conserver toute sa concentration sur Vorgrar.

Au pied du mur éventré, Mithris Sauragon grimpa sur un monceau de débris pour dominer l'assistance.

– Mes amis, mes amis ! cria-t-il pour obtenir le silence. Mes amis de Saur-Almeth, nous venons de subir un accident malheureux, mais aux conséquences limitées. La situation est sous contrôle. Nous avons vécu plus de crainte que de mal. Tout sera remis en ordre en quelques jours et la grandeur du Peuple Alisan continuera de s'accroître, riche des enseignements de ce faux pas. Voyez, nous progressons sous le regard bienveillant de notre Guide éternel et tout-puissant qui demeure avec nous, confiant en notre grandeur et en notre capacité à surmonter l'adversité.

La harangue passionnée du Grand Seigneur enthousiasma de nouveau ses partisans qui l'ovationnèrent de toutes leurs forces. Ensuite, ils acclamèrent avec une profonde dévotion le Guide des Alisans qu'ils apercevaient pour une rare fois en public. Les cris que la foule lui adressait obligèrent Vorgrar à répondre. Il salua les gens brièvement et fit un geste d'approbation à l'endroit de Sauragon. Cela l'avait contraint à détourner un instant le regard. Lorsqu'il tenta de retrouver son frœur, il ne le vit plus.

Plus loin dans les jardins, à contresens du flux incessant des curieux qui affluaient au Palais Mithris, Maître Alios s'éloignait discrètement. Il décida de quitter Saur-Almeth pour un certain temps. Faisait-il ainsi preuve de sagesse ou de lâcheté ? Qui pouvait le déterminer ? Certainement pas lui-même.

11.

Tout le reste de la journée, Mithris Sauragon s'affaira à rassurer la population, à diriger les interventions les plus urgentes et à dresser un bilan précis des dommages. Ce ne fut que très tard dans la soirée qu'il put se retirer dans ses appartements. Enfin allongé confortablement sous le dais de sa terrasse privée, il se sentait bien. L'incident était certes fâcheux, mais il se félicitait de son efficacité. Surtout, la réaction de la foule à son endroit le rendait euphorique. Saur-Almeth le soutenait totalement. Avec une chaleur qui le comblait. Avec un fanatisme qui le confortait dans la grandeur de sa tâche.

Vorgrar vint finalement le rejoindre. L'Alisan remarqua à peine son air soucieux et il s'empressa de résumer la situation.

— Huit savants ont été blessés. Deux d'entre eux n'ont pas survécu, trois autres seront longtemps absents. Heureusement, la roue d'énergie n'est pas endommagée. Elle ne nécessite que quelques ajustements. Le mur faible est à remplacer, mais comme prévu, la structure du palais est intacte. J'ai déjà donné les ordres pour la reconstruction. Dans le laboratoire, rien d'essentiel n'est irrécupérable. Douze assistants ont aussi été affectés, dont quatre qui ont perdu la vie. Cela retardera un peu la remise en état, mais dans quinze jours au maximum, plus rien n'y paraîtra. Ah oui, quant aux vingt exclus qui servaient à l'expérience, il ne reste plus d'eux que des cendres.

D'un hochement de tête, Vorgrar indiqua que cela répondait à ses questions. Il fut sur le point de dire quelque chose, mais il se ravisa pour ensuite se diriger vers la balustrade. En s'éloignant du dais où les sphères chauffantes dégageaient une agréable chaleur, le membre de la Race Ancestrale sentit la fraîcheur des nuits d'automne amplifier les sentiments qui lui glaçaient déjà l'esprit. À cet instant, il aurait tellement apprécié un compagnon plus chaleureux que Sauragon. La présence d'un de ses frœurs à proximité du palais l'obligeait à se questionner, tout autant sur ce qu'il ressentait maintenant que sur ce qu'il envisageait d'accomplir dorénavant. Or, il aurait souhaité en discuter. Mais avec qui ? Si au moins Egohan avait été là. Il devait se contenter du père, certes brillant, mais uniquement soucieux de sa propre personne, un jour enthousiaste et splendide, le lendemain morose et décevant en tout.

Voici qu'il venait rejoindre le Guide à la balustrade, un verre à la main.

– Tu sembles fort songeur, observa Sauragon. Ce qui te préoccupe n'a rien à voir avec l'incident d'aujourd'hui, n'est-ce pas ?

Même s'il se sentait écrasé par le poids des questions qui le tourmentaient, l'idée de se confier à l'Alisan le rebutait. Il préféra changer de sujet.

– Tu as admirablement bien géré les événements, souligna-t-il en esquissant un sourire. Je retrouve enfin le Grand Seigneur qui avait si prodigieusement succédé à son père, donnant alors une impulsion nouvelle à Saur-Almeth.

Le compliment fit bomber le torse à Mithris Sauragon.

– Et cela n'est qu'un début, affirma fièrement l'Alisan. La Cité va connaître une seconde période de développement majeur. Je vais me consacrer entièrement à faire de Saur-Almeth le cœur du Lentremers.

Un feu puissant fit briller le regard de Sauragon. Soudain, c'était à lui-même qu'il s'adressait, bien plus qu'à Vorgrar.

– Plus la Cité sera flamboyante, plus elle attirera les esprits brillants. Et plus les esprits brillants seront assemblés ici, plus la Cité sera flamboyante. Tu vois, c'est ce que je nomme l'effet de grandeur infini. Je rassemblerai autour de moi, au service de l'Œuvre des Mithris, les individus les plus intelligents de tous les peuples du Lentremers. Bientôt, le Monde d'Ici sera tout entier tourné vers Saur-Almeth d'où émanera l'autorité et vers où affluera l'adoration. Avec respect, tous se soumettront à la grandeur des Mithris. Notre lignée a capté l'essence de l'Air, du Feu et de l'Eau. Je possède presque celle de la Terre. Elle se trouve juste là, tout près, à portée de ma main. Ceux que j'attire ici m'élèveront pour que je la saisisse. Dès ce moment, ils auront fait de moi le maître ultime et incontestable.

– Et quelle place réserves-tu à ton fils... et à ton Guide ? demanda Vorgrar d'un air narquois que Sauragon ignora.

– Mon fils héritera de mon œuvre. Il m'en sera reconnaissant et il m'aimera pour cela. Quant à toi... N'as-tu pas toujours affirmé que ton rôle de guide doit justement se terminer le jour où les Alisans auront atteint la plénitude de leur développement ? Ainsi, tu seras heureux, parfaitement satisfait d'avoir mené à bien ta tâche, et tu pourras te retirer selon ton bon vouloir dans l'univers qui t'est destiné.

Spontanément, Vorgrar pensa que cette conclusion ressemblait plus à un souhait de bon débarras qu'à un vœu de bonheur sincère de la part du Grand Seigneur Alisan. En vérité, aussi bien le père que le fils n'envisageaient rien d'autre que d'occuper toute la place, sans partage.

« Lequel soutenir ? se demanda Vorgrar. Si Sauragon parvient le premier à ses fins, cela pourrait s'avérer un obstacle pour transmettre ma Pensée à tous les peuples. Il faut donc que ce soit Egohan qui triomphe puisqu'il est habité par mon esprit. Pourtant, le fils devient chaque jour plus motivé par ses propres aspirations que par les miennes. »

Le dilemme paralysait Vorgrar, le rendant incapable de prendre la moindre décision ni de s'accrocher à quelque certitude. Pour survivre, il avait dû tourner le dos à ses frœurs. Voilà que la réussite de ses projets signifiait son rejet par ceux-là mêmes en qui il avait investi tout son amour. Il mesurait à quel point sa quête de perfection aboutissait à sa propre disparition. Fallait-il donc qu'il se sacrifie pour le bien du Monde d'Ici ? Il se trouva encore une fois incapable de déterminer quel parti prendre. Les arguments en faveur de l'un ou de l'autre se bousculaient dans sa tête, le laissant indécis, écrasé par le doute. Il souffrait du mal qu'engendrait la mise en place du Bien tel qu'il le concevait. Le plus puissant des membres de la Race Ancestrale, le Guide d'une race jouissant de pouvoirs incommensurables, devenait lentement le spectateur impuissant et affligé des événements qu'il avait lui-même provoqués.

Mithris Sauragon interpréta le mutisme de son vis-à-vis comme une approbation respectueuse de la grandeur de ses projets. Il leva haut son verre en souriant, le porta à sa bouche et le vida sans perdre Vorgrar des yeux. Il esquissa un petit salut poli pour ensuite se retirer avec une démarche témoignant de sa suffisance et de son orgueil.

Seul sur la terrasse, anéanti par ses propres contradictions, Vorgrar frissonna dans le froid de la nuit, à la recherche d'une certitude qui le ferait enfin réagir.

12.

Un vent froid, inhabituel, semblait avoir accompagné la troupe d'Egohan et la précéder à Saur-Almeth. Le retour s'était fait le plus rapidement possible, en poussant hommes et bêtes à la limite de leurs forces. Le jeune Seigneur, aigri et intraitable, n'avait même pas fait halte pour rendre visite à la séduisante Magomienne SpédomSildon.

En arrivant au Palais, Egohan s'empressa d'annoncer à Sauragon que le voyage avait été fructueux sur un aspect vital. Il avait récupéré les Fioles dérobées par Delbiam. Immédiatement, ils se rendirent dans le sanctuaire familial souterrain, cette majestueuse salle en forme de bulle aplatie, large de plus de trente jambés, toute en courbes, quatre fois plus grande que haute, où rien ne délimitait le sol, les murs et le plafond. Au centre, une colonne semblable à un gros arbre de marbre brut semblait surgir du sol pour monter jusqu'au plafond dans un mouvement de spirale, telle une stalagmite noire amoureusement enroulée avec une stalactite blanche.

Pour la première fois depuis sa défaite devant le Sormens, Egohan parvint à oublier le goût amer de l'échec et à se détendre. C'est avec le plus grand calme qu'il accompagna son père devant l'impressionnant pilier que Sauragon toucha en trois endroits précis avec la lumière du Pèlerin Alisan. La pierre s'ouvrit comme si elle était devenue une eau pure. À l'invitation de son père, Egohan remit alors lui-même dans le cœur de la colonne le trésor qu'il ramenait.

L'Œuvre Mithris était de nouveau réunie. Les Fioles de la Vie, de l'Amour, de la Connaissance, de la Vérité, de la Paix, de l'Abondance et de l'Imprévu entouraient les Cassettes des Forces de l'Eau, de l'Air et du Feu. Afin que l'ensemble soit parfaitement complet, il ne restait plus qu'à saisir l'essence de la Terre, tâche à laquelle le Grand Seigneur vouait désormais son existence entière.

Ensuite, Sauragon prit le temps de commenter les œuvres et les scènes qui décoraient la pièce. Il relata l'origine de la lignée Mithris et ses plus éclatantes réalisations. Pour une rare fois, le père et le fils partagèrent un moment agréable. Même si leur relation ne pouvait véritablement être qualifiée de chaleureuse, une entente tacite entre eux s'avérait évidente. Chacun avait besoin de l'autre pour atteindre ses buts, même sans les dévoiler complètement. Par la force des choses, et par respect mutuel, ils devenaient des alliés.

Inspiré par l'atmosphère intime des lieux et par la complicité qui s'esquissait entre eux, Egohan se décida à exposer la stratégie qu'il avait imaginée.

– Durant les longues journées de route pour revenir à Saur-Almeth, j'ai beaucoup réfléchi. Ta tâche est si importante que tu dois t'y consacrer totalement. Il faut aussi y faire participer les esprits les plus brillants du Monde d'Ici. Cela signifie de les attirer à Saur-Almeth et de les retenir, non seulement eux, mais aussi tous ceux qui peuvent nous servir. Alors, pendant que tu termines l'œuvre grandiose de notre famille, je prendrai en charge tout ce qui concerne les affaires quotidiennes de la Cité. Cependant, je ferai quelque chose d'inédit. Je vais établir un nouvel ordre qui nous permettra de dominer le Monde d'Ici sans devoir toujours voyager partout. Nous ferons venir ici, à Saur-Almeth, ceux qui gouvernent les autres peuples. Je les couvrirai de cadeaux et de privilèges en les retenant sur place, au Palais. Je les rendrai dépendants de ce qui se déroule en ces murs et que je déciderai dans les moindres détails.

– De quel argument disposeras-tu pour les convaincre de t'obéir ?

— Cette idée brillante que tu as déjà utilisée pour t'assurer la collaboration des Oiseleurs. Cette notion que la terre appartient à ceux qui dirigent. Selon cette logique, le Plateau des Alisans est notre propriété, à nous, les Mithris. C'est d'ailleurs à ce titre que nous prélevons des impôts.

— C'est notre responsabilité, car nous faisons usage de cette richesse pour des réalisations utiles à tout le peuple des Alisans...

— Une fortune dans laquelle nous puisons pour nous-mêmes et que nous contrôlons totalement ! Mais imagine que je dise à chaque Noble qu'il peut, en toute légitimité, garder une part de ces impôts pour lui puisque je lui *donne* une parcelle du territoire qui *nous* appartient et que je lui confie la gestion d'autres de *nos* terres.

Sauragon demeura songeur, évaluant le potentiel de ce stratagème. Son intérêt était évident et ses objections se voulaient constructives.

— Cela peut fonctionner pour les Nobles de notre Race. Mais pour ceux des autres peuples... Quel est leur bénéfice ?

— Nous sommes les plus puissants. Nous pouvons légitimer et soutenir ceux que nous voulons ! Le souverain qui a notre reconnaissance s'affirme comme le seul véritable. S'il a des opposants, ceux-ci deviennent des traîtres, des renégats, des ennemis qu'il est *juste* d'éliminer pour le *bien* du peuple ! En fait, le principe essentiel auquel j'en suis venu en y songeant bien, est que nous devons simplement manœuvrer de manière à ce que toute personne détentrice du moindre pouvoir, ici ou ailleurs, soit reconnaissante ou redevable envers nous d'une manière ou d'une autre.

— Cela va exiger un contrôle constant et exigeant...

— Voilà pourquoi il faut affirmer que la Cité est le centre du Lentremers et attirer tous ces gens à Saur-Almeth ! Pendant que tu associes les uns à tes travaux, je tiens les autres à l'œil. Et je le ferai en public, jouant autant de séduction que de flatteries et d'honneurs. J'ai vu à quel point il m'est facile de faire naître la crainte ou le désir chez qui je le souhaite. Chez les Nobles, une remarque bien placée, une œillade juste assez appuyée, un geste subtil, un semblant de promesse, et je faisais manger qui je voulais dans ma main ! Alors, imagine ici, dans un palais où je les nourrirai, où je les divertirai, où je les comblerai d'attentions... Père, il n'y aura pas de limites !

Sauragon demanda le temps d'y réfléchir. Il se mit à marcher dans la pièce en regardant distraitement les scènes de l'histoire des Mithris. Aucun des ancêtres n'avait obtenu un tel rayonnement. Et c'était précisément pour atteindre ce but qu'il manœuvrait en secret et qu'il concluait déjà des alliances avec des souverains étrangers. Or, les plans de son fils servaient à merveille ses propres visées. Il fallait simplement lui laisser l'impression d'avoir la mainmise sur Saur-Almeth tout en continuant à tirer les ficelles à son insu pour garder le contrôle des événements le cas échéant.

Le Grand Seigneur s'immobilisa devant la fresque dédiée à son père. Bientôt, il ne sentirait plus ses éternels reproches. Il allait réussir là où il avait toujours échoué, l'Œuvre Mithris serait complète et, en plus, le Monde d'Ici serait à ses pieds.

— Tu as mon soutien, déclara soudain Sauragon en se tournant vers Egohan. Tu as conçu une excellente stratégie sur laquelle je suis d'accord.

Curieusement, le jeune Seigneur ne manifesta pas sa joie. Il parut plutôt soucieux en s'approchant.

— Toutefois, il y a un obstacle qui requiert une attention particulière, fit-il sombrement.

— Lequel ? s'étonna Sauragon.

— Le Pays de Santerre, grogna Egohan. Mon frère Santhair – ou Francœur s'il préfère vraiment ce nom – semble organiser une résistance qui pourrait contrecarrer nos projets. Je dois le raisonner ou, s'il refuse de comprendre la grandeur de nos destins, je dois le soumettre.

– Et qu'envisages-tu comme solution à... cet irritant ?

– Durant l'hiver, en ton nom de Grand Seigneur Alisan, je vais lever une armée que je conduirai dès le printemps en Pays du Couchant. J'écraserai définitivement toute opposition possible. Par la même occasion, cette preuve de notre puissance à l'extérieur du Plateau des Alisans incitera les autres souverains à rechercher nos faveurs.

Le Grand Seigneur fixa longuement son fils avant de répondre. En vérité, il évaluait si une telle action risquait de nuire à sa propre stratégie ou s'il pouvait en tirer un précieux avantage. Pendant ce temps, Egohan ne pouvait s'empêcher de songer à Raidak et à Armac qui l'avaient humilié en Terres Mortes. Sur la route vers sa domination totale du Monde d'Ici, lui, le *Marqué-du-Destin*, il s'offrirait la satisfaction de laver au passage cette injure dans le sang de ceux qui avaient osé s'opposer à lui. Par la même occasion, il irait cueillir la plus resplendissante fleur du Lentremers, la Magomienne Spédom-Sildon, qu'il considérait digne d'être à ses côtés.

Sauragon donna finalement son approbation.

– C'est une excellente idée, mon fils. Mettre Santerre à genoux devant les Mithris incitera tous les souverains des Terres du Couchant à se soumettre rapidement à notre autorité. Toutefois, les ordres que tu auras à faire respecter doivent venir du Grand Seigneur et tu ne pourras pas constamment te présenter comme celui qui parle en mon nom. Or, il ne saurait y avoir deux personnes portant simultanément le titre de Grand Seigneur Alisan et, moi vivant, je serai toujours celui-là.

Egohan soupira. C'était effectivement un aspect délicat à régler. À sa grande surprise, son père proposa lui-même la solution idéale.

– Ce qui pourrait sembler une situation inextricable s'avère en fait l'occasion d'apporter un changement important et nécessaire dans nos institutions, affirma Sauragon. Désormais, celui qui détiendra le pouvoir politique, social et économique dans les affaires du Peuple Alisan sera désigné différemment. Nous aurons un... *Prince*. Le souverain de Saur-Almeth et du Peuple Alisan, le Prince Egohan.

Le père et le fils se firent face un long moment en silence. Egohan cherchait à deviner la signification de cette proposition. Ce terme n'était pas si inédit que certains auraient pu le croire. On le retrouvait en fait, plus ou moins déformé, chez plusieurs peuples du Monde d'Ici. Il désignait chaque fois une personne qui accède à un rang supérieur, soit par héritage, soit par sa valeur. Ainsi, par ce titre, Egohan se trouvait élevé au-dessus de la masse. Toutefois, cela pouvait aussi signifier que Sauragon le reléguait au même rang que Francœur, Delbiam et leurs compagnons qui s'identifiaient eux aussi de cette manière.

– Voilà qui est fort habile, admit finalement Egohan. Surtout, très pratique ! Nous aurons tous deux les coudées franches pour réaliser nos projets... qui se complètent à merveille.

Ils se sourirent, apparemment parfaits complices dans leurs ambitions. Pourtant, cela n'était qu'une façade, un jeu de chat et de souris où chacun poursuivait son objectif secret avec le sentiment d'utiliser l'autre à son insu.

13.

De retour au Palais, Sauragon prétexta d'importantes tâches à effectuer pour se retrouver seul le plus rapidement possible. Il emprunta des corridors secrets pour se rendre finalement dans une petite pièce où quelqu'un l'attendait. Il s'agissait d'une femme à peine plus jeune que lui, d'une beauté exceptionnelle, rousse comme toutes les Sorvaks, mais à l'expression plutôt sévère et avare de mots. Elle était allongée sur un lit qui permettait de patienter confortablement jusqu'à l'arrivée de Sauragon.

Les salutations furent brèves et le Grand Seigneur écouta le rapport de son informatrice.

– Tes habituels opposants dans la Cité clament que l'incident du laboratoire démontre à quel point tes recherches sont dangereuses. Heureusement, l'admiration que tu te mérites fait se lier bien des langues. À ce jour, j'estime que Saur-Almeth t'est acquise de façon inconditionnelle pour le tiers et qu'un autre tiers réprouve tes ambitions sans toutefois contester ton autorité. Par contre, certaines voix sont plus virulentes et risquent de devenir encombrantes. J'ai identifié trois têtes que tu devras éventuellement faire tomber.

Une lueur mauvaise passa dans le regard de Sauragon, mais il changea immédiatement de sujet pour entendre ce qui le préoccupait réellement.

— Dis-moi plutôt ce que les vents nous racontent !

— En Contrée des Sormens, les préparatifs s'organisent dans le plus grand secret. Tout visiteur est refoulé rapidement hors des Terres Mortes. Après l'hiver, nous pouvons compter que Raidak disposera d'une armée de guerriers disciplinée et bien entraînée. Pendant ce temps, en Santerre, ton fils et ses amis tentent tant bien que mal de faire de même, mais personne ne réalise le sérieux de la menace. Ils ne résisteront pas longtemps lors de l'assaut.

— Le Roi Mornac... A-t-il brandi en public sa fameuse épée Galiv ?

— Pas encore. Parmi le Peuple Sormens, il n'est toujours pas question de quitter les Terres Mortes pour envahir les Terres du Couchant. Cependant, tous sentent bien que leur Roi prépare quelque chose, cela est évident.

— Föhn s'est-il rendu lui-même à BaiNorde ?

— Non. Il a préféré se diriger d'abord vers Belbaie. Il veut renforcer notre réseau sur les rives de la Mer du Couchant avant l'hiver.

— C'est bien. Il s'avère très efficace en toutes circonstances... Tout comme toi d'ailleurs !

— Mais je ne suis qu'à la hauteur de ta générosité, badina la Sorvak.

Sauragon lui rendit son sourire tout en glissant sa main sous sa tunique pour aller prendre une bourse attachée discrètement à sa taille. Elle était lourde de pierres précieuses. Il la plaça devant lui sur le lit, mais Shinouk la considéra à peine, préférant aborder rapidement, et s'en débarrasser, un sujet plus délicat.

— Ton épouse... Enfin, ton ancienne épouse, car elle a manifestement renié tout son passé... Je t'ai déjà informé qu'elle portait comme ton fils Santhair – ou plutôt Francœur – cet étrange titre de Prince de Santerre. Maintenant, tu dois savoir qu'elle vit de façon très... proche... avec un autre Prince, le guerrier Frett Herkas.

Un instant, le visage de Sauragon se durcit. Puis il haussa les épaules. Ce n'était certes pas devant Shinouk qu'il allait exposer ses sentiments actuels pour Delbiam.

– Tu feras savoir à Föhn que ce... Prince Herkas... vit fort dangereusement et qu'il court le risque de subir un malencontreux accident. Quel dommage. Déplorer la perte d'un si brave homme ! Maintenant, qu'as-tu d'autre à me confier sur la situation en Terres du Couchant ?

Le sujet était clos et la consigne très claire. Grâce à l'efficacité du discret réseau de liaison mis en place par Sauragon, les ordres parviendraient rapidement à Föhn. Shinouk poursuivit son rapport. Elle confirma les intentions de certains souverains déjà en contact avec le Grand Seigneur et elle prit finalement ses nouvelles directives. Lorsque l'entretien fut terminé, la Sorvak fit un geste pour saisir la bourse contenant son salaire. L'Alisan posa sa main sur celle de la femme.

– Ton appétit devient chaque fois plus vorace, ma chère amie, plaisanta Sauragon. Je compte bien en avoir pour la valeur de ce que je paye, surtout en ces temps cruciaux qui viennent. L'attaque des Sormens va mettre bien des événements en branle et je compte sur toi pour te tenir à la bonne place, au bon moment.

Shinouk tourna lentement sa main de manière à poser le bout de ses doigts sur ceux de Sauragon. Ses ongles durs et pointus remontèrent vers le poignet de l'Alisan en une caresse mordante.

– As-tu jamais été déçu de ce que tu obtiens de moi ? murmura la Sorvak.

Doucement, sans cesser ses attouchements langoureux, elle quitta le lit pour venir se placer debout, face à Sauragon. Posément, sensuelle et provocante, elle laissa tomber ses vêtements.

Le Grand Seigneur savoura chaque instant de la scène, puis il se leva à son tour pour enlacer sa maîtresse, une informatrice digne de la plus grande confiance qui avait su se rendre plus qu'indispensable avec le temps. Leur relation remontait déjà à plusieurs années. Shinouk s'était révélée une ressource exceptionnelle pour établir des liens fort utiles en Pays du Levant. Puis, l'Alisan l'avait chargée de bâtir un réseau lui permettant de transmettre de l'information et des ordres à la grandeur du Lentremers. De plus, elle épiait le comportement de tous ceux qui possédaient une réelle influence à Saur-Almeth.

La Sorvak était grassement rétribuée pour ses services discrets et efficaces. Pourtant, elle désirait en obtenir plus encore. Il lui avait été facile de devenir la maîtresse de Sauragon et maintenant que Delbiam avait fui la cité alisane, Shinouk manœuvrait habilement pour se faire reconnaître un statut officiel auprès du Grand Seigneur Alisan. À sa soif de richesse s'était ajoutée celle du pouvoir et de la gloire. Patiente et ambitieuse, la magnifique Sorvak sentait qu'elle pourrait bientôt cueillir le fruit de ses efforts.

Egohan se dirigea vers les salles de travail privées de son père. Après s'être assuré que personne ne le voyait, il força la porte de la pièce où Sauragon s'isolait pour faire ses calculs secrets. Au fond se trouvait la bibliothèque qui dissimulait l'accès au sanctuaire souterrain de la famille Mithris. Le jeune homme se remémora les gestes qu'avait faits son père. Des sculptures d'animaux imaginaires décoraient les montants et les tablettes. Il entra sa main dans la gueule grande ouverte d'un monstre ailé. Aussitôt, il découvrit le mécanisme secret et la manière de le faire jouer. Une section du meuble pivota pour dégager un couloir obscur. Immédiatement, il trouva le fin bâton de cuivre au bout duquel un globe était fixé grâce à un élégant enchevêtrement de fils d'or. Il donna un petit coup sur le sol et la lumière du Pèlerin Alisan scintilla doucement.

Egohan s'avança dans le corridor jusqu'à la paroi qui semblait fermer le passage, intensément concentré sur les paroles que prononçait alors son père.

– *Oike ulrsem vairse roehem etdol !*

Silencieusement, une ouverture se créa pour donner accès à une plateforme circulaire entourée de tubes transparents remplis de liquide légèrement lumineux et coloré. Des bulles d'air montaient dans les roses et descendaient dans les verts. De nouveau, Egohan utilisa la vieille langue alisane dont il ne comprenait pas vraiment les mots.

– *Ekge nortk buielh arkil sarnuir.*

La plateforme se mit à s'enfoncer, amorçant une descente de trente tails dans les entrailles du sol. Une fois à destination, le jeune Seigneur entra seul pour la première fois dans le sanctuaire familial. Il s'approcha du pilier central, s'immobilisa en inclinant respectueusement la tête et il se plongea dans une brève mais profonde méditation.

Enfin, il s'avança encore plus près afin de toucher la colonne en trois points précis avec le globe lumineux. Alors, la pierre s'ouvrit comme si elle était devenue aussi malléable que l'eau pure, laissant apparaître le trésor qu'elle recélait. Les trois Cassettes et les sept Fioles de l'Œuvre Mithris se trouvaient là, à sa portée. Il eut à peine une hésitation avant de plonger la main au cœur du pilier pour en sortir une Cassette qu'il examina longuement. Elle était couverte d'inscriptions en vieux langage alisan qu'il ne parvenait pas à déchiffrer complètement. Il la remit à sa place, se recula lentement pour ensuite retoucher la colonne avec la lumière du Pèlerin Alisan.

Toute trace de sa visite effacée, Egohan retourna sur la plateforme afin de regagner le laboratoire de son père. Pendant qu'il remontait, une joie intense l'habitait. Il savait qu'il pouvait revenir à sa guise en ces lieux, seul, et accaparer l'Œuvre des Mithris pour lui seul. Maintenant, il fallait s'assurer que Sauragon se consacre uniquement à ses travaux pendant qu'il assurerait son emprise sur la Cité. Si son père croyait lui accorder un second rôle en lui donnant le titre de Prince, il constaterait rapidement que cela deviendrait au contraire une éclatante consécration. De plus, Francœur se faisait appeler de semblable manière en Santerre.

N'était-ce pas un signe que les deux *Marqués-du-Destin* finiraient par retrouver leur unité pour devenir... les Princes du Monde d'Ici !

Chemins de guerre

14.

— Je suis l'Amour. Tu sais à quel point j'aime le Monde d'Ici plus que tout. Je n'existe que pour le conduire à l'ultime stade de son épanouissement. Cette mission seule m'habite et dicte chacune de mes actions.

— Tu prends de mauvais chemins pour y parvenir, mon frœur. Tu as même tenté de nous éliminer de ta route ! Sans la puissance d'Hunil Ahos Nuhel, nous ne serions plus que des cadavres dans notre refuge des Terres Mortes.

— Ce fut un geste de panique pour éviter d'être moi-même anéanti. Si tu savais combien je souffrais de voir chacun de vous dans un tel état. Surtout toi, mon frœur Shar Mohos Varkur. Surtout toi !

Vorgrar faisait face au Maître Sorvak, tour à tour déterminé, repentant et charmeur. Le membre de la Race Ancestrale avait quitté Saur-Almeth quelque temps après le retour d'Egohan. Rien ne permettait de croire que Maître Alios soit encore dans la cité alisane et, de plus, le Grand Seigneur et son fils évitaient de l'associer à leurs actions. Le Guide des Alisans se retrouvait donc le plus souvent ignoré, relégué à ses appartements, à moins de venir participer aux travaux dans le grand laboratoire. Ce rôle secondaire lui laissait un goût amer, mais il ne pouvait s'en plaindre, les Alisans se comportant apparemment selon la volonté qu'il avait toujours exprimée. Lorsqu'il avait annoncé son départ, cela n'avait que réjoui ses hôtes, même s'ils s'étaient efforcés de ne pas afficher leur sentiment devant lui.

Traînant sa solitude et ses incertitudes comme autant de boulets, Vorgrar avait erré en Terres du Levant jusqu'à finalement se décider à se rendre sur une île au large de la région de Hippar. C'est là que son frœur préféré résidait, dans une élégante tour de pierre rouge blottie contre un escarpement de la rive. La base donnait sur une plage de sable fin tandis que son faîte surplombait une lande sauvage où les bruyères violettes et les genêts ocre enchantaient le maître des lieux lors de leur floraison. Ce jour-là, le paysage était recouvert d'une neige folle qui était tombée paresseusement, s'accrochant avec délicatesse aux branches nues et aux herbes jaunies. Dans ce décor serein, Shar Mohos Varkur s'acquittait consciencieusement de sa tâche de Guide des Peuples du Levant. Il était particulièrement attaché aux Sorvaks, ces nomades qui côtoyaient les Hipparans, Gueldans, Mauserans, Kalardhins, Coubalisins, Darchais et Semeurs, des peuples sédentaires.

Le conflit entre l'Esprit Mauvais et ses frœurs découlait de divergences philosophiques très anciennes. Lentement, au fil de leur intervention en Monde d'Ici, il avait atteint un point de non-retour. Le schisme était définitif. Toutefois, les liens entre Vorgrar et le Maître Sorvak avaient toujours été très étroits. Dans le spectre de lumière qu'ils formaient à l'origine, l'un brillait d'un éclat rouge, l'autre d'un rayonnement orange, couleurs entremêlées, chacune composée en partie de l'autre.

Shar Mohos Varkur avait accueilli son frœur, partagé entre un intense bonheur de le revoir et la colère que lui causaient ses actions. Puis les discussions avaient rapidement porté sur leur conception respective de la tâche que leur avait confiée Elhuï. La logique de Vorgrar était claire et sans faille. Il l'exposait avec une assurance qui secouait les convictions de son frœur.

— N'ai-je pas été désigné dès l'origine comme le Guide de notre Race ? N'étais-je pas au cœur de tous nos liens, de toutes nos actions, de toutes nos réflexions ? C'était autour de moi que l'harmonie existait et que nous étions puissants, déterminants dans l'évolution du Monde d'Ici. Et qu'est-ce qui a détruit notre perfection ?

– Tu as pris un chemin mauvais, mon frœur ! Voilà ce qui nous a avilis.

Vorgrar eut un sourire triomphant.

– Justement, voici votre erreur. Vous croyez que je me suis écarté de ma route. Or, c'est le contraire. J'avance constamment dans la même direction, fidèle à notre mission et à moi-même. C'est vous qui avez commencé à remettre en question notre œuvre ! C'est vous qui avez douté. C'est Hunil Ahos Nuhel qui a souhaité prendre ma place et qui vous a persuadés que j'errais.

Le doute s'insinuait chez Shar Mohos Varkur. Il avait toujours tant aimé son frœur. Il l'avait admiré par-dessus tout et, même dans leur désaccord, il avait tendance à lui donner raison sur certains points.

– Nos liens sont rompus, plaida mollement le Maître Sorvak. Cela, tu en es pleinement responsable. Tu ne peux le reprocher à Alios.

– J'ai brisé des liens qu'il retournait contre moi ! s'insurgea Vorgrar.

Pendant un moment, les deux frœurs demeurèrent perdus dans leurs pensées. Vorgrar regarda avec tendresse Shar Mohos Varkur, s'approcha encore plus, leva les mains pour lui prendre doucement la tête et l'attirer vers lui. Orvak Shen Komi posa son front contre celui de Shar Mohos Varkur.

– Et te voilà seul en Terres du Levant, murmura Vorgrar. Seul pour penser, statuer et agir. Seul, abandonné des tiens. Est-ce que ce cher Maître Alios vient te réconforter lorsque ta tâche est lourde à porter ?

Une chaleur agréable s'était répandue en Shar Mohos Varkur. Les membres de la Race Ancestrale n'avaient que de rares et brefs contacts physiques entre eux ou avec des gens des autres peuples. C'étaient des êtres tout entiers dévoués à la réflexion. Des êtres de pensée et de méditation. Ce simple geste de Vorgrar suffisait à troubler le Maître Sorvak, lui faisant mesurer l'immensité de sa solitude. Il soupira finalement et s'arracha à ce bonheur étrange, tellement fugace, pour tourner le dos à son frœur.

– Souhaiterais-tu recréer nos liens, reprendre ta position de Guide parmi nous... aller jusqu'à soumettre et, au besoin, écraser Alios ?

– J'aspire à retrouver notre unité afin que nous poursuivions ensemble notre œuvre de perfection et d'Amour, répondit Vorgrar. Réfléchis à cela. Pour l'instant, garde cela dans le secret de ton cœur. Je ne te demande rien, aucune réponse, aucun engagement. Juste la certitude que tu considères loyalement ce que je propose.

– Iras-tu rencontrer les autres, leur faire part aussi de tes intentions ?

– L'Ancêtre se désintéresse de tout ce qui ne concerne pas sa tâche d'enfantement. Maître Alios se montrera évidemment sourd à tout ce que je pourrais dire. Par contre, en Pays de Santerre, Jein Dhar Thaar et Shan Tair Cahal auront l'honnêteté de m'écouter et de soupeser la situation.

Lentement, comme s'il portait un poids dément qui risquait à tout instant de le paralyser, le Maître Sorvak se tourna vers son frœur.

– Je ne peux que te promettre de repenser à cet entretien et d'attendre la réaction de nos frœurs. Ne m'en demande pas plus, je t'en prie.

– Je vais me rendre en Santerre pour discuter avec eux. Poursuis ta tâche ici, avec toute la bonté dont tu fais constamment preuve. Adieu. Tu sais à quel point je t'aime, Shar Mohos Varkur.

– Moi aussi, mon frœur Orvak Shen Komi, je t'aime.

Vorgrar s'éloigna, les yeux pétillants, un indéfinissable sourire aux lèvres.

15.

Le Roi Mornac tourna les trois clefs dans autant de serrures de la lourde porte de métal. Les mécanismes jouèrent et il pénétra immédiatement dans la petite pièce aux murs nus, meublée uniquement de bancs grossiers. L'air froid et humide fit frissonner le Sormens. Il se dirigea jusqu'à la paroi en face de lui et s'immobilisa. C'était le même scénario chaque fois. Il savait sur quelles pierres précises poser ses deux mains et un genou pour appliquer et relâcher la pression selon une séquence particulière. Cela faisait alors basculer le pan de mur donnant accès à un couloir qui s'enfonçait dans l'obscurité.

Mais Mornac n'osait pas.

Combien de fois était-il revenu, irrésistiblement attiré, mais incapable de franchir le seuil ? Dix fois au moins ! Celle qui avait tellement réclamé un fils de lui avait-elle obtenu ce qu'elle désirait tant lors de sa dernière visite ? En fait, il redoutait la réponse, qu'elle fût positive ou négative. Il lui semblait que les deux éventualités étaient aussi terribles l'une que l'autre.

Le Roi fixa le mur un long moment, puis il serra les dents et fit demi-tour. Il ne lui fallut guère de temps pour retourner à ses appartements. Il empruntait maintenant d'un pas alerte l'interminable escalier secret entre sa chambre et cette pièce. En effet, depuis qu'il avait décidé de s'emparer du Pays de Santerre, Mornac s'était repris en main. Il avait mis fin à ses festins et à ses beuveries permanentes. Puis il s'était obligé à bouger et à s'entraîner chaque jour. Évidemment, il n'avait pas retrouvé complètement l'allure de ses meilleures années de jeunesse. Toutefois, le Sormens présentait de moins en moins l'image d'une grosse outre molle et avinée.

Lorsqu'il revint à la salle de travail du palais, Armac et Raidak l'attendaient, de retour d'une nouvelle tournée dans les villages longeant le Grand Cap. La présence de son homme de confiance et du Sorvak chassa la morosité du Roi.

– Bienvenue mes amis, s'exclama-t-il avec enthousiasme. Il me tardait de vous recevoir ! Quelles bonnes nouvelles apportez-vous cette fois ?

Le Sormens passa devant ses visiteurs en leur donnant de chaleureuses tapes sur les épaules, puis il contourna la table où étaient déroulées d'immenses cartes des Terres du Couchant. Pendant ce temps, Raidak l'examina, appréciant sa physionomie.

– Chaque fois que je te revois, je constate avec plaisir que tu redeviens le redoutable Mornac dont j'avais espéré faire la rencontre à mon arrivée en Terres Mortes ! Permets que je te félicite. Je suis très impressionné par la transformation que j'observe depuis l'automne.

Mornac prit la pose en inspirant pour creuser le ventre.

– J'ai dit que je serais prêt pour mener les combats contre Santerre. Ce que le Roi Mornac affirme se concrétise toujours. Il me reste encore un peu de travail à faire, mais l'hiver n'est pas terminé.

– Notre victoire ne sera donc qu'une formalité, plaisanta le Sorvak.

– Presque ! Pour autant que tu aies préparé nos troupes aussi bien que tu l'as promis, fit Mornac en retrouvant son sérieux.

– Tu peux avoir confiance, intervint Armac. Je peux témoigner de l'efficacité de Raidak. Personne ne pourra nous résister !

117

– Alors, quand donnerons-nous le signal de l'attaque ?

– Pour quelque temps encore, le froid sera trop intense pour que nous progressions facilement, évalua le Sorvak. Il faudra aussi tenir compte des dernières tempêtes de neige qui nous retarderaient inutilement. Cette année, l'équinoxe et la pleine lune coïncident...

– Heureux présage ! interrompit Mornac.

– Bien sûr, acquiesça le Sorvak. Toutefois, il faudra attendre seize jours après l'équinoxe pour donner tes ordres au Peuple Sormens.

– Nous allons commencer bien avant à réunir à BaiNorde les guerriers qui doivent venir des régions les plus éloignées de notre contrée. Ensuite, je montrerai Galiv en public et je proclamerai ma volonté de soumettre les Pays du Couchant à la domination des Sormens. À partir du moment où nous entrerons en Santerre, j'ai compté trente-deux jours pour contrôler le pays.

– Et moi, je maintiens qu'il n'en faudra que vingt-cinq, répliqua Raidak.

Les deux hommes se défièrent du regard en souriant, une habitude prise chaque fois qu'ils discutaient du déroulement des combats. Ensuite, avec Armac, ils se penchèrent sur les cartes pour faire le point et revoir encore une fois leur stratégie. Sur la table de travail du Roi Mornac, les documents alisans apportés par Raidak côtoyaient ceux du souverain Sormens. L'information dont ils disposaient s'avérait tout simplement fabuleuse à tout point de vue.

Intensément concentré, Mornac répéta de nouveau son plan en pointant du doigt les lieux cruciaux sur une grande carte.

– Effectivement, tout débutera une lunaison après l'équinoxe. Auparavant, je t'aurai accordé huit jours avec les troupes à pied pour arriver à cet endroit du Grand Cap et trois jours pour terminer toute la préparation. Le matin de la pleine lune, au moment où j'appareillerai de BaiNorde, vous entrerez en Santerre au Levant du Glacier des Eaux, par la Région des Fretts. Vous foncerez rapidement jusqu'au lieu-dit *Fret* qui donne le nom à leur Temple pour prendre le contrôle de cette partie du pays. Ensuite, vous longerez la Rivière des Eaux jusqu'aux Monts Chantants. Au début, la résistance sera faible car vous profiterez de l'effet de surprise. Les Artans, les Baïhars et les Culters se précipiteront alors vers vous. Au dix-septième jour de l'attaque, vous devrez être rendus à cet endroit, dans les hauteurs des collines, où vous serez en position avantageuse lorsque débuteront les combats les plus importants. C'est précisément ce jour-là que j'arriverai à Belbaie par la mer. Je prendrai le contrôle du port et je m'emparerai du Temple Baïa. Que les quatre Tours sacrées et la Résidence des Sages soient entre nos mains sera très démoralisant pour les Gens de Santerre. Je concentrerai mes efforts vers le Temple Arta pendant qu'Armac conduira une partie des troupes vers le Temple Cult. Une fois les chefs-lieux de chaque région sous notre commandement, il ne restera qu'à réprimer les dernières poches de résistance.

— Lorsque les Gens de Santerre auront déposé les armes, tu sais que je réclame comme butin de mettre moi-même le feu à Belbaie, grogna Raidak. Cette ville ne sera plus que cendres, j'en ai fait le serment.

Le Roi Mornac soupira, retenant visiblement son irritation.

— Je te répète que le sort exact de Belbaie sera décidé à ce moment. La chute de Santerre n'est que la première étape de mon plan. Écarter les Fretts, les Saglans et les Chasseurs sera pour nous un doux plaisir. Toutefois, les Sormens ont de vieux liens avec les Baïhars et les Artans qui remontent à l'époque où nous vivions en ces terres. Nombre de nos familles partagent les mêmes origines. Si je juge qu'il est plus profitable de les épargner, c'est ce que je ferai. Quant aux Culters, tout dépendra de leur attitude.

— Tu tiens compte de l'histoire ancienne... très ancienne, répliqua Raidak.

– Je le sais et c'est pourquoi je fonde peu d'espoir sur une éventuelle alliance avec les Baïhars, expliqua froidement Mornac. Toutefois, cela n'est pas exclu. Alors, lorsque je saurai à quoi m'en tenir, je prendrai la décision qui sert le mieux le Peuple Sormens. Si cela ne contrecarre en rien mes projets, je te laisserai faire ce que tu veux de Belbaie.

– Cette ville sera rasée au sol et je m'assurerai que même le moindre brin d'herbe n'y repousse de mon vivant !

16.

De la fin de l'automne jusqu'à l'arrivée du printemps, les Princes de Santerre avaient été fort occupés. En effet, deux par deux, accompagnés de gardes royaux, ils parcouraient constamment le pays pour transmettre et faire respecter l'édit exigeant qu'hommes et femmes dans la force de l'âge apprennent le maniement d'une arme. De plus, chaque famille devait s'assurer de posséder une épée. Sans évoquer une menace précise, le Roi Alahid affirmait que Santerre devait se tenir prêt à toute éventualité.

Les Princes se répartissaient les lieux à visiter, séjournant dans les villes d'importance pour organiser des entraînements et vérifier la qualité des troupes sur lesquelles Santerre pourrait compter au besoin. De ce fait, ils se retrouvaient rarement tous ensemble à leur résidence. Ainsi, le Palais des Princes s'était rapidement révélé bien plus un endroit de ralliement et de travail qu'un domicile habité en permanence. Outre leur tâche de préparer le pays à un éventuel conflit provoqué par Vorgrar, les compagnons vivaient personnellement des événements riches en émotions. Delbiam et Herkas partageaient leur existence de la même façon qu'un couple officiel, de toute apparence se trouvant fort satisfaits de la situation. En parallèle de leur engagement de Prince de Santerre, ils vivaient un bonheur tranquille, sans histoire.

De leur côté, Gouïk et Jhibé formaient un duo incomparable, celui qui soulevait le plus l'enthousiasme des Gens de Santerre dans chacune des quatre grandes régions. Jouant à la fois du sérieux des Princes, de l'humour du conteur et de la poésie du ménestrel, chacune de leurs visites se transformait en moments mémorables. Le ménestrel semblait avoir retrouvé son naturel frivole. Il jouait volontiers le joli cœur auprès des dames lorsqu'il se retrouvait loin de Belbaie depuis plusieurs jours. Toutefois, lors de ses passages dans le centre politique de Santerre, Jhibé s'abstenait de s'afficher avec une personne en particulier. Il prétendait que cela valait mieux en raison de son titre de Prince. Pour ses amis, la véritable explication se trouvait à l'auberge des Mille coques. La mystérieuse Safyr rôdait sans cesse dans les parages, chaleureuse complice de Shau quand la Haylaboise était présente, fuyant les lieux si Herkas apparaissait dans les environs, mais surtout, ne manquant aucune prestation du ménestrel en public tout en évitant habilement de se retrouver seule avec lui. Évidemment, Gouïk multipliait les railleries sur l'apparent détachement dont Jhibé faisait montre envers Safyr qui, selon le Gouhach, ne parvenait aucunement à masquer l'omniprésence de l'étrange femme en bleu dans ses pensées.

Effectivement, dès qu'il se retrouvait seul, Jhibé se laissait envahir par l'image de cette femme insaisissable qui portait sur lui un regard unique en Monde d'Ici, rempli de passion dévorante et de crainte inexpliquée. Le ménestrel cherchait alors à comprendre les sentiments de l'énigmatique femme en bleu, ainsi qu'à démêler ce qu'il ressentait à son endroit. Combien de fois avait-il été sur le point d'aller vers elle ? Mais il se retenait finalement en imaginant l'importance que prendraient chaque mot et chaque geste de sa part. Et de la sienne. Il était inconcevable que Safyr fasse partie de la longue liste de ses conquêtes faciles et éphémères. Elle était à la fois trop intense, trop fragile et trop blessée pour cela. Ainsi, au cours de l'hiver, une étrange relation à distance s'était tissée entre la troublante femme et le romantique troubadour.

Toutefois, deux Princes impressionnaient particulièrement leur entourage. Plus déterminé que jamais, Francœur faisait montre d'une autorité qui réjouissait ses compagnons. Il s'investissait désormais à fond dans sa tâche. Quant à Shau, elle semblait avoir vieilli d'un coup et elle partageait avec une sagesse remarquable les méditations de Francœur à la Tour des Prières ainsi que ses discussions avec le Roi Alahid ou avec les Sages. Progressivement, la jeune femme qui s'estimait inutile dans le combat contre Vorgrar avait cédé la place à une Prince de Santerre résolue, donnant son avis avec assurance et justesse. Elle méritait pleinement l'admiration et le respect que tous lui manifestaient.

Pour le couple qu'ils formaient maintenant, la saison froide avait été une période de passion et les deux jeunes gens resplendissaient d'un bonheur complice. L'hiver s'avérait aussi une source constante de surprises puisqu'ils n'étaient pas familiers avec la vie dans un pays recouvert d'une épaisse couche de neige. Shau, tout particulièrement, raffolait de cette saison. Chaque chute de neige était pour elle un moment magique. Lorsque les flocons blancs tombaient doucement, elle se tenait bien droite, la tête rejetée en arrière, pour laisser cette douce poussière de nuage se poser sur son visage et sur sa langue qu'elle tendait avec délices. Francœur l'imitait de bon cœur, et les deux amoureux riaient comme des enfants.

Parfois, le spectre d'Egohan venait les hanter sans qu'ils en parlent. Le regard tourné vers Saur-Almeth, Francœur songeait à son frère avec un mélange de répulsion et de pitié, partagé entre les images d'aujourd'hui et celles de leur enfance. Lorsque Shau regardait son compagnon, il lui arrivait, un fugitif instant, de voir son jumeau. Elle se questionnait alors si son choix était bel et bien fait, tel que le lui avait demandé son mystérieux visiteur. Elle se jurait finalement que oui, puis elle l'embrassait afin que les certitudes de son corps chassent les doutes de son esprit.

✦ ✦ ✦

Depuis quelques jours, Belbaie vibrait au rythme des célébrations de l'équinoxe de printemps. Même le digne Roi Alahid allait passer quelques soirées dans les auberges de la vieille Cité pour partager les chants des fêtards et lever son verre avec eux. Réunis pour l'occasion, les Princes avaient mis de côté leurs préoccupations afin de profiter pleinement de ces festivités qui réjouissaient tous les Gens de Santerre.

Le soleil déjà bas sur l'horizon avivait l'orange des constructions de la vieille Cité. La neige se parait de bleus lumineux et d'éclatantes teintes dorées selon les ombres et les lumières créées par l'éclairage rasant qui précédait la noirceur hâtive. Sur les façades, les banderoles aux couleurs vives resplendissaient comme autant d'invitations à la fête.

Les compagnons arrivaient d'un parc où ils avaient assisté, médusés, à une performance inouïe d'un artiste, l'un de ces spectacles publics très courus par les Baïhars. Une quarantaine de tambours, chacun d'une tonalité différente, étaient installés de manière à former une sphère géante, les peaux vers l'intérieur. Le musicien était suspendu au centre par des câbles qui lui permettaient de tourner sur lui-même. Il pouvait ainsi jouer dans toutes les directions, y compris tête en bas, avec de courtes baguettes de bois plutôt qu'avec ses mains. Énergie, mouvement, rythme et musicalité avaient fusionné pour se révéler un véritable exploit. À la fin de la représentation, la foule hurlait d'excitation, impressionnée autant par ce qu'elle avait vu que par ce qu'elle avait entendu.

Encore éblouis par cette prestation, les Princes se dirigeaient à l'auberge des Mille coques pour le repas du soir. Jhibé devait ensuite donner un spectacle fort attendu.

– Quelle atmosphère incroyable ! s'extasia Shau. On dirait que la neige et le froid de l'hiver rendent les gens plus chaleureux qu'à l'accoutumée. Au lieu de se réfugier dans leur maison, ils s'habillent en double et ils sortent pour s'amuser. Maintenant que le printemps arrive, c'est presque de la folie !

– N'avais-tu jamais goûté un air aussi pur et revigorant que celui de l'hiver ? renchérit Herkas avec la passion caractéristique des Fretts pour cette période de l'année. Nous y puisons une énergie que les habitants des contrées plus chaudes n'auront jamais !

– Purlatoumakouët ! approuva Gouïk. Je crois que tu finiras par me convaincre des vertus purificatrices, tonifiantes et fortifiantes de ta saison de froid et de neige, ami Herkas, mais admets que cela a occasionné quelques minuscules légèrement minimes petits inconvénients pour voyager et parcourir le pays afin de remplir notre tâche de Princes !

– C'est tant mieux, répliqua Herkas. Ainsi, grâce au temps froid, nous n'avons pas eu à craindre d'attaques de quiconque. Nous avons profité de ce temps pour entraîner les Gens de Santerre et organiser des troupes prêtes à l'action. Durant la fonte des neiges, nous sommes encore tranquilles car...

Le Frett ne put terminer sa phrase. Il avait reçu un paquet de neige en plein visage. Surpris par le froid mordant de l'eau qui coulait déjà dans son cou, Herkas laissa échapper une plainte misérable qui déclencha l'hilarité générale. Delbiam s'empressa d'enlever la neige qu'elle venait elle-même de lancer sans ménagement à son compagnon.

– Nous avions convenu de seulement nous amuser aujourd'hui ! lui reprocha-t-elle.

– Et tu lui as donné toute l'énergie pure, fortifiante et revigorante qu'il lui fallait pour fêter toute la nuit, s'esclaffa le Gouhach.

Les moqueries reprirent de plus belle à l'endroit du Frett, le forçant à s'avouer vaincu et à rigoler à son tour. C'est de fort belle humeur que les Princes entrèrent finalement à l'auberge des Mille coques. Ils furent accueillis avec enthousiasme par l'aubergiste Miran qui leur servit un copieux repas. Ensuite, le ménestrel s'installa avec son lurk, secondé par Gouïk qui animait la foule ou qui la faisait rire aux éclats par ses pitreries entre deux chansons. Le duo prit immédiatement le contrôle d'une assistance qui ne demandait pas mieux, donnant ainsi le ton à une soirée mémorable.

Cependant, deux personnes paraissaient insensibles à l'enthousiasme général. Debout dans l'entrée, supportant sans broncher le courant d'air froid qui pénétrait par la porte chaque fois qu'elle s'ouvrait, Safyr brûlait d'envie de se jeter sur Jhibé pour l'embrasser... et sur Herkas pour le défigurer. Plus loin, dans un coin de la salle, en partie caché derrière une colonne, un étranger terminait son repas sans se mêler à la clientèle, sinon pour répondre de façon brève et polie à ceux qui lui adressaient la parole. De taille moyenne, apparemment très costaud, l'inconnu gardait sa cape grise même à table. Il portait un chapeau dont le bord était très long à l'avant. Au soleil, cela protégeait les yeux du voyageur. À l'intérieur, cela dissimulait son visage à la peau cuivrée, envahi par une forte barbe noire. De l'endroit où elle se trouvait, Safyr avait remarqué l'individu et elle jetait de plus en plus souvent un œil dans sa direction. Rapidement, elle eut la conviction qu'il épiait les Princes bien plus qu'il n'écoutait Jhibé chanter.

Le ménestrel avait littéralement épuisé son auditoire à force de chansons à répondre et de morceaux enlevants qui faisaient taper des mains. Il accorda un répit à l'assistance en poursuivant avec des ballades plus douces qui incitaient les couples à s'enlacer et les solitaires à rêver d'une âme sœur. C'est lorsqu'il chantait ainsi que Safyr s'imaginait la muse de Jhibé, blottie contre lui tandis qu'il l'enchantait de ses textes troublants et de ses mélodies prenantes. Quand il reprenait une chanson qu'elle connaissait, Safyr murmurait les paroles en même temps que lui, avec un synchronisme parfait.

Si la pièce était inédite, elle se concentrait intensément afin de graver chaque mot dans sa mémoire. Plus tard, réfugiée dans la solitude de sa chambre cachée dans un hangar délabré du port de Belbaie, elle se les remémorait jusqu'à les réciter par cœur et les transcrire enfin sur des parchemins précieux. En effet, Safyr maîtrisait l'écriture. Choisissant ses plus belles plumes, s'appliquant plus que de coutume à tracer des lettres impeccables, elle confiait au papier la poésie du Prince ménestrel. Lorsque l'encre était sèche, elle roulait l'inestimable document, l'attachait avec un ruban de soie bleu, et le rangeait dans le coffre où elle conservait ses rares trésors.

Ce soir-là, Jhibé se mit à improviser sur un air lent et obsédant.

– *Chacun veut voir*
Chacun veut croire
Chacun veut boire
Chacun veut vaincre
Chacun veut feindre
Chacun veut geindre
Mais qui veut craindre
Personne ne veut, admettre de torts
Chacun veut dire
Chacun veut lire
Chacun veut rire
Chacun veut ouïr
Chacun veut vivre
Chacun veut luire
Mais qui veut cuire
Personne ne veut, subir le feu
Chacun veut faire
Chacun veut braire
Chacun veut taire
Chacun veut fuir
Chacun veut nier
Chacun veut rompre
Mais qui veut choir
Personne ne veut, verser de sang
Chacun veut plaindre
Chacun veut battre
Mais qui veut être

Personne ne veut, vivre sa perte
Personne ne veut, perdre sa vie
Personne ne veut, prendre de risques
Personne ne veut, tout ce qu'il veut
Personne ne fait, en fin de compte, ce qu'il doit faire

Chaque mot revenait dans l'esprit de Safyr comme une invitation personnelle, pressante, à enfin agir. Elle ne pouvait ruminer éternellement sa vengeance envers Herkas ni continuellement rêver à Jhibé en secret. Si elle n'agissait jamais, tous les scénarios qu'elle échafaudait dans sa solitude, sous les draps froids de sa misérable couche, ne seraient toujours que des fantasmes stériles qui finiraient par la détruire irrémédiablement. Mais que faire ? Réaliser l'un de ses deux rêves rendait nécessairement l'autre inaccessible. Se venger d'Herkas ferait du ménestrel un ennemi. Conquérir Jhibé impliquerait d'effacer la dette du Frett. Plus elle y songeait, plus elle se trouvait ridicule. Sombrait-elle dans la folie ? La vérité n'était-elle pas que jamais Jhibé ne s'intéresserait à elle et que jamais elle n'exercerait de représailles contre Herkas ?

Un tourbillon de sentiments l'envahissait et la paralysait. Comme le doux ménestrel parlait juste. *Personne ne fait, en fin de compte, ce qu'il doit faire.* Comme cela était vrai pour elle. Ne composait-il que pour lui adresser des messages ? Elle braqua les yeux sur les Princes, cherchant désespérément un indice qui lui indiquerait lequel de ses deux rêves réaliser. Jhibé jouait magistralement de son lurk. Herkas enlaçait tendrement sa compagne. Shau et Francœur faisaient de même en se souriant amoureusement. Même Gouïk échangeait des yeux doux avec une timide demoiselle. La porte de l'auberge s'ouvrit encore, laissant l'air froid de la nuit s'engouffrer et tourbillonner un instant autour de la femme qui se fardait de bleu pour cacher ses cicatrices du visage et de l'âme.

Safyr frissonna, serra un peu plus ses vêtements. Lorsqu'elle regarda de nouveau vers les Princes, Herkas se levait de son banc. Delbiam l'imita et, après avoir salué leurs compagnons, ils se dirigèrent vers la sortie. Vers elle ! La femme en bleu sentit son cœur battre à toute vitesse. Elle quitta l'auberge avant que le Frett ne la remarque pour aller se cacher plus loin dans la ruelle. La neige s'était mise à tomber en gros flocons paresseux qui étouffaient les bruits et rendaient floues les formes éloignées, lui offrant des conditions idéales pour voir sans être vue.

Le couple sortit enfin de l'auberge en riant aux éclats dans les rues désertes de la vieille Cité. Visiblement, ils avaient fait large honneur à la bière de l'aubergiste Miran.

– Nous aurions bien pu coucher à l'auberge, se plaignit Herkas.

– Tous les lits sont pleins, répondit Delbiam. Et ça nous fera du bien de marcher un peu pour retourner à notre palais ! Nous dormirons mieux.

– Alors, allons-y vite car le chemin sera plus long cette nuit... Je crois que nous n'irons pas toujours en ligne droite !

Exagérant son état, Herkas fit quelques larges zigzags dans la rue en entraînant Delbiam qui se mit elle aussi de la partie en trébuchant exprès. Ils firent encore quelques pitreries dignes des plus jeunes fêtards puis, bras dessus bras dessous, ils s'éloignèrent. Safyr demeura tapie dans l'ombre. Elle pouvait leur laisser prendre une bonne avance puisqu'elle savait dans quelle direction ils se dirigeaient. Cette fois, il n'était plus question de réfléchir, ni de peser le pour ou le contre. Elle ignorait toujours ce qu'elle ferait, mais elle allait improviser. Surtout, elle passerait à l'action. Il n'y avait que cela qui comptait.

Personne ne fait, en fin de compte, ce qu'il doit faire.

– « C'est faux, Jhibé ! Je ferai ce que je dois faire. Cette nuit. »

Après avoir repris son calme, elle était sur le point de quitter sa cachette lorsque la porte de l'auberge s'ouvrit de nouveau. L'étranger à la cape grise sortit à son tour. Il examina minutieusement les alentours pour rapidement prendre la même direction que celle empruntée par Herkas et Delbiam. D'abord, Safyr pesta contre cette présence qui contrecarrait ses plans. Puis elle eut la certitude que l'inconnu se lançait sur les talons du couple en prenant soin de ne pas être vu. Intriguée, subitement inquiète, elle décida de le suivre discrètement.

Effectivement, l'étranger se collait aux traces d'Herkas et Delbiam. Insouciants, ceux-ci traversaient la vieille Cité endormie, croisant de temps à autre quelques fêtards. Ils se saluaient alors, échangeaient quelques blagues, riaient ensemble un moment, puis chacun poursuivait son chemin dans les ruelles désertes. Pendant ce temps, l'inconnu à la cape grise en profitait pour prendre de l'avance. Safyr comprit son intention. Il se hâtait pour arriver le premier aux limites de la ville, avant que le couple emprunte la route menant au Temple et à leur résidence. Ils seraient à ce moment dans un endroit bien dégagé où il serait impossible de les surprendre.

Autour du port, le vieux Belbaie formait un grand cercle dans lequel les constructions s'entassaient en un indescriptible fouillis parcouru par un labyrinthe de ruelles. Les petits bâtiments aux murs et toitures recouverts d'une sorte de crépi de couleur orangée semblaient contenus par une bande de végétation clairement délimitée qui séparait l'ancienne et la nouvelle section de la ville. Souvent, les maisons étaient reliées par des passerelles qui permettaient d'agrandir l'espace habitable au-dessus des rues, créant ainsi de courts tunnels qui se multipliaient dans la vieille Cité. Or, il se bâtissait régulièrement de telles structures. L'étranger à la cape grise avait repéré un échafaudage de travail sous lequel Herkas et Delbiam allaient bientôt passer. Il grimpa sans bruit à travers l'amoncellement de matériaux dont plusieurs grosses pièces qui n'étaient pas encore fixées définitivement.

Rarement Herkas s'était montré aussi insouciant, grisé à la fois par la bonne bière de Miran, l'atmosphère de fête dans la vieille Cité et, surtout, par son bonheur de partager la vie de Delbiam. Il plaisantait, sachant amuser sa compagne juste pour le plaisir de la voir rire sans retenue. Il la prenait dans ses bras pour lui éviter de marcher dans une plaque de neige fondante, puis il la redéposait en s'inclinant devant elle avec une révérence pompeuse. La Culter se sentait si bien, si heureuse, qu'elle jouait le jeu avec délices, retrouvant des joies simples, profondes et tellement différentes de la vie à Saur-Almeth.

Avant de s'engager sous une passerelle, le Frett passait devant en imitant celui qui va en reconnaissance s'assurer que rien n'entravera le passage d'un personnage important. Lorsqu'ils s'approchèrent de celle en construction, le Frett redoublait ses pitreries. Caché dans l'ombre, l'inconnu les attendait. Il avait déplacé une lourde poutre, une pièce maîtresse de la structure. Elle était maintenant en équilibre instable, prête à tomber à la moindre poussée. Le couple arrivait et l'étranger se mit en position.

Herkas fit une courbette devant Delbiam.

– Chère dame, permettez que j'explore ce chantier pour vérifier que vous n'y risquez rien, déclara-t-il avec emphase.

– Faites donc mon brave, vous qui ne craignez rien ! pouffa la Culter.

En tournant sur lui-même pour faire semblant d'examiner les lieux, Herkas s'engagea lentement sous l'échafaudage. Celui qui tendait le guet-apens n'aurait pu espérer une cible plus facile.

17.

Safyr avait suivi l'étranger. Ensuite, elle avait contourné quelques maisons pour revenir dans le sens contraire et elle l'avait vu s'installer pour tendre son piège. Profitant de l'obscurité et de l'encombrement des lieux qui permettait de se dissimuler facilement, elle s'était approchée presque sous la structure. Déjà, Herkas et Delbiam arrivaient, insouciants et heureux.

Personne ne fait, en fin de compte, ce qu'il doit faire.

Devait-elle laisser l'étranger agir ou l'en empêcher ? Était-elle venue ici en simple spectatrice, pour assister à sa vengeance grâce au crime d'un autre ? Ou fallait-il qu'elle intervienne, qu'elle fasse en fin de compte le contraire de ce qu'elle désirait ?

Au-dessus d'elle, l'inconnu s'apprêtait à commettre un acte épouvantable. Ce ne serait pas un accident, un réflexe pour se défendre, un geste malheureux que l'on regrette. Ce serait une agression voulue, froide et immonde. Cela révoltait Safyr. Et puis, elle connaissait l'histoire de Delbiam. Elle la respectait. De la voir si heureuse à cet instant et de savoir qu'un étranger lui volerait son bonheur aussi cruellement la bouleversait.

La poutre était tombée. Safyr avait lancé un cri désespéré en bondissant vers Herkas.

— Prends garde !

D'instinct, sans plus réfléchir, elle s'était précipitée en criant au moment où la pièce de bois s'abattait sur le Frett. Surpris, Herkas s'était immobilisé, juste sous la poutre. La femme en bleu avait mis toute son énergie pour l'écarter, mais ce fut à peine s'il bougea.

À deux jambés derrière, Delbiam avait distingué du mouvement dans l'échafaudage, puis elle avait entendu le cri déchirer le silence de la nuit. Elle avait vu la pièce de bois se détacher de la passerelle en construction pour s'abattre vers son compagnon en même temps que Safyr surgissait de l'obscurité. L'énorme poutre s'était écrasée sur eux.

Elle avait hurlé de panique et de douleur à la fois.

– Non, Herkas !

L'apparition soudaine de Safyr avait littéralement figé le Frett sur place. Lorsqu'elle sauta sur lui, sa réaction fut de se raidir pour résister à ce qui semblait une agression. Cependant, la bière consommée à l'auberge affectait toujours ses réflexes et son équilibre. Sous la poussée de la femme, le Frett recula tout de même un peu, juste assez pour que la poutre ne le frappe pas directement. Par contre, il n'était pas totalement sorti de sa trajectoire. Safyr était collée contre lui et c'est elle qui subit toute la force de l'impact. La masse de bois lui fracassa la tête, lui brisant le cou instantanément.

L'étranger à la cape grise constata son échec. Il grimpa sans plus attendre dans la structure pour gagner les toits et s'enfuir. Déjà Delbiam brandissait son étonnante épée alisane qu'elle dissimulait en permanence sur elle. Elle s'était d'abord précipitée vers Herkas, soulagée de le voir sain et sauf, mais horrifiée par le sort de Safyr. Du regard, sans dire un mot, les deux Princes s'entendirent. La Culter s'élança immédiatement aux trousses de leur agresseur.

Pendant ce temps, Herkas souleva la poutre sous laquelle Safyr était toujours coincée. Il écarta la pièce de bois et lentement, avec douceur, il étendit le corps sans vie de la femme en bleu dans une position plus digne. Tout près, une porte s'ouvrit pour laisser apparaître un homme réveillé par le vacarme. Le Frett lui donna immédiatement un ordre.

– Je suis Prince Herkas. Nous avons été attaqués. Une personne a fui par les toits. Prenez soin de celle-ci, je vais revenir le plus rapidement possible.

Éberlué, le Baïhar s'approcha, découvrant avec horreur l'état de la victime. Herkas s'empressa de monter dans l'échafaudage et de se lancer à son tour à la poursuite de leur agresseur. Il pesta en songeant qu'il avait cru bon de ne pas porter d'arme sur lui en ce jour de fête. En débouchant sur la toiture, le Frett sentit son cœur se serrer. Il ne voyait personne. Heureusement, les traces de l'inconnu et de Delbiam étaient bien visibles dans la mince couche de neige qui venait de recouvrir la vieille Cité. À toute vitesse, il suivit la piste, sautant d'un toit à l'autre, franchissant à son tour les raccords chaotiques entre les bâtiments. Soudain, au détour d'un muret, la neige piétinée raconta avec éloquence qu'un affrontement avait eu lieu. Une tache sombre attira l'attention du Frett. Du sang avait coulé. Plus loin, un autre point rouge entre les traces de pas confirma à Herkas que l'inconnu et Delbiam s'étaient brièvement affrontés. L'un des deux saignait, mais lequel ?

Il reprit sa course éperdue, le cœur battant, la gorge nouée par l'angoisse. Les pistes louvoyaient de façon désordonnée entre les formes anarchiques des vieilles maisons entassées les unes contre les autres. En deux occasions, le Frett dut sauter au-dessus d'une ruelle étroite. Chaque fois, au point d'arrivée, il notait des gouttes de sang. Fou d'inquiétude, il força l'allure au maximum jusqu'à une rue plus large. Cette fois, il n'était pas question de s'élancer dans les airs pour atteindre l'autre côté. Pourtant, les traces cessaient sur le rebord du toit d'une hauteur de trois tails à cet endroit. Herkas n'hésita pas à sauter en bas. Sur les pavés, de nouvelles taches rouges lui permirent de foncer dans la bonne direction. Au premier tournant de la rue, il vit enfin Delbiam et l'étranger. Ils étaient entrés dans un cul-de-sac où le fuyard devait maintenant faire face à sa poursuivante.

L'homme se défendait de son mieux avec un poignard, mais Delbiam avait l'avantage d'une arme plus longue. Par contre, tous deux étaient si essoufflés que leurs coups manquaient de vigueur. Pour l'instant, ils se contentaient de se tenir en respect plutôt que de livrer un véritable combat. Herkas remarqua aussi immédiatement que l'inconnu souffrait, sa main libre posée de façon éloquente sur la cuisse. C'était lui qui saignait. L'arrivée du Frett sembla lui donner l'énergie du désespoir. Voyant que seule Delbiam était armée, il frappa de toutes ses forces pour la faire reculer et tenter de forcer le passage pour s'enfuir. Herkas lui fit face à mains nues. Ou plutôt avec ses poings et avec une fureur monumentale. De la gauche, il écarta la lame de son adversaire tandis que, de la droite, il lui assénait au menton un coup si puissant du bas vers le haut que l'homme à la cape grise fut soulevé de terre pour ensuite retomber lourdement sur le sol, inconscient.

D'un coup de pied précis, Herkas expédia son arme plus loin, puis il se précipita vers Delbiam pour la serrer très fort contre lui.

— Mon amour, dis-moi que tu n'as rien, supplia le Frett.

— Tout va bien, et toi ?

La Culter ne lui laissa pas le temps de répondre. Elle l'embrassa passionnément, entrecoupant ses baisers d'exclamations fébriles.

— J'ai eu si peur. Je t'aime ! Oh Herkas, comme j'ai eu peur...

Enfin, ils retrouvèrent leur calme. En se tenant par la main, ils s'approchèrent pour examiner leur agresseur toujours sans connaissance. Son épaisse chevelure noire et sa forte barbe cachaient en bonne partie son visage cuivré aux traits anguleux où dominaient des arcades sourcilières proéminentes et un long nez busqué.

— Il a l'allure d'un Saglan, constata froidement Herkas. Ce qui ne signifie rien de particulier puisque nous entretenons avec ces gens des rapports distants, mais amicaux.

– Fouillons-le, proposa Delbiam. Et surtout, attachons-le solidement.

Ils le dépouillèrent rapidement de ses effets. Outre les habituelles aumônières et bourses remplies d'argent et d'objets de première nécessité pour le voyageur, il dissimulait plusieurs armes sur lui, dont un couteau fixé à chacune de ses bottes.

– Celui-ci ne fait pas que des visites de courtoisie, fit remarquer la Culter. J'ai hâte d'en savoir plus.

Herkas approuva avec une mimique éloquente. L'inconnu aurait intérêt à répondre docilement aux questions des Princes. Il s'affaira ensuite à couper de longues bandes dans la cape grise avec lesquelles il lia solidement les mains et les pieds de leur prisonnier. Enfin, il le chargea sur ses épaules et ils retournèrent à l'endroit où ils avaient laissé la dépouille de Safyr.

À l'arrivée des Princes, la rue grouillait de gens avides de renseignements et révoltés par ce qu'ils savaient de l'agression. Utilisant son titre et l'autorité que cela lui conférait, Delbiam réclama le calme. L'homme à qui Safyr avait été confiée lui avait fabriqué un brancard de fortune et, avec un grand drap foncé, il avait soigneusement recouvert le corps, à l'exception de la tête. La tignasse châtaine de la victime tombait de chaque côté du visage, dévoilant dans la lumière dansante des torches ses traits élégants, son nez droit et gracile pointant au-dessus d'une bouche aux lèvres délicates et d'un menton volontaire. Surtout, l'on remarquait comment son étrange maquillage indigo lui couvrait la moitié de la figure pour masquer les cicatrices dont elle tenait Herkas responsable.

Les deux Princes s'approchèrent en silence pour s'accroupir près de la dépouille. Un mélange de tristesse et de rage les habitait devant l'absurdité tragique de la situation.

– On ne lui connaît aucune famille, sinon le marchand Milars qui a veillé sur elle autrefois, se désola Delbiam.

– Pour cette nuit, conduisons-la au Temple, proposa Herkas. Nous en profiterons pour enfermer son meurtrier à la caserne des gardes.

Delbiam se releva pour s'adresser à la foule. Elle désigna leur prisonnier comme l'auteur de l'attentat, puis elle affirma que ce qu'ils apprendraient en l'interrogeant serait rendu public. Elle demanda de fabriquer un autre brancard pour l'étranger et elle fit appel à quelques volontaires afin de les porter jusqu'au Temple.

Un cortège bien insolite s'engagea dans la nuit sur le chemin menant de la vieille Cité jusqu'au Temple. Malheureusement, les deux Princes sentaient que cet épisode violent augurait d'autres moments funestes pour le Pays de Santerre.

18.

Le récit des événements de la nuit avait attristé, puis révolté les Princes. Shau perdait une amie avec laquelle des liens s'étaient immédiatement tissés à son arrivée en Santerre. Francœur l'avait appréciée aussi énormément lorsqu'elle leur faisait découvrir la région. Gouïk déplorait la situation sans toutefois intervenir. Il observait et réfléchissait en silence, l'air préoccupé. Delbiam contenait mal sa colère, tandis qu'Herkas masquait de son mieux son angoisse. C'est lui qui était visé dans cet attentat. Mais pourquoi ? Par qui ? Était-il encore en danger et, surtout, cela laissait-il planer une menace sur Delbiam ? Devrait-il redouter à chaque instant qu'elle soit attaquée à son tour ?

Néanmoins, celui qui paraissait le plus ébranlé était Jhibé. Au matin, lorsque les Princes avaient fait l'inventaire des maigres possessions qu'elle conservait sur elle, ils avaient trouvé dans l'une de ses sacoches trois parchemins précieux, couverts d'une écriture sublime à l'encre bleue, d'un parfum rare et de larmes séchées. Jhibé y avait reconnu les paroles de trois de ses plus tendres compositions, des poèmes où le nom de Safyr semblait surgir entre les lignes, caché sous les mots les plus beaux, les mieux tournés, les plus sincères.

Étrangement, la fureur du ménestrel n'avait pas éclaté. Ainsi qu'il avait refoulé ses sentiments alors que Safyr était vivante, de la même manière il retenait maintenant ses émotions au creux de lui. Seul son silence inhabituel et les ténèbres dans son regard trahissaient ce qu'il ressentait. Le dernier, d'un pas pesant, il avait rejoint les Princes dans la grande salle d'armes de la caserne. Le meurtrier de Safyr y était assis sur un lourd banc de bois, les mains attachées derrière le dos. Il observait un mutisme arrogant face au Roi Alahid, entouré des Princes de Santerre, de la Sage Umée et d'une dizaine de gardes royaux dont Karnar, Ulnas et Tolcan. Le présumé Saglan serrait les dents en regardant droit devant lui.

Exaspéré, Alahid chercha à faire réagir le prisonnier.

– Par Elhuï, vas-tu au moins démontrer que tu entends ce qu'on te dit ? Tu as attenté à la vie d'un Prince de Santerre et tu as commis un crime sordide dont une femme du pays a été victime. Réalises-tu la nature des accusations qui pèsent sur toi et la sanction que tu encours ?

Le Saglan resta impassible. Gouïk intervint tout à coup.

– Trolmordak de vayboush ! grogna-t-il à l'intention de Jhibé. Ce vurpluk pestilentiel enfanté par un blaireau puant et une charogne malodorante se complaît dans sa bulle fétide de mutisme nauséabond alors qu'il devrait répondre en mesurant l'immensité de la honte infecte et déshonorante qui en fait une présence miasmatique devant toi que Safyr admirait, adulait, idolâtrait, désirait, convoitait et idéalisait. En souvenir d'elle, tu devrais lui arracher de tes mains chaque poil de sa barbe, de ses cheveux, de ses sourcils et de tout son corps pour ainsi le livrer absolument nu à des cohortes de fourmis affamées, d'araignées insatiables, de guêpes surexcitées, de moustiques voraces, de chenilles gluantes et autres menues bestioles qui lui feront subir lentement et profondément par chaque pore de la peau le châtiment que lui valent ses actions murduakes et hirevinges.

– Prince Gouïk ! s'indigna Alahid. Voilà qui n'est pas une façon d'agir en Santerre !

Le ménestrel se porta à la défense du Gouhach d'un ton sombre. Jamais n'avait-il présenté un visage aussi dur.

– Roi Alahid, notre compagnon exprime exactement ce que nous souhaiterions faire, et pire encore, pour lui délier la langue.

– À moins, très respectable souverain, que vous nous aidiez à obtenir ce que nous voulons savoir de ce flouak déplorable ! proposa timidement Gouïk.

– J'aimerais bien, Prince Gouïk, mais comment ?

– J'y pense depuis tout à l'heure, mais je n'osais pas vous solliciter d'une manière qui... enfin... bref... risque de dépasser... de whaheurgeter en fait...

Le Gouhach bafouilla encore quelques mots incompréhensibles, se gratta furieusement le derrière de la tête, étouffa quelques bruits inopportuns et, finalement, s'enhardit à entraîner le Roi avec lui à l'écart pour lui parler en secret. La réponse fut catégorique.

– Il n'en est pas question ! Prince Gouïk, tu m'as obligé une fois à révéler mon appartenance à la Race Ancestrale, murmura sévèrement Alahid. Mais cela ne doit pas se reproduire.

– Sarplatuëk, avec tout le respect que je vous dois, Roi Alahid, cet homme est mauvais, je vous le dis ! Alors donc puisqu'il reste muet comme une krapmarlak, je ne peux concevoir que vous ne pouvez pas imaginer une idée pour inventer un moyen d'utiliser votre véritable nature sans la dévoiler tout en tirant profit dans un moment dont l'importance de savoir doit être évidente autant pour votre personnalité royale de Santerre que pour votre origine secrète ! Freeeuuul ! Nous, on fait de notre mieux, alors vous pourriez faire ce que vous pouvez accomplir de plus que nous, non ?

Une expression de découragement passa sur le visage du Roi.

– Prince Gouïk, tu mériterais que...

– Que quoi ? Je ne mérite rien, moi ! C'est Santerre qui mérite qu'on fasse tout en notre pouvoir pour le protéger. Chacun de nous, et vous comme moi, eux et nous. N'est-ce pas ?

Alahid hésita un instant entre éclater de colère ou de rire. Finalement, il préféra ne laisser paraître aucune émotion. D'un geste de la tête, il indiqua au Gouhach de rejoindre ses compagnons. Ensuite, il se concentra un instant, puis il revint se placer devant l'étranger pour l'observer silencieusement, avec une sévérité étonnante. Au début, le Saglan s'efforça de l'ignorer, mais plus le temps s'écoulait, plus il devenait nerveux. Soudain, de la sueur perla sur son front et son visage blêmit. Sans détourner son regard, le membre de la Race Ancestrale donna sa réponse à Gouïk d'une voix sourde.

– Tu as raison, Prince Gouïk, cet homme est vraiment mauvais. Qu'il s'agenouille devant moi et que tous quittent cette salle, hormis les Princes de Santerre.

Cette fois, l'étranger tenta de se recroqueviller sur son banc, mais Jhibé et Herkas s'empressèrent de le forcer à prendre la position exigée pendant que les gardes et la Sage Umée se retiraient. Le Saglan voulut se débattre et, à la surprise de ses amis, le ménestrel ne put s'empêcher de le frapper d'un coup de pied au ventre d'une violence inouïe. Le souffle coupé, paralysé par une douleur intense, l'inconnu s'écroula sur les dalles froides du plancher.

Comme si elle n'attendait rien d'autre comme prétexte, la colère que Jhibé retenait tant bien que mal explosait maintenant.

– Toi, crapule, tu vas obéir, tu peux me croire !

Le ménestrel se rendit à grands pas dans un coin de la salle et revint avec deux barres de métal. Il releva la tête du Saglan en la tirant violemment par les cheveux, pour ensuite plaquer la première tige dans sa bouche et la seconde vis-à-vis, derrière sa nuque, formant ainsi une sorte d'étau. Il fit signe à Herkas

141

de les empoigner fermement de son côté pour lever à son signal. Douloureusement coincé dans cette mâchoire que Jhibé serrait avec excès, le prisonnier ne put que prendre la position qu'on lui imposait, à genoux, le dos bien droit devant le Roi.

Personne ne nota à ce moment la réaction d'Alahid. Un instant, ses yeux se fermèrent, ses traits se crispèrent et son souffle sembla s'interrompre. Sous son identité de Roi de Santerre, il ne bronchait pas. Cependant, en tant que membre de la Race Ancestrale, cette scène l'avait cruellement fait souffrir. Voilà – sûrement de la même manière que son frœur Vorgrar – qu'il acceptait un tel geste de la part d'un homme normalement tout entier voué à la poésie et à la beauté. En un douloureux paradoxe, Shan Tair Cahal tolérait lui aussi ce qu'il qualifiait de *Mauvais* au nom de ce qu'il estimait le *Bien*.

Lentement, à contrecœur, le Roi s'avança pour poser les mains sur la tête du Saglan. Ses doigts fouillèrent un instant ses cheveux pour trouver la bonne position et il prit une longue inspiration. Une lueur aveuglante força alors les Princes ainsi que l'étranger à fermer les yeux. Lorsque l'éclat se dissipa, Alahid se recula en silence, la tête penchée vers le sol. Il resta ainsi, intensément concentré sur les images qu'il avait pu capter dans l'esprit du prisonnier en adoptant, un très bref moment, sa forme de membre de la Race Ancestrale et en utilisant la puissance de sa nature originelle.

Après une attente qui sembla interminable, Alahid murmura quelques mots.

– Le Grand Seigneur Alisan est omniprésent dans ses pensées...

– Sauragon ? s'exclama aussitôt Delbiam, bouleversée. C'est lui qui a commandé cet attentat contre Herkas, et probablement contre moi ?

Réalisant que, d'une manière inimaginable, le Roi de Santerre fouillait dans son esprit, l'étranger paniqua et se mit à se débattre. Cela confirma au membre de la Race Ancestrale qu'il interprétait avec exactitude les maigres résultats de son intrusion télépathique dans les pensées du Saglan. Toujours immobile, la tête inclinée, les yeux clos, Alahid tenta sa chance une seconde fois.

– Une autre personne occupe son esprit, un guerrier rencontré en Terres Mortes, au visage dur, à la chevelure de feu, et brûlant de haine contre Santerre...

Cette fois, Francœur devina immédiatement l'identité de celui dont il était question.

– Le Sorvak Raidak ! Celui qui était à nos trousses en Haylabec et qui nous a agressés à l'auberge de Miran. Il a quitté Santerre en nous maudissant...

Les Princes se dévisagèrent silencieusement, incrédules et ébranlés par cette révélation. Profitant de cet instant de relâchement, le Saglan fit une nouvelle tentative pour échapper au pouvoir que le Roi de Santerre avait de lire en lui. Tournant brusquement la tête de côté et se jetant au sol du même geste, il parvint à se dégager de la tenaille que lui imposaient Jhibé et Herkas. Cela ne fit que décupler la colère du ménestrel qui sauta sur lui avec tant de fureur que ses amis durent le maîtriser pour protéger leur prisonnier.

Alahid soupira. Il releva la tête et parla d'un ton qui n'acceptait aucune objection.

– Bon, c'est assez pour l'instant, déclara-t-il. Ramenez-le dans sa cellule et placez-le sous surveillance constante. Qu'il ne lui arrive rien et qu'il ne puisse surtout pas nous fausser compagnie.

Les Princes empoignèrent solidement le Saglan et s'éloignèrent avec lui. Seul Jhibé demeura devant le Roi, contenant tant bien que mal sa frustration et sa colère.

– Pourquoi cesser maintenant ? Nous aurions pu en apprendre encore plus ! Il aurait livré tous ses secrets... Il ne mérite pas que vous le ménagiez !

Alahid ne broncha pas. Il mit la main sur l'épaule du ménestrel pour s'adresser à lui avec la douceur d'un ami, mais aussi avec la fermeté d'un souverain.

– Je ne lui épargne rien, mais je n'ai pu saisir que très peu d'images dans ses pensées. Cela m'obligeait ensuite de procéder à tâtons. Or, cet homme est intelligent. Il aurait vite mesuré les limites de ce que je peux ainsi lui soutirer. Vaut mieux lui donner l'impression qu'il a intérêt à nous parler franchement plutôt que nous contraindre à forcer ses pensées.

Le ménestrel courba la tête et alla s'asseoir sur le banc de bois. Alahid prit place à côté de lui.

– Je comprends ta colère. Elle est juste. Par contre, je sais que ce n'est pas seulement son geste qui te révolte. Tu découvres à quel point tu aurais dû te rapprocher de cette femme, cette Safyr. Ne crois pas que tu aurais pu changer le cours des événements. Ne te reproche rien, Prince Jhibé. Tu n'es nullement responsable de quelque faute que ce soit.

La surprise de Jhibé fut si évidente qu'Alahid ne put s'empêcher de sourire et de lui donner des explications.

– Tu sais, pour gouverner, il faut tout autant s'intéresser aux grands événements qui affectent la vie du pays qu'aux petits bavardages plus frivoles. Je me préoccupe de ce qui peut affecter chacun des Princes de Santerre, car je compte sur chacun de vous en ces temps de bouleversements. Ainsi, je sais que durant tout l'hiver, Safyr a hanté ton esprit. Cependant, ce n'est pas parce que cette femme t'aimait d'une façon déraisonnable – d'après ce que m'ont confié tes amis – que tu étais obligé de ressentir des sentiments semblables pour elle.

– Mais n'étais-je pas dans l'obligation de clarifier la situation, de savoir ce qu'il devait ou non y avoir entre nous comme relation ? soupira le ménestrel. Ne suis-je pas coupable d'avoir été aveugle, alors que je pouvais voir ? D'avoir été muet, alors que je pouvais parler...

Jhibé avait mal d'une manière qu'il n'avait jamais connue. Il souffrait d'une douleur causée par ce qu'il n'avait *pas* fait, par un rendez-vous raté qui prenait maintenant une importance démesurée.

– Jhibé, cher poète, tu es d'une grande sensibilité. Cela fait le bonheur de tous ceux qui ont la chance d'entendre tes chansons. Que cette qualité ne fasse pas ton malheur...

Ils auraient certainement aimé poursuivre cette conversation, mais les Princes revenaient dans la salle d'armes pour faire le point avec le Roi. Le Saglan n'avait toujours pas desserré les dents, mais il était visiblement ébranlé par ce qui s'était passé. Il serait certes possible de l'inciter enfin à parler. Pour l'instant, la discussion porta sur ce qu'ils venaient d'apprendre.

Francœur avait de toute évidence tiré ses conclusions.

– S'il a en tête les images de Sauragon et de Raidak, c'est qu'il y a un lien, exposa-t-il sombrement. Mon père n'a pas l'habitude d'agir sans raison. Sans nécessairement le faire ouvertement, il poursuit un objectif similaire à celui d'Egohan.

Prince Shau prit la parole.

– Le Sorvak Raidak n'a pas eu pour seule tâche d'essayer de capturer Delbiam et Francœur lorsqu'ils fuyaient Saur-Almeth. Cela ne tient pas. Après son échec, il ne se serait pas dirigé vers les Terres Mortes. Pourtant, c'est ce qu'a compris Alahid.

– N'oublions pas qu'Egohan se trouvait lui aussi à proximité du Grand Cap, poursuivit Francœur. Raidak a facilement pu naviguer vers la Mi-Nuit en partant de Belbaie. Rappelez-vous notre conversation le jour où nous avons institué les Princes de Santerre. Souvenez-vous de ce que nous évoquions alors ! La guerre... Le Monde d'Ici n'a tout simplement aucune idée de l'effrayante réalité en train de naître. Une personne prend la tête de milliers de guerriers pour quitter son pays et se rendre dans un autre. Par la force des armes, les combattants détrônent les souverains locaux pour imposer leur loi. Ils s'approprient chez leurs voisins des richesses qui font défaut sur la terre à laquelle ils appartiennent.

Francœur fit une pause, puis enchaîna d'un ton lugubre.

— Je crois que la personne qui conduit les troupes ennemies n'est pas Egohan en ce moment. C'est quelqu'un qui viendra des ingrates Terres Mortes, un monarque soutenu par Saur-Almeth et auprès de qui se tient Raidak. Nous devons craindre les peuples de la Mi-Nuit, ceux des Terres Mortes.

Le Roi Alahid poursuivit, la mine sombre.

— Ton raisonnement désigne le Roi Mornac. Il dirige le peuple des Sormens depuis déjà longtemps. Il donne l'image d'un homme mou et débauché. Par contre, il fut un grand guerrier et le fils d'un souverain courageux. C'est lui qui détient Galiv, une épée capable de coucher tous ses adversaires sans coup férir. Cette arme possède une longue histoire. Elle fut confiée à son père afin qu'il protège son peuple dans des circonstances difficiles. Le fils pourrait maintenant la lever pour attaquer...

— Voilà qui se révèle possible... voire probable ! affirma gravement Francœur. Roi Alahid, au nom des Princes de Santerre, je recommande que tu ordonnes aux Gens de Santerre de former les troupes que nous avons préparées durant l'hiver. Tout porte à croire que...

Le jeune homme fit une pause avant de terminer sa phrase. Il se tourna vers ses compagnons avec un regard où se lisait une détermination farouche.

— ... nous entrons en guerre contre les Sormens.

La conclusion s'imposait et Alahid approuva. Il convoqua les Sages Umée et Thalos ainsi que les principaux responsables des gardes royaux et de l'administration du pays. Jusqu'au milieu de la journée, en compagnie des Princes, le Roi discuta des mesures à prendre face à l'éventualité d'une attaque des Sormens. Comme les renseignements qu'il serait possible de soutirer au prisonnier seraient très utiles, Alahid décida de se rendre lui-même le visiter. En pénétrant dans la cellule, il découvrit la tragique situation.

Après son interrogatoire, le Saglan avait fait semblant de dormir profondément. Il s'était mis en boule sur le lit, dos aux gardes qui le surveillaient à travers les épais barreaux de la porte, se couvrant au complet avec les couvertures à sa disposition. Patiemment, sans gestes évidents, il avait réussi à défaire discrètement les pièces décoratives d'un bracelet qu'il portait à son poignet. Il avait alors disposé d'un long et fin morceau de métal aux arêtes tranchantes qu'il avait utilisé pour taillader la peau de son cou, ouvrant progressivement une plaie jusqu'à ce qu'il sectionne des veines importantes. Lorsque le Roi et les gardes virent la tache foncée sur le sol qui débordait de sous le lit du dormeur immobile, ce fut trop tard. La vie s'était écoulée avec le sang de l'inconnu qui avait ainsi emporté avec lui ses secrets et ses motivations.

Choix de cœur

18.

Les fêtes de l'équinoxe du printemps revêtaient toujours une importance particulière pour les Alisans. À Saur-Almeth, les arbres fruitiers en fleurs resplendissaient de beauté, gage d'une nouvelle année d'abondance. Alors que bien d'autres régions du Lentremers étaient encore recouvertes de neige, le cœur du Bas-Plateau bénéficiait à ce moment de l'année de conditions plus favorables et fort appréciées de ses habitants. Cette fois, Egohan n'avait pas manqué de faire de ces célébrations annuelles l'occasion d'affirmer la grandeur de son titre de Prince et d'éblouir tous ces Nobles, ces riches commerçants, ces émissaires étrangers, ces brillants savants, ces grands esprits et ces ambitieux de tout acabit qui affluaient vers la Cité, désireux de compter parmi les premiers à profiter du pouvoir grandissant du jeune Seigneur Alisan.

À la fin d'une autre folle journée, fourbu et impatient de se retrouver seul un moment, Egohan parvint à s'esquiver pour se rendre au petit pavillon privé à l'extrémité des jardins. Le silence qui l'accueillit en ces lieux déserts lui parut délicieux. Il déposa sa cape sur un meuble, prit un gobelet qu'il emplit d'un vin léger et frais, puis il se dirigea vers le bassin d'eau. Dans un angle, des sculptures en taille réelle représentaient trois couples de baigneurs soulevant une urne d'où coulait de l'eau en permanence. Egohan appréciait l'ambiance sonore reposante que cela créait et il commença à se détendre.

Il marchait lentement autour du bassin lorsqu'il devina, au bout du bâtiment, une silhouette immobile adossée derrière une colonne qui la dissimulait presque totalement. Pestant contre l'incompétence des gardes qui devaient interdire tout accès au pavillon, le jeune homme se dirigea silencieusement vers l'intrus. En approchant, d'où il se trouvait, Egohan ne voyait que le bord d'une épaule couverte d'un vêtement blanc. Il se rendit juste derrière la colonne avant de la contourner pour surprendre l'indésirable. Il déposa son gobelet afin d'avoir les mains libres. Prêt à se défendre au besoin, il fit rapidement les derniers pas et il découvrit celle qui l'attendait calmement. Une femme de son âge, grande et mince, à la chevelure noire interminable, dont le visage ensorcelant hantait régulièrement ses rêves. Combien de fois avait-il recréé en imagination ses pommettes un peu saillantes, ses lèvres pulpeuses, son menton volontaire, son nez droit et fin, ses yeux noirs brillant d'une mystérieuse intensité sur la pâleur de sa peau.

– Toi !

Egohan figea sur place en reconnaissant SpédomSildon. La jeune Magomienne souriait doucement, satisfaite de l'effet qu'elle venait de créer.

– Oui, moi...

– Mais par quel hasard merveilleux te trouves-tu ici ?

– Oh, c'est tout simple. J'ai eu envie de voyager un peu et j'ai convaincu mon père de me déléguer comme ambassadrice auprès du Grand Seigneur Alisan. Depuis que je suis à Saur-Almeth, j'ai pris soin de visiter les lieux, de rencontrer les gens, d'assister à différents événements. Félicitations, Prince Egohan. Désormais, ce n'est plus à ton père, mais plutôt à toi que je dois m'adresser au nom de mon peuple.

– Et tout ce temps, tu ne m'as pas prévenu de ta présence ? s'offusqua Egohan, mi-blagueur, mi-sérieux.

– Et toi, tu as évité notre domaine lors de ton retour de la Grande Forêt, lui reprocha SpédomSildon.

— À mon grand regret, plaida le jeune homme.

L'Alisan esquissa un mouvement pour poser sa main sur l'épaule de la Magomienne, mais elle l'arrêta d'un geste vif. Lui tenant fermement le poignet, elle l'écarta lentement.

— Garde tes pattes à distance, Prince Egohan. Je ne suis pas l'une de ces courtisanes qui défilent dans ta couche.

— Mais il n'y a aucune comparaison possible. Tu es ici une égale des Seigneurs de mon peuple, chère amie. D'ailleurs, ne portes-tu pas un vêtement blanc, couleur strictement réservée aux Alisans ! Tu le savais, bien sûr ?

— Bien sûr ! Je l'ai choisi exprès afin de t'attendre ici sans problème.

Une sensation indescriptible réchauffa le cœur d'Egohan. Chaque jour, il était salué comme étant le Prince des Alisans. Personnellement, le terme ne lui plaisait pas entièrement, mais l'important était que les plus importants visiteurs et les plus prestigieux habitants de la Cité l'utilisent avec déférence et admiration. En ces fêtes d'équinoxe qui marquaient symboliquement les richesses d'une nouvelle année, voilà que la plus merveilleuse femme qu'il ait rencontrée se trouvait à Saur-Almeth. Cela ne pouvait être autrement qu'un signe de sa destinée. Jamais il n'avait douté qu'il était le *Marqué-du-Destin*. Or, même le fil de l'existence se déroulait en sa faveur, liant ensemble tout ce qu'il souhaitait. Pour lui, la vie n'était que fruits à cueillir et ils tombaient dans le creux de sa main sans effort.

Il fixa la Magomienne, un feu impétueux faisant pétiller son regard.

— SpédomSildon, tu es une Reine et je n'aurai de cesse de te conquérir. Ce jour-là, je serai alors ton souverain et ton sujet.

— Tu es fort prétentieux, jeune Prince ! Qu'est-ce qui te fait espérer que je te consente la moindre attention ?

Egohan tournait lentement autour de la Magomienne qui demeurait fièrement immobile, le suivant des yeux jusqu'à ce qu'il disparaisse de sa vue d'un côté d'elle et réapparaisse de l'autre. Bien des raisons avaient poussé SpédomSildon à venir à Saur-Almeth. Elle avait effectivement convaincu son père de l'importance d'établir des liens avec les Alisans. Même si le peuple Magomien vivait replié sur lui dans la Grande Forêt, l'évolution du Monde d'Ici pouvait l'affecter. Il valait mieux prévenir que réagir trop tard. De plus, le voyage donnait à la jeune rebelle l'occasion de s'affranchir pour un temps de la rigueur de ses parents, BrihanSildon et MilaSildon. Enfin, ce jeune Alisan bien prétentieux était aussi fort intéressant sous plusieurs aspects. Et pas désagréable du tout ! Séduisant, indépendant lui aussi, sûr de lui, sensuel... et puissant ! Cela valait la peine d'approfondir le sujet.

Lorsqu'il fut une seconde fois derrière la Magomienne, Egohan s'arrêta de tourner. Doucement, il avança sa main, écarta la longue chevelure noire pour dégager le côté du cou délicat, approcha ses lèvres de l'oreille finement dessinée afin d'y murmurer quelques mots.

– Les circonstances m'ont obligé à revenir précipitamment à Saur-Almeth. Depuis, je prépare mon retour en Pays du Couchant où tu aurais été ma première et ma plus importante conquête. Mais c'est toi qui es venue. Sois la bienvenue ! Et sois certaine que je ne te laisserai pas repartir, belle amie !

En terminant sa phrase, Egohan effleura de ses lèvres le lobe à sa portée. Un doux frisson parcourut la Magomienne. Elle tourna la tête lentement, juste assez pour voir le visage de l'Alisan.

– Sache qu'on ne séduit pas une Magomienne – surtout de mon rang – avec quelques paroles bien tournées et un joli minois comme le tien, Prince Egohan. Et ne compte pas m'entraîner dans ta couche sans avoir gagné mon cœur.

Le jeune homme se déplaça pour échapper de nouveau à la vue de SpédomSildon et lui parler dans le creux de l'oreille.

– Te conquérir n'en sera que plus inestimable, future souveraine des Alisans !

– Je ne te concède rien, Prince Egohan... mais je te permets de tenter ta chance...

Les réticences qu'il devait vaincre enflammèrent la passion de l'Alisan. Il contourna la Magomienne pour lui prendre doucement la main en effectuant la révérence.

– Veuillez m'accorder un peu de votre temps, vous qui êtes mon hôte la plus précieuse. Le Prince des Alisans vous offre de partager ce vin délicieux pendant que vous me parlerez de votre pays et de votre peuple.

Egohan entraîna SpédomSildon vers des bancs proches du bassin d'eau. Elle lui emboîta le pas en souriant. Elle avait tout son temps pour le laisser mériter ses faveurs... si elle décidait finalement que c'était à son avantage et à celui des Magomiens.

20.

SpédomSildon avait décliné l'offre d'Egohan de résider au palais. Elle disposait d'une vaste suite louée dans la Cité où elle préférait demeurer pour l'instant. La Magomienne y était retournée après une agréable soirée en compagnie du Prince Alisan. Le lendemain, très tôt, elle revint se mêler aux gens qui affluaient pour rencontrer Egohan. Celui-ci, richement vêtu, prenait le repas du matin dans une salle où les courtisans pouvaient l'apercevoir et demander le privilège de lui parler en particulier.

Jouant le jeu, SpédomSildon se présenta dans la pièce. Elle resta avec les autres visiteurs contraints de respecter une distance suffisante de la table pour ne pas entendre la conversation que le Prince tenait tout en mangeant avec des émissaires étrangers. Lorsqu'ils se retirèrent en multipliant les révérences, la Magomienne s'avança sans attendre d'invitation ou le moindre signe de venir s'asseoir.

Egohan l'accueillit avec un large sourire.

— Que ce jour soit bon pour toi, sublime SpédomSildon. Tu m'honores par ta visite.

La Magomienne répondit sur un ton sarcastique en oubliant à dessein la formule de politesse d'usage pour souhaiter une bonne journée.

– Je n'aurais jamais pensé faire la file afin de pouvoir prendre place à ta table !

– Oh ! Mais si tu étais ma Reine officiellement, tu pourrais chasser sur-le-champ toute personne dont la présence t'importune !

– Si j'étais ta Reine, il serait trop dangereux de m'irriter par quelque geste que ce soit pour oser le poser ! Même venant de toi, cher Egohan.

– Voilà qui me séduit énormément chez toi, merveilleuse dame.

L'Alisan et la Magomienne s'amusèrent encore un peu à ce jeu de répliques qui révélaient en partie leur position sans se compromettre. Puis SpédomSildon s'étonna de l'ampleur qu'Egohan donnait à un simple repas du matin.

– Tu élèves des gestes bien banals au rang d'événements prestigieux. Pourquoi ne pas manger dans tes appartements et ensuite rencontrer tes visiteurs dans une pièce de travail ou dans les jardins ? Comme tous les autres souverains ou personnages importants le font en Monde d'Ici !

– Parce que je ne suis pas comme les autres, belle amie. Je suis *Marqué-du-Destin* pour régner, non seulement sur le Plateau des Alisans, mais aussi sur le Lentremers et sur toutes les contrées habitées. Je ne suis pas un Prince ordinaire. Je suis LE souverain. Dès lors, ma vie n'est plus privée, elle doit se dérouler au grand jour et chacun de mes gestes doit être exceptionnel aux yeux de tous. Manger est l'acte le plus commun, le plus banal qui soit pour le plus grand comme pour le plus petit des habitants de ce monde. Or, voilà que le simple repas du matin du Seigneur Egohan devient un événement auquel on assiste. Je transforme en honneur et en reconnaissance publique le fait de partager cet instant avec moi. Tu comprends, je ne fais pas cela par caprice. Je te le confie à toi, et uniquement à toi Reine de mes rêves, mais sache que j'agis selon un plan très précis.

— Et tu en viendras à te prendre à ton propre jeu, railla la Magomienne. À tant te prétendre supérieur, tu finiras par croire que tu l'es !

— L'important est que les autres le croient...

— Et de cette manière, tu espères régner sur mon peuple, voire sur moi ?

Il y avait un défi évident dans la question de Spédom-Sildon, une provocation qui trahissait qu'elle ne demandait finalement qu'à être conquise par le flamboyant Alisan. Egohan le constata avec un grand bonheur.

— Disons plutôt régner *avec* toi, ma grandiose Reine ! répondit-il avec assurance.

Affichant une attitude hautaine qui masquait son trouble, la Magomienne annonça qu'elle se retirait.

— Je te laisse à tes courtisans, cher Prince Egohan. Peut-être nous reverrons-nous au repas du soir ? J'ai finalement envie de m'attarder encore un peu dans la Cité.

— Pour toi, je vais ordonner de préparer un grand banquet dans la Salle Soleil. À ma table, il y aura une place réservée pour toi.

— Je te promets d'y réfléchir, répondit SpédomSildon sur un ton léger.

La Magomienne fit une révérence bien évidente afin qu'elle soit remarquée par l'assistance. Elle quitta la pièce lentement pour gagner finalement les jardins du Palais. Elle trouva un banc isolé où elle s'assit, le cœur battant. Voilà qu'elle se livrait à un jeu troublant qu'elle commençait à craindre. Egohan l'impressionnait et le pouvoir qu'il s'appropriait à une vitesse folle la séduisait. C'est lui qui décidait et qui dirigeait. C'est lui qui imposait ses propres règles. Quelle situation incroyable de savoir qu'un tel souverain était prêt à tout pour la satisfaire. Était-elle disposée à en tirer profit ? SpédomSildon voulait du temps pour soupeser les avantages et les inconvénients que lui procurerait une union avec l'Alisan. Elle devait toutefois bien mesurer jusqu'où lui résister pour l'exciter sans qu'il se lasse.

La journée débutait, ce qui laissait à la Magomienne beaucoup de temps devant elle. Elle décida de se rendre à la recherche de ces savants qui se réunissaient pour discuter en public de thèmes toujours captivants, qu'il s'agisse de l'essence de la Vie ou du mouvement des étoiles. Avide de savoir, la jeune SpédomSildon raffolait de ces rencontres intellectuelles. C'était là qu'elle mesurait le mieux la réussite des Alisans et qu'elle comprenait son attrait pour Saur-Almeth. Son peuple, les Magomiens, fouillait peu les grandes questions de l'existence, ce qui la laissait affamée de connaissances. Ici, elle se gavait littéralement l'esprit. Devenir la Reine auprès d'Egohan lui offrirait un accès privilégié et illimité aux génies les plus fabuleux du Monde d'Ici. Voilà qui était à considérer très sérieusement.

Ses pas la conduisirent dans un parc que le soleil réchauffait agréablement. Une dizaine de personnes en tuniques mauves – la couleur réservée aux savants – avaient entamé un débat sur les forces de la nature. Ils se faisaient bien prudents lorsque des arguments risquaient de désapprouver les expériences menées par Mithris Sauragon. La peur d'être entendu publiquement à critiquer les recherches du Grand Seigneur Alisan était palpable. Ceux qui osaient le faire étaient régulièrement victimes de désagréments plus ou moins importants, du simple opprobre à l'*accident* parfois grave. Ils étaient nombreux à être convaincus qu'il s'agissait là d'ordres venant du Palais Mithris, de Sauragon ou du Prince Egohan. Si personne ne pouvait prouver qu'il y avait effectivement des risques à émettre des opinions défavorables, tout le monde faisait montre de prudence à ne pas se compromettre.

Une petite foule commençait à s'installer autour des savants. La Magomienne prit place au premier rang afin de ne rien perdre des échanges. Elle remarqua immédiatement le vieillard à l'œil vif dont les longs cheveux immaculés avaient conservé des traces de blondeur. Sa courte barbe blanche taillée en pointe au menton accentuait l'ovale de son visage aux traits fins, étonnamment féminins. Grand de taille, à peine voûté par l'âge, il impressionnait la Magomienne par son calme et son autorité. Surtout, lorsqu'il intervenait, il semblait se faire un malin plaisir à remettre en question la pertinence des travaux de Sauragon. Il défendait sa position au mépris de la menace évidente qui planait sur tout opposant trop virulent au Grand Seigneur Alisan.

Séduite par l'intelligence du vieillard, la Magomienne alla immédiatement le rejoindre dès que la discussion fut terminée et que les gens se dispersèrent. Elle l'aborda avec l'expression d'une personne qui vient de recevoir un présent inespéré et qui en remercie le donateur.

– Monsieur, permettez que je poursuive un moment cette discussion avec vous ! Vous exprimez des idées magnifiques que je recueille comme autant de cadeaux.

Le savant sourit à la jeune femme dont il avait remarqué la présence captivée.

– Il est agréable de voir que les propos d'un vieil homme comme moi savent toujours intéresser une jeune personne qu'on imaginerait mieux, par les temps qui courent, au Palais Mithris à faire valoir sa beauté auprès du nouveau Prince !

Un moment décontenancée par la remarque, Spédom-Sildon se sentit encore plus envoûtée par le vieillard. Comme s'il lisait sans effort en elle, il poursuivit de sa voix chaleureuse.

– Tu es Magomienne, n'est-ce pas ? Cela me surprend de te voir à Saur-Almeth, si loin de la Grande Forêt et des intérêts habituels de ton peuple.

– Je me nomme SpédomSildon et j'apprécie la connaissance plus que tout. Me ferez-vous l'honneur de prendre un peu de votre temps juste avec moi, monsieur...

Son intonation invitait le savant à s'identifier. Un bref instant, le membre de la Race Ancestrale hésita à lui révéler un nom qu'elle pouvait répéter devant les Alisans et qui risquait alors de parvenir aux oreilles de Vorgrar s'il était de retour à Saur-Almeth. Pourtant, étrangement, il ressentit le besoin de le lui confier.

– Je suis Maître Alios, mais tu peux m'appeler simplement Alios et laisser tomber les formules de politesse. J'apprécie la simplicité autant que toi le savoir !

– Et tu aimes le risque aussi, plaisanta la Magomienne. C'est la première fois que j'entends quelqu'un émettre des opinions qui vont à l'encontre de celles de Mithris Sauragon. Tu ne crains pas les représailles ?

– À mon âge, la peur n'existe plus !

La Magomienne enchaîna sur un sujet controversé qu'il avait abordé plus tôt, relançant la discussion pour son propre plaisir. Tout en parlant, ils marchèrent dans le parc jusqu'à un banc à l'ombre d'un chêne majestueux. Ils y prirent place et Alios tira d'un sac qu'il portait en bandoulière des fruits juteux ainsi qu'une bouteille de vin léger. Ils partagèrent la collation au long d'une conversation digne d'un cours dispensé par un grand maître à son plus brillant élève.

En parallèle de leurs échanges, SpédomSildon admirait le vieillard qu'elle trouvait étonnamment jeune de prestance et d'esprit. C'était exactement une personnalité comme la sienne qui l'attirait à Saur-Almeth. Elle songea même qu'il vaudrait bien la peine de devenir la Reine d'Egohan uniquement pour côtoyer ce magnifique savant aussi souvent qu'elle le souhaiterait. De son côté, Alios prenait un plaisir encore inconnu à partager ses idées avec la séduisante et si douée jeune femme.

Le membre de la Race Ancestrale avait perdu la trace de Vorgrar depuis longtemps. Il avait rendu visite à Shar Mohos Varkur – Maître Sorvak – qui affirmait n'avoir rien de spécial à lui confier à propos de leur frœur. Pourtant, Maître Alios avait bien ressenti son trouble. Il avait tenté d'entrer en contact avec Alahid et Delbon, mais leurs liens ancestraux avaient été modifiés par le schisme entre eux. Il ne semblait plus possible de renouer par la pensée. Après une rencontre décevante avec l'Ancêtre – qui se désintéressait totalement de la situation –, Alios était revenu à Saur-Almeth. La solitude que Vorgrar avait provoquée en brisant leur union lui pesait et il trouvait un certain réconfort à discuter avec les savants qui affluaient dans la cité alisane.

Et voilà qu'il rencontrait cette merveilleuse Magomienne, un esprit d'une vivacité rare, une soif de connaissance insatiable, une fabuleuse capacité à remettre en question les idées reçues et une beauté qui le troublait. Les membres de la Race Ancestrale étaient avares de contacts physiques, entre eux ou avec les autres. Ils conservaient toujours une distance évidente avec leur entourage. Pourtant, assis sur ce banc, dans le feu de la conversation, SpédomSildon avait de ces gestes si naturels pour elle et si inusités pour lui. Des doigts posés un instant sur son bras pour l'interrompre et prendre la parole. Une main qui repousse la sienne afin de se charger de ramasser des pelures tombées. Des touchers sans aucune intention, mais qu'Alios ressentait intensément, gorgés d'une chaleur agréable. Tout en s'efforçant de ne rien laisser paraître, il se hasarda à faire lui-même un mouvement pour effleurer les doigts qui dansaient gracieusement devant lui au rythme des propos passionnés de la Magomienne. Surpris par sa propre audace, Alios fut enchanté par ce qu'il éprouva à ce moment, un sentiment suave que les mots de la Race Ancestrale ne parvenaient pas à nommer.

– Alors, qu'en penses-tu ? demanda SpédomSildon.

Brusquement arraché de l'état second dans lequel il se trouvait presque, Alios reprit contact avec la réalité. Sous une apparence de vieillard, il discutait avec une jeune femme brillante dans un parc de Saur-Almeth. Réalisant qu'il ne savait même pas quelle était la question, il cacha habilement son trouble.

– J'en pense, chère enfant, que nous parlons depuis fort longtemps et qu'une pause serait la bienvenue...

– Mais bien sûr, où avais-je la tête ? Tu dois commencer à ressentir de la fatigue ! Je te sollicite sans arrêt en ne songeant qu'à moi, qu'en satisfaisant mon seul plaisir.

– Oh, tout le plaisir est pour moi, badina Alios.

– Je dois partir, mais je te supplie d'accepter qu'on poursuive ces échanges. Ta présence est si enrichissante, Maître Alios.

– Alors, retrouvons-nous ici demain, sous ce chêne.

– Nous prendrons le repas du matin ensemble, s'exclama SpédomSildon avec une spontanéité rare pour une Magomienne. Je m'occupe de tout, c'est bien la moindre des choses.

Avant de s'en aller, la jeune femme saisit la main d'Alios pour l'envelopper avec les siennes dans un geste de reconnaissance.

– Merci, merci mille fois, Maître. Comme tu es généreux de ton savoir.

D'un pas léger, la Magomienne retourna vers le Palais Mithris, pendant que le membre de la Race Ancestrale demeurait immobile sur le banc, sidéré par l'indescriptible sentiment qui montait en lui. Il regarda la gracieuse silhouette s'éloigner, ne la quittant pas des yeux tant qu'elle fut visible. Puis il pencha la tête pour examiner sa main comme si elle était devenue un élément étranger, un fragment de son corps encore chargé d'une sensation merveilleuse et qui, désormais, n'appartenait plus à sa nature originelle. Il sentait toujours le contact chavirant de ces mains exquises qui avaient saisi la sienne, lui procurant un bien-être indéfinissable.

Êtres hautement intellectuels, les membres de la Race Ancestrale tenaient à comprendre et à nommer les réalités. Alios chercha désespérément un mot pour concrétiser ce qu'il ressentait. Finalement, il se mit d'accord avec lui-même pour dire qu'il s'agissait d'un bien-être... animal ! D'abord, le terme lui parut péjoratif. Puis il se ravisa et le trouva tout simplement merveilleux.

Totalement absorbé par ses pensées, Maître Alios ne remarqua pas l'homme qui les épiait et qui avait quitté les lieux à la suite de la Magomienne.

21.

Seul dans la pièce de travail où il conservait ses ouvrages les plus précieux, Mithris Sauragon les examinait attentivement. La fabuleuse masse de pages, de parchemins, de livres et de rouleaux était le résultat d'une quête poursuivie par les générations de Mithris partout en Monde d'Ici, aussi loin que la Terre Cahan, la Riche Terre et même le Taslande. Regrouper dans le Palais toute cette connaissance représentait plus qu'un exploit. Il avait fallu débourser une fortune pour s'approprier tout ce savoir, non seulement en richesses matérielles, mais aussi de bien d'autres façons, parfois troubles et inavouables. Le Grand Seigneur Alisan avait entrepris une fouille systématique dans cet amoncellement de documents. Il prenait chaque manuscrit, l'un après l'autre, à la recherche de l'information qui lui manquait. Il était convaincu que la clef de son œuvre se trouvait là, quelque part, écrite sur un papier jauni, gravée dans une tablette de cire ou tracée sur une peau. À l'occasion, un détail attirait son attention et il s'attardait à un texte ou une image au point d'en perdre la notion du temps.

Cette pièce était aussi son refuge pour dissimuler les errances de sa raison. L'Alisan constatait avec une acuité terrible que son esprit voulait s'embrouiller, que ses pensées cherchaient à divaguer. Parfois, il sentait monter en lui une colère contre Delbiam qui déchaînait des pulsions violentes. Pour ne pas donner le spectacle lamentable de son désarroi, il se réfugiait alors de toute urgence dans son laboratoire privé. Il plaçait une lanière de cuir épais de travers dans sa bouche et il la mordait de toutes ses forces jusqu'à ce que la crise s'estompe. Quand il émergeait enfin de sa torpeur, il parvenait à se reprendre en main pour un certain temps.

Dans cette pièce se côtoyaient le génie et la folie de Mithris Sauragon.

Le Grand Seigneur remit dans la bibliothèque un vieux parchemin qu'il venait de relire sans rien dénicher d'intéressant, soupirant devant la quantité d'ouvrages à consulter. Plus il y réfléchissait, plus il devenait convaincu de la raison de ses échecs répétés. Un pan de son passé obscurcissait sa vision, une chape de plomb sur sa pensée qui rendait ses efforts vains depuis si longtemps.

L'Alisan fit glisser un tiroir fixé sous le plateau de sa table de travail. Il y fouilla fébrilement jusqu'à ce qu'il trouve un médaillon d'argent dont il fit jouer l'ingénieux mécanisme permettant de l'ouvrir. Il put alors contempler l'image de Delbiam ainsi qu'elle lui était apparue autrefois, lors de leur première rencontre. Ce portrait minuscule, réalisé par le plus fameux peintre de Saur-Almeth, lui avait coûté une véritable fortune à l'époque. La jeune femme qui arrivait de Santerre avec son père commerçant resplendissait d'une beauté et d'une intensité que l'artiste était parvenu à capter d'une manière fabuleuse.

– Quel magnifique ouvrage et quel bel écrin pour le conserver, murmura froidement Sauragon. C'est la dernière représentation qui reste de toi dans ce palais. J'ai détruit toutes les autres, mais je tardais à réduire celle-ci en poussière. Comme j'ai été fou ! À cause de toi, je suis devenu trop sentimental. Cela a distrait mes pensées et ça continue à m'empêcher de me concentrer sur l'essentiel. Sur l'Œuvre des Mithris. Même absente, tu souilles encore Saur-Almeth de ton existence.

Sauragon ferma le poing. Il se rendit à l'une de ses tables d'expérimentation où des creusets chauffés en permanence servaient à faire fondre différentes matières. Il y déposa le médaillon puis il fit augmenter la chaleur au maximum. Au moment où le métal devint rouge, l'Alisan eut l'impression fugace que le regard de Delbiam parvenait à percer le couvercle refermé sur elle.

– C'est inutile, fit-il avec dédain. N'essaie pas de m'attendrir car tu n'existes plus !

Lorsque le délicat chef-d'œuvre et son contenu ne furent plus qu'une masse informe, l'Alisan quitta la pièce pour se diriger dans la section du palais dédiée à l'administration de la Cité. En descendant les escaliers et en traversant les corridors, il croisa à plusieurs reprises des courtisans qui agissaient comme s'ils se trouvaient chez eux. La vue de ces étrangers qui envahissaient les lieux l'irrita. Il ne restait que les appartements supérieurs et une partie de son laboratoire de vraiment privés.

Sauragon entra enfin dans la salle de travail des scribes. Ils étaient huit à transcrire des pages de documents et d'ordonnances diverses. L'Alisan se dirigea vers l'un d'eux pour lui dicter un texte.

– Je te salue, scribe Sajal. Je désire que tu rédiges un avis officiel de répudiation qui sera affiché en tous les lieux pertinents à Saur-Almeth et sur le Plateau des Alisans.

– Bien sûr, Grand Seigneur. Qui agit ainsi envers quelle personne ?

– Mithris Sauragon, Grand Seigneur Alisan, rejette, bannit et exclut de sa vie Delbiam la Culter, du Pays de Santerre, qui fut son épouse et la mère de ses enfants, ainsi que Mithris Santhair qui fut son fils, chair de sa chair et sang de son sang. Désormais et définitivement, sans révocation possible de cette répudiation, ceux-ci sont non seulement dépossédés de tous les titres, biens ou privilèges acquis en la Cité, mais ils sont de plus considérés comme individus indésirables sur tout le territoire du Plateau des Alisans. Leur nom ne doit plus être prononcé ni leur souvenir évoqué de quelque manière que ce soit. Aux yeux de Saur-Almeth, ces deux personnes n'existent plus.

Le scribe resta figé un moment. Sauragon avait utilisé la formule la plus radicale qui soit chez les Alisans.

– Telle est ta volonté, Grand Seigneur ?

– Telle est ma volonté !

Sans rien ajouter d'autre, Sauragon s'en alla d'un pas décidé. Il croisa des jeunes gens qui riaient, des gobelets de vin à la main que l'Alisan reconnut aussitôt. Ils faisaient partie de la vaisselle de la petite salle de banquet. Sans être d'une valeur exceptionnelle, ces coupes devaient normalement rester à leur place et ne servir que pour les invités. Ce détail indisposa encore plus le Grand Seigneur. Il se mit à visiter son propre palais, considérant avec dédain les changements apportés par Egohan et choqué par la présence de toutes ces personnes qui ne lui semblaient que des parasites profitant de manière éhontée de la richesse des Mithris.

Alors qu'il retournait à son laboratoire, dégoûté par ce qu'il venait d'observer, il vit Egohan presser le pas pour le rejoindre, affichant une expression outrée.

– Père, qu'est-ce que tu fais ?

– Je constate les dégâts ! grinça Sauragon.

– Je parle de l'acte de répudiation. J'ai été informé. Tu mets fin à toute possibilité de renouer un jour avec Delbiam et avec Santhair. Tu ne peux pas...

– Elle n'est plus mon épouse et c'est mon droit d'époux d'agir ainsi. Il n'est plus mon fils et c'est aussi mon droit de père d'agir ainsi. Tu ne peux t'y opposer, quels que soient tes titres et tes pouvoirs.

– À la rigueur, je peux le comprendre et l'accepter pour Delbiam, mais je t'ai dit que j'allais faire entendre raison à Santhair, s'écria Egohan. Il est *Marqué-du-Destin* tout comme moi. Nous avons besoin de lui ! Si tu lui interdis de revenir à Saur-Almeth, cela compromet mes plans.

– Ça, Prince des Alisans, c'est ton problème !

Sur ces paroles, Sauragon repartit à grands pas, mettant fin à toute discussion possible. Il traversa une salle nouvellement aménagée, déplorant intérieurement son allure pompeuse, sa décoration tapageuse et la présence de courtisans aux vêtements d'un luxe de mauvais goût. Il se hâta de gravir les escaliers menant à ses appartements privés, heureux d'échapper à cette atmosphère superficielle et dégénérée qu'il se ferait bientôt un plaisir de nettoyer. Il allait trouver ce qui manquait pour terminer l'Œuvre Mithris et alors, sa puissance serait tellement grande que tous se soumettraient à sa volonté. Ce règne qu'il accordait à Egohan n'était qu'un intermède avant qu'il établisse son propre pouvoir et qu'il dispense ses bienfaits à tous les peuples, à toutes les races. Il serait dès lors adulé et aimé comme jamais personne ne l'avait été depuis l'origine du Monde d'Ici.

Galvanisé par la grandeur de sa tâche, Sauragon s'enferma de nouveau dans son laboratoire. Il braqua les yeux sur la montagne de documents qui l'entourait.

— Trésor des Mithris, tu vas me livrer ton secret. Ne cherche plus à me résister, à me cacher ce que je veux. Je suis le Grand Seigneur Alisan Mithris Sauragon et j'exige que tu me révèles la clef des Puissances infinies de la Terre afin que l'Œuvre s'accomplisse.

Un feu impétueux dans le regard, Sauragon reprit sa recherche. Maintenant qu'il avait définitivement rayé Delbiam de sa vie, que ses pensées étaient libérées de cette ombre qui lui voilait l'essentiel, il lui sembla que tous ses sens atteignaient une sensibilité merveilleuse, que son esprit n'avait jamais été aussi lucide et pénétrant. Irrésistiblement, il se sentit attiré par de vieilles tablettes d'argile empilées au fond d'une armoire. Il les avait toujours négligées car, selon ce qu'il en savait, elles avaient été échangées à une époque fort lointaine à un peuple primitif des Îles Mouvantes contre quelques couteaux et ustensiles sans valeur.

L'Alisan déposa les plaquettes sur sa table de travail. Il y en avait sept. Le temps les avait rendues friables et les symboles qui les couvraient avaient souffert des diverses manipulations depuis leur lieu d'origine. Malgré leur mauvais état, Sauragon pouvait distinguer assez nettement la plupart des marques. Rompu au décryptage de toutes les langues et de tous les codes utilisés en Monde d'Ici, il parvint assez rapidement à trouver un ordre logique dans leur présentation. Bien qu'elles aient toujours été considérées comme des documents de peu d'intérêt, Sauragon se sentait fasciné par les signes dans ces rectangles de terre durcie.

Avec la plus grande minutie, il posa des feuilles très fines sur les tablettes et il les frotta légèrement avec une petite baguette de charbon à dessin. Une à une, les formes gravées dans l'argile apparurent plus clairement sur le papier. Ensuite, il retraça les symboles avec l'encre d'une plume. Son ouvrage terminé, Sauragon disposa les pages sur sa table de travail et il se mit à les déplacer, les tourner, les examiner par transparence afin de voir l'écriture en sens inverse.

Soudain, il découvrit la cohérence de ce qui était inscrit sur les tablettes. En leur associant des valeurs et des significations, le thème général se précisa. Une grande excitation envahit Sauragon. Une maxime transmise par ses ancêtres lui revint brusquement à la mémoire.

– Les secrets de la Terre sont dans la terre, murmura-t-il en état d'extase.

Ce qu'il recherchait était enfin là, sous ses yeux. Il ne restait qu'à le déchiffrer. Saisi par une frénésie inouïe, par un merveilleux vertige, Sauragon recula doucement sans quitter les feuilles du regard. Sous l'emprise d'une émotion incommensurable, ses lèvres se mirent à trembler, son souffle à manquer, ses jambes à ployer sous son poids. C'était un étourdissement capiteux et terrible à la fois. Il chercha une chaise des mains, sans cesser de fixer le fabuleux trésor sur sa table. Une fois assis, Sauragon se concentra de toutes ses forces mentales pour reprendre le contrôle sur lui-même. L'instant était trop grandiose pour que son esprit lui fasse défaut, qu'il se défile et se réfugie dans l'irrationnel. La panique le gagna, car il était parfaitement lucide quant à sa fragilité psychologique. Il ne fallait surtout pas que le bonheur si intense qu'il éprouvait ne provoque une nouvelle errance de sa raison. Ses mains serraient les accoudoirs à en faire pénétrer ses ongles dans le bois. Ses yeux s'étaient révulsés sous l'intensité de son effort, son souffle pratiquement arrêté. Il avait l'impression que son cœur voulait sortir de sa poitrine, frappant à coups furieux dans ses côtes.

Puis Sauragon remporta la victoire sur son corps affolé et son esprit divagant. Il retrouva progressivement son calme. Un dernier spasme le secoua tout entier, le laissant ensuite étrangement détendu, serein et souriant. Enfin, grâce à la puissance de son esprit enfin libéré du passé, il était vainqueur de ses démons intérieurs. L'Alisan se releva et s'approcha de sa table de travail, calme et sûr de lui comme autrefois, avant qu'on le sépare de Shinouk. Avant que Delbiam corrompe la pureté de sa Pensée avec celle des Sages du Pays de Santerre.

La clef de l'Œuvre Mithris, l'ultime secret de la Vie, était sous ses yeux. En sa possession.

22.

Les jours qui suivirent furent parmi les plus étranges et les plus trépidants qu'avait connus Saur-Almeth. L'annonce de la répudiation de Delbiam et de Mithris Santhair par le Grand Seigneur Alisan suscita un vif intérêt. Jamais cela ne s'était produit auparavant dans cette prestigieuse lignée alisane. Profitant du fait que l'attention était tournée totalement vers lui, Sauragon affirma que ses travaux venaient enfin de franchir l'étape décisive. Il invita tous les savants présents dans la Cité à le seconder afin de mettre au point les instruments qui permettraient de réaliser la plus extraordinaire expérience jamais conçue en Monde d'Ici. Il multiplia les discours si enthousiastes et rassembleurs qu'une fébrilité littéralement fanatique s'empara de la Cité. Quelques voix s'élevèrent pour appeler à la prudence, mais elles furent vite étouffées par l'enthousiasme populaire et par l'intervention toujours discrète – souvent brutale – des fidèles de Sauragon chargés d'éviter que les contestations ne prennent de l'ampleur.

C'est dans cette atmosphère surexcitée que SpédomSildon et Maître Alios se retrouvaient chaque matin dans un parc pour commenter les événements. Chaque fois, il avait davantage hâte qu'elle arrive. Il raffolait de voir son sourire éclatant, de lire la passion dans ses yeux, d'échanger des idées intelligentes avec elle, de toucher ses mains, ses bras et parfois son visage avec des gestes qui paraissaient seulement amicaux, ceux d'un vieux maître à son élève la plus douée, mais qui troublaient le membre de la Race Ancestrale.

Chaque jour, SpédomSildon se rendait au palais en fin de journée pour prendre le repas du soir avec Egohan. Elle entrait dans le jeu de la séduction, laissant espérer le Prince Alisan sans rien concéder. Elle mettait à l'épreuve ses propres sentiments tout en s'amusant à imposer sa volonté et ses caprices au maître de la Cité. Pour la Magomienne, il n'existait aucune espèce de liens entre les moments partagés avec Alios et ceux avec Egohan. Pourtant, une première fois, elle réalisa qu'elle quittait le jeune Prince en anticipant déjà de rejoindre son vieil ami dont elle ne se séparait ensuite qu'à contrecœur.

Ce matin-là, en se retrouvant sous leur arbre préféré, Alios se montra soucieux.

– Je pressens quelque chose de dangereux. Il y a cinq lunaisons de cela, une expérience de Sauragon a provoqué une explosion qui a causé passablement de dommages.

– Plus rien n'y paraît, répliqua la Magomienne en se voulant rassurante. J'en ai entendu parler, et il semble que ce ne fut qu'un incident malheureux.

– Je n'ai pas aimé la forme d'énergie mise en cause, poursuivit Alios. Il s'agissait d'une force avec laquelle les Alisans ne devraient pas jouer...

SpédomSildon se fit moqueuse.

– Et toi, tu en sais plus qu'eux à ce sujet ?

Maître Alios fut sur le point d'affirmer que oui, de proclamer que son savoir dépassait celui des Alisans sur plusieurs aspects, qu'il connaissait les réponses à bien des secrets du Monde d'Ici car son existence remontait à bien plus loin que celle des ancêtres, même de la lignée des Mithris ou des premiers Magomiens. Ces choses, il aurait aimé les confier à la jeune Magomienne pour satisfaire sa curiosité insatiable, pour l'éblouir aussi. Pour la séduire, en vérité !

Alios finit par répondre en évitant de trop en dire, comme d'habitude.

– Ce que je sais me suffit pour avoir des craintes.

SpédomSildon afficha brusquement un visage d'un grand sérieux.

– Ce que tu sais peut-il aussi expliquer ce que nous faisons ici, toi et moi ?

– Je ne comprends pas, bredouilla Alios. Que veux-tu dire ?

– Je suis courtisée par le Prince des Alisans qui m'affirme être *Marqué-du-Destin* pour régner sur le Monde d'Ici. C'est un jeune homme de mon âge, dans la force de l'âge, qui compte déjà parmi les puissants du Lentremers. Il est très séduisant et il me fait agréablement sentir femme. Elles sont des centaines à Saur-Almeth à envier l'attention qu'il me porte, qui donneraient tout ce qu'elles possèdent et plus encore pour prendre ma place. Je n'ai qu'un mot à dire pour obtenir plus que ce qui est concevable et...

La phrase demeura en suspens. Une expression désespérée traversa le regard de la Magomienne.

– Et quoi ? s'inquiéta Alios.

– ... et mon seul bonheur, c'est de venir rejoindre un vieil homme pour discuter des secrets de l'Univers !

Le monde devint sens dessus dessous autour du membre de la Race Ancestrale. Le ciel, le sol et leur arbre préféré sous lequel ils se trouvaient basculèrent dans tous les sens. La réalité tourbillonna en une ronde incompréhensible d'où surgissaient les yeux implorants de la Magomienne. Alios réalisa qu'il ne respirait plus et il s'efforça de prendre une grande inspiration. Le paysage se stabilisa lentement, le ciel en haut et le sol en bas, enfin immobiles. Les couleurs cessèrent progressivement d'être aveuglantes, pendant que les sons lui parvinrent de nouveau.

– ... n'est-ce pas ? Tout cela doit avoir un sens, oui ou non ?

Alios émergea de son trouble. Il ne comprenait plus rien à ce qui lui arrivait, mais il retenait une idée unique, essentielle, plus grandiose que toutes les autres. SpédomSildon préférait par-dessus tout sa compagnie. Le plaisir de leurs échanges était réciproque. Ce qu'il ressentait en sa présence ne relevait pas d'une folie dans laquelle il sombrait seul, mais plutôt d'une raison du cœur partagée, à deux...

– Si je n'étais pas réellement un vieillard ? balbutia Alios. Qu'est-ce que cela changerait pour toi ?

– Je serais rassurée, soupira la Magomienne. Je saurais que je ne suis pas tout à fait folle !

Alors, ce fut plus fort que lui. Le membre de la Race Ancestrale céda à son instinct. Il craignait déjà ce que Sauragon tramait. Sa peur que cela emporte aussi la Magomienne se transforma en panique. Et puis, ici à Saur-Almeth, il ne pouvait pas être lui-même comme il le souhaitait pour se révéler à SpédomSildon. Sans plus réfléchir, il l'exhorta à quitter la cité alisane avec lui.

– Fuyons cet endroit immédiatement avant qu'il ne soit trop tard. Une catastrophe se prépare, j'en suis certain. Partons, toi et moi, et je t'emmènerai en sécurité dans des lieux secrets, réservés à la connaissance des mystères du Monde d'Ici. Je te révélerai ma véritable nature. Je t'apprendrai tout. Cette apparence de vieillard n'est qu'un masque, une ruse pour épier cette Cité sans être démasqué. Je saurais te faire sentir femme autant que tu me fais sentir homme, plus que n'importe quel jeune soupirant du Monde d'Ici. Je...

La Magomienne écarquillait les yeux, dépassée par ce qu'elle entendait, effrayée autant par les inquiétudes d'Alios que par cette dissimulation qu'il lui avouait. Elle eut un mouvement instinctif de recul. Alios crut qu'elle allait le fuir. La crainte de la perdre lui serra le cœur. Il s'affola, cédant pour la première fois de son existence à une réaction *animale* – ainsi qu'il avait qualifié son bien-être – plus puissante que tous les raisonnements cérébraux gouvernant depuis l'origine des temps chaque geste des membres de la Race Ancestrale.

Dans une étreinte aussi désespérée que passionnée, Maître Alios emprisonna SpédomSildon entre ses bras, chercha ses lèvres chaudes et douces, l'empêcha de se débattre un moment, puis il finit par se ressaisir. Il écarta les bras, certain que tout était perdu, prêt à s'excuser, à accepter son humiliation. La vie venait de se terminer, vidée de tout sens et de toute dignité. Le membre de la Race Ancestrale se recula légèrement, osant malgré tout affronter le regard de la Magomienne. Elle était livide de surprise, paralysée par l'inconcevable assaut d'Alios, renversée par sa vigueur, bouleversée par l'incroyable fusion qui se produisait entre la merveilleuse entente de leur esprit et le désir de leur corps.

Ils se regardèrent en silence, sidérés, durant un instant qui parut une éternité. Une chaleur indescriptible monta en SpédomSildon, faisant éclore un sourire sur son visage et dans ses yeux. Doucement, dans un mouvement aussi envoûtant qu'irrésistible, ce fut à son tour de faire d'Alios son prisonnier, de le rendre captif de ses bras, de ses lèvres, de son corps contre le sien. Que le néant emporte le Prince Egohan et qu'il engloutisse Saur-Almeth ! Rien ne pouvait égaler le bonheur qui envahissait la Magomienne.

23.

La colère du Prince Egohan fut d'une froideur d'abord surprenante, puis terriblement inquiétante. Harchal, le fidèle Darchais à qui il accordait toute sa confiance, avait été chargé de surveiller discrètement les allées et venues de la Magomienne. Son rapport avait été sans équivoque. Celle-ci passait ses journées avec un vieux sage étranger qu'elle rencontrait tôt dans un parc et qu'elle ne quittait qu'à la fin du jour pour venir au palais. Puis, ce matin, ils s'étaient embrassés comme des amoureux. En toute hâte, la jeune femme était retournée à son lieu de résidence pour y prendre ses effets. Elle avait rejoint le vieillard et ils étaient partis à cheval, vraisemblablement en direction du Couchant.

Sans dire un mot, sans rien laisser paraître de ses sentiments, Egohan avait ordonné à Harchal de se lancer aux trousses de la Magomienne pour la ramener à Saur-Almeth, de gré ou de force.

— Rappelle-toi notre première rencontre, elle peut foudroyer mes hommes juste en tendant les bras vers eux ! avait objecté le Darchais.

— Commence par t'assurer du vieillard et fais valoir que sa vie est entre tes mains pour faire obéir notre très chère invitée...

Ses ordres donnés, Egohan s'était rendu à la plus haute tour du Palais. Il possédait maintenant le moyen d'ouvrir la porte située à sa base. Il le fit sans hésiter, pénétrant pour une seconde fois dans la pièce unique qui occupait l'espace intérieur de la construction. Insensible au décor des lieux, il emprunta l'escalier de métal argenté en colimaçon qui menait à la terrasse interdite. C'était l'emplacement d'où, grâce à la science combinée de Sauragon et de Vorgrar, il avait pu projeter une matérialisation de lui-même jusqu'en Santerre. L'endroit paraissait n'être qu'une plateforme blanche, circulaire, absolument unie et dépourvue de balustrade, mais qui offrait un panorama à couper le souffle. On pouvait contempler Saur-Almeth et le Plateau des Alisans aussi loin que le regard portait.

Cependant, le jeune homme ne s'attardait pas à la beauté du paysage. Se tenant à moins d'un jambé du bord de la terrasse, il regardait fixement vers le Couchant. Un soleil écarlate embrasait l'horizon avant de s'y cacher pour la nuit, dessinant de longs doigts de feu qu'Egohan imagina avec délices s'abattre sur l'étranger qui lui ravissait SpédomSildon. À cet instant, il aurait souhaité pouvoir faire voyager son esprit ainsi que Vorgrar savait le faire. Le Guide lui avait affirmé qu'il lui apprendrait ! Cette promesse non tenue confirma son dédain envers ce personnage supposé être si puissant et qui se révélait finalement si faible à ses yeux.

Bien droit, la tête haute, les jambes légèrement écartées et les bras derrière le dos, Egohan restait immobile et silencieux à réfléchir. Comment lui, le *Marqué-du-Destin*, pouvait-il avoir ainsi été trahi ? Il était impossible que SpédomSildon refuse de devenir sa Reine puisqu'il le souhaitait ! Ses désirs n'étaient-ils pas des ordres auxquels chacun obéissait avec empressement ? Certes, il accordait à la Magomienne le droit de se laisser désirer, de mener ce petit jeu de séduction qui les amusait tous les deux en fin de compte. Elle pouvait aussi s'enticher de tous les vieux savants de la Cité si cela la distrayait en attendant qu'ils s'unissent. Mais fuir Saur-Almeth ? Sans même l'avertir ! Se pouvait-il qu'il ait commis une erreur, qu'il se soit trompé ?

Rendu près de l'horizon, le soleil ressemblait maintenant à un regard de sang. Egohan se sentit fixé par l'œil unique du

Monde d'Ici qui accusait le *Marqué-du-Destin* de ne pas être à la hauteur de la tâche à laquelle il était appelé. Il baissa les yeux un instant, puis les releva remplis d'un feu dévorant pour s'adresser à cet astre accusateur, ce flamboyant porte-parole de l'Univers.

— Tu as raison, j'ai été faible ! Mais cela ne se reproduira plus. Je suis *Marqué-du-Destin* pour être au-dessus de toutes les faiblesses du Monde d'Ici afin de l'unir dans une Pensée sublime. Cela signifie que je n'ai pas à rire, à pleurer, à aimer ou à haïr ainsi que le font ceux et celles pour qui je dois devenir le modèle de la perfection. Dans la grandeur et la justesse de ma destinée, je suis unique et je suis seul. Je ne dois pas me laisser distraire par quelques caprices communs du corps. Même une reine telle SpédomSildon ne doit pas attirer mon attention autrement que pour me donner une descendance digne de poursuivre mon œuvre, parce qu'elle sera métissée des Races les plus nobles et les plus puissantes, comme moi-même je suis du sang des Races Premières et du Moyen Peuple. Voilà la raison de ne pas souffrir pour elle, mais c'est aussi pourquoi elle n'avait pas le droit de partir ainsi de Saur-Almeth. Elle est utile dans le grand dessein du Monde d'Ici.

Depuis que l'Esprit Mauvais s'était entremêlé au sien, Egohan avait fait siennes les certitudes et la Pensée du membre de la Race Ancestrale. Toutefois, contrairement à Vorgrar que le doute paralysait, le Prince des Alisans n'était qu'assurance et détermination, d'une foi inébranlable en lui-même et en sa mission. Convaincu depuis son enfance qu'il était un être exceptionnel, Egohan croyait fermement qu'il devait dominer le Monde d'Ici. Pour s'en persuader encore une fois, il se rappela les événements vécus depuis la fuite de sa mère et de son frère, chacun confirmant sa stature sans pareille. D'ailleurs, il comprenait mieux que quiconque les enjeux de son destin. Les rencontres avec les Saymails, les Géants ou les Magomiens, ainsi que les épisodes parfois dramatiques, comme au village dirigé par le forgeron ou le combat contre le Sormens, se révélaient d'une richesse remarquable en enseignements.

Chaque jour affermissait la conscience et la volonté de celui qui se savait *Marqué-du-Destin* pour guider les peuples et établir un ordre magnifique.

Cependant, dans la réalisation de ce projet fabuleux, personne ne devait lui désobéir.

– Toi aussi, mon frère, tu devras te ranger à ma suite. Je le concède, j'ai fait une erreur que je dois maintenant corriger. Il faut te convaincre plutôt que t'affronter. Je te ferai comprendre que tu dois te débarrasser de tous les liens qui faussent ton jugement. Pour ton bien, je chasserai cette Shau de ta vie car sa présence dans ton cœur sera un boulet qui empêchera ton destin de s'accomplir. Tu me remercieras d'enlever cette épine de ton être. Ni toi ni moi n'avons besoin d'elle, pas plus que la Magomienne d'ailleurs. Elles peuvent nous amuser, se rendre utiles, mais elles ne doivent jamais nous détourner de notre route. Tu comprends, Santhair, hormis nous deux, nous sommes seuls toi et moi, au-dessus de cette masse grouillante de races et de peuples si imparfaits.

Le soleil s'apprêtait à disparaître complètement derrière l'horizon. Egohan sentit la panique le gagner. Il lui semblait ne pas avoir été suffisamment clair dans ses propos. Il réfléchissait à tant de sujets cruciaux en même temps. Était-il parvenu à exprimer l'essentiel ? Le Monde d'Ici voulait connaître l'engagement de son Prince. Le temps manquait maintenant avant que l'œil de feu ne se ferme.

– Seul ! cria Egohan avec toute la conviction possible. Et sans jamais douter de ma route.

Le dernier éclat de lumière s'évanouit, laissant le ciel encore embrasé. Egohan poussa un long soupir.

– Seul... Ainsi, même toi, mon frère, tu n'auras pas accès au même sommet que moi. Il est vrai qu'il en fut toujours ainsi. Mais sois certain que je ne renierai pas mon engagement envers toi. Ah, comme il est cruel d'être fidèle à son destin. Comme il faut apprendre à s'oublier pour se tenir au plus noble rang. La gloire n'est qu'un sacrifice.

Le Prince des Alisans continua à fixer le Couchant jusqu'à ce que les dernières lueurs du jour s'évanouissent et que la nuit s'installe. Finalement, un mouvement attira son attention. Sauragon était venu le rejoindre. Cela lui fit réaliser que la lune, maintenant haute dans le ciel, répandait une lumière crue et bleutée sur la terrasse interdite et qu'un vent frais s'était levé. Le Grand Seigneur resta un moment à côté de son fils sans rien dire. Enfin, il parla le premier, avec son impassibilité habituelle.

– Tout le Palais te cherche. Des rumeurs courent sur une invitée qui t'aurait faussé compagnie de façon... impolie.

– Cela te dérange-t-il dans tes travaux ?

Egohan ne laissait deviner aucune émotion. Il s'exprimait d'un ton neutre, indéfinissable. Une image passa dans l'esprit de Sauragon, fugace et troublante : celle de lui-même au même âge. Il se revoyait, sûr de lui, maîtrisant parfaitement ses sentiments, n'admettant l'échec d'aucune manière, étouffant toute douleur du cœur en l'enveloppant d'une chape de glace qui l'insensibilisait.

Le Grand Seigneur répondit à son fils avec de la douceur – presque de la chaleur – dans la voix.

– Non, bien sûr. Toutefois, mes recherches viennent d'atteindre une phase critique. Je n'ai pas de temps à consacrer à la Cité. Or, ce Palais sans son Prince serait comme un navire sans personne à la barre. Qui sait quelle direction il pourrait prendre.

– La mienne est tracée clairement ! Au lever du jour, Saur-Almeth saura que je pars vers le Couchant à la tête de l'armée que j'ai levée durant l'hiver. Je balayerai du revers de ma main toute résistance. Les Terres du Couchant seront les premières à se prosterner à nos pieds ainsi que je l'ai décidé.

– Tu seras absent lorsque je serai prêt à réaliser la plus fabuleuse réussite de la science des Mithris, déplora Sauragon. Cela n'est-il pas contraire à nos intérêts à tous ?

— Au contraire, il serait injuste que l'admiration du Monde d'Ici ne soit pas intégralement tournée vers toi, Grand Seigneur Alisan. Tous les honneurs afflueront exclusivement vers toi, qui mérites de ne les partager avec personne.

En fait, les expériences de Sauragon laissaient Egohan totalement indifférent pour l'instant. Son esprit se concentrait uniquement sur les Pays du Couchant, où il commencerait par faire payer cher à Raidak l'humiliation de l'automne passé. Il aviserait alors quant aux ententes à conclure avec le Roi Mornac des Terres Mortes. Ensuite, il forcerait le Pays de Santerre à s'agenouiller devant lui, y compris son frère à qui il ferait comprendre la seule route à suivre, et sa mère dont le sort dépendrait de son allégeance. Finalement, précédé par l'écho de ses victoires, il se rendrait chez les Magomiens pour en ramener l'unique Reine digne de lui qui, jamais plus, ne lui désobéirait.

Profitant du mutisme de son fils, Sauragon s'accorda tout le temps d'évaluer la proposition. Tout bien pesé, cela serait à son avantage.

— Il y a une personne en qui j'ai une totale confiance, fit-il nonchalamment. Durant ton absence, elle pourra parler en mon nom, et au tien, en ce qui concerne les affaires de la Cité.

— C'est parfait, approuva aussitôt Egohan. N'es-tu pas toujours le Grand Seigneur Alisan ? Ce que tu feras sera ce qu'il convient de faire, personne ne peut en douter.

Pour Sauragon, la porte était ainsi merveilleusement ouverte afin que sa dévouée et loyale maîtresse Shinouk assume le contrôle de la cité alisane pendant qu'il compléterait l'Œuvre Mithris.

Quant à Egohan, le quotidien de Saur-Almeth ne lui importait guère pour l'instant. D'ailleurs, la Cité pouvait certes se languir de son Prince pendant quelques lunes, elle n'en serait que plus glorieuse par la suite.

Le premier choc

24.

Depuis l'épisode avec le Saglan, les Princes s'affairaient à former les troupes. Jhibé s'occupait de la Région des Artans en compagnie de Gouïk. De leur côté, Delbiam et Herkas demeuraient dans la Région des Baïhars tout en visitant régulièrement la Région des Culters. Quant à Shau et Francœur, ils avaient pris en charge la Région des Fretts. Les deux jeunes gens profitaient pleinement de ces occasions d'échapper un peu aux importantes, mais longues, discussions avec le Roi et les Sages. Cela leur permettait également de s'accorder plus de temps ensemble, juste tous les deux.

Après avoir cédé à la suspicion qu'Egohan avait insinuée en lui et avoir causé tant de peine à Shau en l'exprimant, Francœur avait eu l'impression d'avoir tout gâché. Pourtant, depuis leur retour à Belbaie, Shau semblait plus amoureuse que jamais. Autant elle assumait maintenant son rôle de Prince de Santerre avec le plus grand sérieux, autant elle devenait une compagne enjouée et spontanée. Il suffisait que le jeune homme chasse les fantômes lancinants du doute – sur sa tâche et sur la solidité des liens avec la Haylaboise – pour qu'il ressente un bonheur indescriptible. Il en savourait chaque instant, chaque détail, attentif à tout ce qu'il voyait, entendait ou touchait.

En cette belle journée de printemps, les deux Princes effectuaient une rapide tournée, accompagnés de cinq gardes royaux. Ils avaient quitté le Temple Fret la veille, dormi dans un campement de chasseurs, puis repris tôt leur chemin vers la Mi-Nuit. La route n'était ici qu'un sentier sur le bord d'une petite rivière qui longeait de plus ou moins loin le Glacier des Eaux. Les cavaliers voyaient constamment sur leur gauche l'abrupt mur de glace qui marquait la limite de ce territoire vraiment singulier, perpétuellement recouvert de neige durcie et compacte où, selon la légende, l'hiver trouvait refuge pour résister même aux plus chauds étés qui soient. Aride mais généreux, cet endroit donnait naissance à la Rivière des Eaux qui traversait tout le Pays de Santerre pour devenir la Longue Rivière, laquelle rendait si fertiles les terres de la Région des Culters avant de se jeter finalement dans la Baie Joyeuse. À la droite des voyageurs, jusqu'à la lisière de la forêt, les champs étaient parsemés de vigoureux bosquets réfugiés à l'abri des creux de ce paysage doucement vallonné.

À l'heure du mi-jour, le soleil réchauffait tout autant la nature que les âmes. Les dernières plaques de neige fondaient, gonflant les cours d'eau qui se libéraient enfin de la glace ayant étouffé leur ardeur durant la saison froide. Une vie puissante, que le gel avait cru dompter, secouait sa léthargie pour revendiquer sa victoire sur les rigueurs de l'hiver. Shau se permettait d'aller tête nue tant la température était confortable. Francœur regardait – ou plutôt admirait – sa compagne qui rejetait sa longue chevelure brune vers l'arrière pour exposer délicieusement son visage aux chauds rayons. De tels moments de ravissement le comblaient plus que tout, faisant monter en lui une félicité simple et précieuse.

Il se laissait charmer par le calme de la nature lorsqu'il eut l'impression qu'un son étrange lui parvenait à travers le bruit des sabots martelant le sol encore gelé. Intrigué, il fit presser le pas de sa monture pour s'éloigner du groupe et monter sur une butte. Du geste, il leur intima de s'immobiliser.

Le puissant Maghnas, un garde royal attaché aux Princes depuis les premiers jours de leur tâche, s'approcha de lui pendant que Shau ainsi que les gardes Jalnac, Lebtar, Horhar et Taras restaient plus bas.

– Que se passe-t-il, Prince Francœur ?

– Écoute bien ! N'entends-tu pas quelque chose d'inhabituel ?

Il commençait à venter un peu, de façon irrégulière. On aurait dit que l'air transportait alors l'écho lointain d'une sorte de chant saccadé, lourd et intense. Shau vint les rejoindre pour tendre l'oreille elle aussi.

– Effectivement, on dirait que de nombreuses personnes chantent en chœur une mélodie simple et répétitive.

– Un air de marche ! s'exclama Maghnas. Ça ressemble à ce qu'on entonne en groupe pour s'aider à soutenir une cadence rapide.

– Quelle troupe importante pourrait bien parcourir les environs ? s'étonna la Haylaboise.

– Et qui arrive de la Mi-Nuit ! laissa tomber Francœur d'une voix inquiète. Allons voir !

Quittant le sentier, ils se dirigèrent au galop vers une hauteur d'où ils pourraient scruter le paysage sur une bonne distance. Au moment d'atteindre le sommet, dix cavaliers Sormens surgirent devant eux.

Les troupes commandées par Raidak avaient descendu le Grand Cap l'avant-veille. Ils étaient trois mille guerriers vêtus d'une protection légère, une sorte de cuirasse noire en cuir épais, renforcée d'anneaux de fer, couvrant le torse, les bras et le haut des cuisses. Un casque de cuir recouvert de plaques de métal avec une pointe au-dessus du nez protégeait la tête. Selon son rôle dans la bataille, chacun portait dans le dos une impressionnante épée se maniant à deux mains ou un grand arc avec un carquois de flèches longues et lourdes. D'autres armes plus courtes étaient accrochées à la ceinture. Ils allaient à pied, mais ils progressaient à une vitesse remarquable, stimulés par des chants rythmés ou des réponses criées en chœur aux exhortations de leur chef de troupe. Le Sorvak disposait aussi de cent cinquante cavaliers. Il les envoyait par groupes de dix en éclaireurs avec pour mission d'éliminer tous les Fretts qu'ils croiseraient afin de préserver l'effet de surprise le plus longtemps possible.

En voyant des Gens de Santerre, les Sormens passèrent immédiatement à l'attaque, utilisant une technique redoutablement efficace. Six d'entre d'eux fonçaient vers l'ennemi, l'arme haute, alors que les quatre autres se déployaient en retrait avec leurs arcs. Ils avaient pour consigne d'éviter que personne ne s'échappe pour aller donner l'alarme. Heureusement, Francœur, Shau et les gardes royaux s'étaient entraînés à réagir rapidement. Ils furent capables de parer la première attaque. Les combats s'engagèrent entre les cavaliers en armes, pendant que les archers reculaient et se préparaient à tirer.

– Dos à la Mi-Jour ! hurla Francœur en voyant les Sormens se placer. Gare aux archers !

Un souvenir l'angoissa, celui de sa mère blessée par le petit javelot d'un Darchais lorsqu'ils fuyaient Saur-Almeth. Pour lui, les quatre silhouettes à l'écart représentaient la pire menace. Son attention était tournée vers elles et une épée Sormens faillit l'atteindre. Il la bloqua au dernier moment. D'une réplique puissante, il reprit un instant le dessus, le temps d'évaluer la position de chacun. Il fallait surtout éviter de s'isoler et d'offrir une cible facile aux archers.

– Restez près d'eux ! cria-t-il de nouveau.

Au contraire, les Sormens cherchaient à se dégager des combats. Sur l'ordre de leur commandant, ils rompirent soudain l'engagement pour s'éloigner dans toutes les directions. Tout à coup, quatre flèches partirent simultanément. Deux se perdirent, l'une toucha un cheval en plein cou et l'autre faucha Taras, un garde royal. Déjà les archers bandaient leur arc avec de nouveaux traits.

Aussitôt, les cinq cavaliers de Santerre encore en selle se dispersèrent. Francœur rageait de se sentir ainsi piégé.

Rassemblés, ils étaient des cibles faciles. Isolés, ils se retrouvaient à deux contre un. Faisant brusquement virer sa monture, il se précipita sur un Sormens proche. Le coup qu'il porta fut si puissant que son adversaire fut désarçonné. Toutefois, au lieu de poursuivre le combat, il pourchassa plutôt le cheval, le forçant à se diriger vers un archer. Se servant de la bête comme écran, il attaqua le Sormens qui tentait de l'atteindre. Sa flèche frappa l'animal qui s'écroula aussitôt. Francœur contourna l'obstacle à toute vitesse. Le Sormens levait déjà son arc avec un nouveau trait en place, mais le Prince fut le plus rapide. Son assaut renversa l'archer.

Maghnas s'était retrouvé aux côtés de Shau. Instinctivement, ils foncèrent vers le même adversaire. Deux de ses compagnons plus proches se lancèrent à son secours. Le combat s'engagea à trois contre eux. La jeune femme maniait son épée avec une redoutable efficacité. Ses frappes n'avaient pas énormément de puissance brute, mais elle y gagnait en précision. D'un coup rapide, elle toucha la main d'un Sormens, lui infligeant une coupure si profonde qu'il en laissa échapper son arme. L'affrontement se poursuivit à forces égales contre les deux autres cavaliers.

De leur côté, Jalnac et Lebtar affrontaient chacun un vis-à-vis Sormens. Au centre du terrain de bataille, personne ne prenait pour le moment un net avantage. Toutefois, les trois archers encore en selle s'apprêtaient à passer à l'action, même au risque d'atteindre l'un des leurs. En raison de la distance qui les séparait, ils se criaient des indications et l'un d'eux lança soudain un ordre que Francœur et Shau entendirent distinctement.

– Romps le combat, ordonna le Sormens. Va prévenir Raidak au plus vite et ramène des renforts.

Horhar, dont le cheval avait été abattu, était resté allongé momentanément à l'abri derrière l'animal. Lui aussi, comme beaucoup de Fretts, possédait un arc. Il le saisit, ajusta une flèche tout en demeurant couché, et visa le Sormens chargé de partir pour donner l'alerte. L'ennemi fut touché en plein cou et il s'écrasa lourdement au sol. Les deux autres réagirent aussitôt et tirèrent sur le garde royal. Leurs traits le manquèrent. Le temps qu'ils rebandent leur arc, ce fut au tour d'Horhar de décocher une nouvelle flèche qui fit mouche encore une fois. Le dernier archer Sormens s'empressa de viser cette cible immobile et facile. Francœur, qui venait de renverser son adversaire, constata la situation et décida de jouer son va-tout en chargeant le guerrier ennemi. Ce dernier tira, puis réalisa l'arrivée d'un assaillant. À toute vitesse, il effectua un second tir qui manqua de précision. Il rata le Prince qui lança son cheval contre le sien. Hommes et montures s'écroulèrent avec grand fracas et dans des hennissements de douleur. Pendant que les combattants se relevaient pour se faire face, les deux Sormens désarçonnés par Francœur se précipitèrent pour prêter main-forte à leur camarade. Ils se retrouvèrent ainsi à trois contre un.

Pendant ce temps, les quatre autres combats à cheval se poursuivaient avec fureur. Ceux de Santerre montaient des bêtes un peu plus grosses, plus solides et aussi plus fraîches que celles des Sormens. Ils utilisaient cet avantage pour bousculer leur adversaire comme ils avaient vu Francœur le faire. Par contre, les assaillants se révélaient de redoutables combattants, agiles et rapides. Maghnas aurait bien voulu se retrouver sur ses pieds, face à son ennemi, plutôt qu'en selle. Profitant d'un déplacement qui le plaça dans un angle favorable, c'est le cheval qu'il frappa plutôt que son cavalier. Blessée, la bête trébucha. Aussitôt, le garde sauta à terre et se rua vers le Sormens. Tout près, Shau repoussait de son mieux son adversaire. Inspirée par le geste de son compagnon, elle piqua douloureusement la monture du Sormens qui figea sur place, refusant d'obéir un moment à son maître. La Haylaboise en profita pour jeter un œil du côté de Francœur. Elle vit avec horreur qu'il se démenait contre trois assaillants qui allaient l'encercler.

Derrière elle, Lebtar reçut l'épée de son opposant en plein visage. Tout devint rouge devant lui et c'est à peine s'il sentit le coup suivant le faucher. Il tomba sans vie. Celui qui venait de le vaincre se dirigea sans perdre de temps vers la jeune femme qui lui tournait le dos. Le Sormens lança sa monture à fond de train vers elle. Au même instant, elle éperonna son cheval. Rompant le combat, Shau se précipita au secours de son compagnon sans réaliser qu'elle était poursuivie. Le Sormens gagnait du terrain, l'épée haute, prête à frapper. Soudain, une vive douleur lui fit échapper son arme. Une flèche venait de l'atteindre au bras, tirée par l'archer Frett.

À partir de ce moment, le vent sembla tourner en faveur des Gens de Santerre. Fonçant au grand galop, Shau renversa l'un des Sormens qui attaquaient Francœur. Celui-ci en désarma un autre et se retrouva en combat singulier contre le dernier. Plus loin, Maghnas et Jalnac prenaient le dessus sur leur adversaire respectif.

Emportée par son élan, la Haylaboise s'était écartée du champ de bataille. Elle arriva à un endroit qui lui permit de voir au-delà de ce sommet où ils montaient lorsque l'affrontement avec les guerriers Sormens avait débuté. Ce qu'elle découvrit la stupéfia. Au loin, mais terriblement proche lui semblait-il, l'armée Sormens avançait à grands pas. Elle vit ce flot d'hommes en armes, une puissance guerrière comme elle n'en avait jamais imaginé, impressionnante et terrifiante. Plus que des centaines d'ennemis, des milliers assurément ! Les craintes des Princes et du Roi Alahid prenaient forme dans cette sombre marée mouvante qui souillait la Région des Fretts par sa présence.

Plus angoissant dans l'immédiat, d'autres groupes d'éclaireurs chevauchaient devant l'armée et deux d'entre eux se dirigeaient vers la colline. Vingt nouveaux adversaires seraient bientôt sur place.

Shau fit demi-tour à toute vitesse. Déjà alarmée par ce qu'elle venait d'apercevoir, la scène qui s'offrit à elle sur le champ de bataille la découragea.

Francœur était debout, ses habits tachés de sang, l'arme haute, prêt à frapper l'un ou l'autre des trois Sormens proches de lui qui tenterait de se relever. Maghnas en tenait deux en respect. Taras – malgré sa blessure qui le faisait souffrir –, Jalnac et l'archer Horhar rassemblaient au centre du terrain les quatre autres guerriers ennemis, dont trois étaient blessés. L'un des dix Sormens ainsi que le garde royal Lebtar gisaient tous deux sans vie.

En revenant près d'eux, Shau nota aussi qu'un cheval de Santerre avait expiré et que trois de ceux des Sormens devraient certainement être achevés. Devant elle, tout se déroulait lentement, comme si tout était terminé. Mais non ! Il fallait agir vite, fuir les lieux avant que les nouveaux cavaliers Sormens arrivent, réduire à l'impuissance ceux qu'ils venaient de vaincre afin qu'ils ne se lancent pas à leur poursuite. Ignorant l'urgence de la situation, Francœur lui adressait un sourire victorieux.

Tout se bousculait à une vitesse affolante dans la tête de Shau. Attacher les ennemis ? Non, ils ne disposaient pas de suffisamment de temps pour cela. D'ailleurs, leurs camarades les libéreraient aussitôt. Les faire prisonniers ? À quoi bon ? Ils seraient ainsi dangereusement retardés. Les vingt autres Sormens seraient bientôt là. Cette fois, ils ne pourraient remporter la victoire. Combien de répit encore avant qu'il ne soit trop tard ? Et ses amis insouciants qui prenaient tout leur temps ! Qui le perdaient ! Ce temps si précieux maintenant, si rare. Il lui faisait cruellement défaut pour réfléchir, expliquer, justifier, négocier. Les cavaliers ennemis gravissaient la pente.

Elle regarda sa main tachée de sang qui tenait l'épée à la lame dégoulinante. Maudite soit la guerre qui les happait, qui les asservissait, qui finirait par les dévorer tout entiers. Comment échapper à sa logique monstrueuse ? Shau sauta de cheval tout près de Francœur et, en courant d'un Sormens à l'autre, elle les frappa de son arme pour s'assurer qu'ils soient hors de combat. Elle agissait si rapidement qu'elle ne vérifiait aucunement la gravité des blessures qu'elle leur infligeait.

Ses compagnons stupéfaits ne réagissaient pas. Lorsqu'elle fonça vers le dernier prisonnier valide, Jalnac et Horhar tentèrent de s'interposer.

— Deux autres troupes ennemies arrivent ! cria enfin Shau. Vite, à vos montures, il faut fuir. Maghnas, prends le corps de Lebtar avec toi. Francœur, blesse leurs chevaux ou entraîne-les avec nous.

Le seul Sormens encore debout était un jeune homme, à peine plus âgé que Francœur. Quelque chose dans son allure rappela à Shau son compagnon, une sorte de passion dans le regard propre à ceux qui croient fermement en leur mission. L'idéalisme de la jeunesse, peut-être. Qu'importe... L'impression fut à la fois fugace et déchirante. Dans ses yeux passa aussi la peur. Il était courageux, mais il appréhendait évidemment cet instant où la lame ennemie s'enfoncerait dans sa chair.

Shau s'arrêta.

— En selle ! Vite ! Fuyons...

Elle était devant le guerrier, l'arme brandie. Les autres bougeaient, réalisant enfin le danger et l'urgence de la situation. Shau leva un bras qui tremblait pour la première fois, hésitante en face du jeune Sormens qui se crispait par réflexe dans l'attente de son coup d'épée. Francœur aidait Taras, leur blessé, à monter en selle. Maghnas soulevait déjà la dépouille de Lebtar pour la placer de travers sur sa monture. Jalnac et Horhar piquaient à la jambe les chevaux des ennemis, sauf un pour l'emmener avec eux. Des larmes brouillèrent la vue de la Haylaboise, rendant flou le jeune homme devant elle. Elle baissa les paupières en abattant son épée. Elle sentit le choc et elle tourna les talons avant de rouvrir les yeux, incapable de regarder derrière elle.

Le temps qu'elle remonte à cheval, Francœur et les gardes étaient prêts eux aussi. Alors, ils éperonnèrent leur monture pour redescendre la pente. De retour dans le sentier d'où ils étaient venus, ils ralentirent un peu afin de ménager les bêtes.

De fréquents et fébriles coups d'œil par-dessus l'épaule les rassuraient. Aucun Sormens n'était encore en vue. Soudain, des formes apparurent sur le sommet où s'était déroulé l'affrontement. Les silhouettes sombres s'immobilisèrent un moment, puis elles dévalèrent la colline à leur tour.

La poursuite était lancée.

25.

Une personne ayant le pouvoir d'observer la scène du haut des airs n'aurait guère accordé de chance aux Gens de Santerre de s'échapper. La poursuite se déroulait dans un décor impressionnant, mais hostile aux fuyards. Ils suivaient l'unique sentier de la région en longeant une rivière que le dégel rendait dangereuse à traverser. Au-delà du cours d'eau, ce n'était que roches et neige durcie jusqu'à la muraille infranchissable du Glacier des Eaux. Sur leur gauche, des champs vallonnés les séparaient de la forêt sur une distance variant de cinq cents jambés à un miljie.

Les six cavaliers faisaient face à un dilemme. Ils se savaient traqués par une troupe largement supérieure en nombre et qui ne lâcherait certes pas prise facilement. S'ils forçaient l'allure dans le sentier, les montures seraient bientôt épuisées. S'ils tentaient de s'en écarter, leur piste serait tellement facile à suivre. De plus, la dépouille de Lebtar ajoutait un poids qui ralentissait Maghnas. Au mieux, ils pourraient l'attacher sur le cheval Sormens qui emboîtait le pas sans trop rechigner. Mais pour cela, il faudrait faire une halte, ce dont il n'était pas question pour le moment. Quant à Taras, sa blessure aurait nécessité des soins immédiats. Il demeurait stoïque, s'efforçant de ne pas retarder ses compagnons, mais il souffrait manifestement beaucoup. De toute évidence, il ne pourrait soutenir bien longtemps un rythme intense de chevauchée.

Au gré des formes du terrain, poursuivants et fuyards s'entrevoyaient, se perdaient de vue et s'apercevaient de nouveau.

– Nous ne pourrons pas les semer facilement, hurla Maghnas. Leurs chevaux sont aussi rapides que les nôtres, sinon plus.

– Il faut ruser, répondit Francœur qui se maintenait à sa hauteur. Il faut trouver quelque chose pendant que nous pouvons encore profiter de notre avance.

L'angoissante chevauchée se poursuivit sans que personne ne vît d'issue. Aller tout droit ? Combien de temps pourraient-ils échapper aux Sormens ? Tourner vers la forêt ? Pour s'embourber dans un terrain pouvant se révéler défavorable ? Se diriger vers le glacier ? À quoi bon ? Pourtant, c'est ce que Francœur envisageait.

Il lança soudain un grand cri.

– Regardez ! Là, le Glacier des Eaux va nous protéger !

Une faille étroite s'enfonçait dans la muraille glacée haute d'une vingtaine de tails à cet endroit. Guidé par une inspiration subite, le Prince fonça vers la rivière. Malgré la nervosité de sa monture, il l'obligea à traverser sur la glace qui craquait sinistrement. Non loin d'eux, de sombres et larges brèches à l'eau vive permettaient de constater la force du courant. Shau et les gardes se dévisagèrent, inquiets et hésitants.

– Allons-y un par un, décida finalement la Prince. Nous n'avons pas le temps de discuter ici. Les Sormens arrivent.

Chacun leur tour, ils traversèrent la rivière en suivant scrupuleusement les traces de Francœur. Les craquements de la glace faisaient craindre le pire, mais ils parvinrent enfin à se regrouper sans encombre autour du jeune homme. Il s'empressa d'entraîner ses compagnons vers la faille.

– Tu nous emmènes dans un cul-de-sac ! s'exclama Shau. C'est à peine plus large qu'un cheval. Nous serons coincés comme des rats.

– Les Sormens ne pourront s'avancer qu'un seul à la fois, expliqua Francœur. Ils n'auront plus l'avantage du nombre. Surtout, au fond de cette brèche, j'espère qu'il sera possible de monter sur le glacier. Nous serons ainsi en position dominante.

– Nous prenons un risque énorme, pesta Maghnas. C'est sans retour...

– Ayez confiance, cria Francœur pour convaincre ses compagnons de le suivre.

La faille de deux jambés de large ressemblait à une entaille profonde qu'une gigantesque épée aurait infligée au glacier. Nette, aux parois verticales bien lisses, elle pénétrait sur une bonne trentaine de jambés dans la masse de glace. Les cavaliers s'y enfoncèrent, frissonnant dans l'air glacial, intimidés par ce décor irréel dans lequel ils se sentaient étrangement prisonniers. Épiés même. Comme si la formidable accumulation d'eau gelée contenait aussi une vie latente, engourdie mais puissante. Les chevaux soufflaient nerveusement, projetant par les naseaux une épaisse vapeur qui ajoutait à l'étrangeté des lieux. Ni les Princes ni les gardes n'osaient prononcer un mot, comme s'ils redoutaient d'éveiller quelque chose ou quelqu'un.

Rapidement, ils parvinrent à l'extrémité de la faille dont les parois étaient devenues nettement plus basses. Elle se terminait en pente abrupte, encombrée de blocs de neige durcie que les bêtes pouvaient gravir. Encouragées par leurs maîtres qui mirent pied à terre pour les aider, toutes les montures réussirent à atteindre le sommet du glacier.

Jalnac, un Frett originaire de la région, fut le premier à rompre le silence.

– Regardez, nous sommes dans un grand creux ici, fit-il, admiratif. Cela crée donc une sorte de zone de faiblesse à l'extrémité du glacier qui explique qu'une crevasse se soit formée. Lorsqu'il fera très chaud, cet été, l'eau de fonte s'accumulera ici et se déversera par cette brèche que nous avons empruntée. Prince Francœur, ton idée était fameuse !

— Mais nous n'avons pas le temps d'admirer le paysage, coupa-t-il. Les Sormens doivent arriver à la rivière en ce moment. Jalnac, Horhar, prenez position avec vos arcs au-dessus de la faille. Maghnas, dépose le corps de Lebtar ici pour l'instant et viens avec moi. Shau, profites-en pour examiner la blessure de Taras et la panser avant qu'il perde tout son sang.

Le sentiment de reprendre en main le fil des événements les rassura tous. À pied, marchant avec précaution sur la surface glissante du glacier, Francœur et Maghnas se rendirent le plus près possible du bord afin d'observer la situation. Les Sormens s'apprêtaient effectivement à traverser la rivière. Peuple des Terres Mortes, ils n'ignoraient rien des dangers et des forces de la glace. À une vitesse étonnante, les vingt cavaliers en armes franchirent le cours d'eau et se dirigèrent vers la faille. Désespérément, les deux hommes examinaient les alentours à la recherche d'une issue. Combien de temps deux archers pourraient-ils les contenir ?

Les premiers Sormens à parvenir jusqu'à l'extrémité de la crevasse offrirent des cibles faciles à Jalnac et Horhar. Les deux gardes ajustèrent leurs flèches et ils visèrent chacun un Sormens. L'un tomba et l'autre, blessé, chercha à faire reculer sa monture, jetant la confusion derrière lui. Le chaos fut de courte durée. Les ordres d'un chef de troupe fusèrent, commandant de quitter les lieux à tous ceux qui s'y étaient engagés. Cela ne signifiait en rien la victoire du côté de Santerre. Les Sormens pénétrèrent de nouveau dans la crevasse, à pied cette fois, se tenant deux de front. Les quatre premiers brandissaient leur épée tandis que, juste derrière eux, quatre archers marchaient avec leur arc bandé, prêts à décocher leur trait sur l'ennemi. Lorsque les deux Fretts s'avancèrent pour tirer sur leurs poursuivants, des flèches sifflèrent aussitôt, les manquant de justesse, les obligeant à viser à l'aveuglette et sans causer de dommages.

Plus haut, Francœur et Maghnas cherchaient en vain comment intervenir. Un mouvement près d'eux attira leur attention. Shau venait les rejoindre.

– Nos archers ne pourront jamais les contenir, grogna Maghnas. Essayons de fuir à cheval. Eux sont à pied. Ils perdront beaucoup de temps à reprendre la poursuite.

– Tout sera à recommencer plus loin, objecta Shau. Rien ne garantit que nous trouverons de nouveau un endroit favorable...

– Favorable pour quoi ?

Pendant ce temps, Francœur examinait les lieux en silence. Soudain, un espoir fou le fit bondir. Il désigna une fine ligne à ses pieds, parallèle à la faille, à un peu plus d'un jambé du rebord. Sous la chaleur des rayons du soleil, de la neige avait fondu et l'eau remplissait une petite fissure maintenant apparente. Le Prince prit son épée à deux mains, droite devant lui, la pointe dirigée vers la fente. De toutes ses forces, il la planta dans l'interstice. Elle s'enfonça presque du tiers. Une expression triomphante sur le visage, il se tourna vers Shau et Maghnas.

– Vite, faites comme moi ! Frappons ensemble dans cette fissure.

Tous trois devinrent fébriles. Ils s'écartèrent pour laisser quatre ou cinq jambés entre eux puis, au signal de Francœur, ils se mirent à donner des coups d'épée qui pénétraient chaque fois plus profondément dans la glace. Soudain, un grondement sourd retentit, un bruit puissant, surgissant avec fureur des entrailles du glacier. Les deux Princes et le garde n'eurent que le temps de se jeter en arrière, épouvantés, pour s'éloigner le plus vite possible du bord. Ils virent une bande de glace disparaître de leur vue. Une couche de la paroi, rendue fragile par la fonte printanière, venait de se détacher. Une épaisseur insignifiante à l'échelle du Glacier des Eaux, mais une masse écrasante pour les Sormens sur lesquels elle s'abattit.

Au bref vacarme de l'éboulement se mêlèrent les éphémères cris d'horreur des guerriers Sormens. Puis le silence se fit, douloureuse absence du moindre son, du plus infime témoignage de vie épargnée.

Il fallut un long moment à Shau, Francœur et Maghnas pour oser s'avancer sur le bord de la crevasse. Le pas mal assuré, incapables de dire un mot, le cœur battant la chamade, ils s'approchèrent finalement. Ils restèrent là, figés dans une louche fascination, à scruter le décor étrangement serein. On aurait simplement dit que la faille avait été rapidement remplie de neige et de glace. Il n'y avait aucune trace apparente du drame qui venait de se produire. Rien d'autre qu'une épaisse et froide chape qui recouvrait les guerriers et qui les dissimulait au regard. C'était de les savoir là, même si leur présence était niée par le calme du paysage, qui troublait ceux de Santerre.

Soudain, Horhar arriva à la course. L'archer semblait encore incrédule.

– Mais par Elhuï, que s'est-il passé ?

L'arrivée du Frett fit réagir ses compagnons. Francœur recula en forçant les autres à faire de même.

– Nous avons provoqué la chute de la glace, répondit-il à mots lents, pesants. Nous avons contré leur attaque de la seule manière possible... Je crois... Maintenant, il faut partir. Vite. Fuir cet endroit maudit. D'ailleurs, d'autres Sormens arriveront sûrement dans peu de temps.

En hâte, les Princes et les gardes se rassemblèrent pour quitter les lieux. Retourner à la base du glacier fut relativement facile. La glace qui s'était effondrée en s'effritant créait une descente très inégale, mais assez régulière. Il suffisait d'enjamber les plus gros morceaux, parfois de les déplacer, et les montures franchissaient sans trop de mal les obstacles. Le pire pour les six compagnons était de savoir que vingt personnes se trouvaient sous leurs pieds, broyées par la masse blanche et glacée. Silencieux, la gorge serrée, ils n'osaient trop scruter la glace de crainte de distinguer des corps. Heureusement pour eux, le mélange opaque de glace et de neige durcie cachait bien ses victimes.

Non loin de la sortie de la faille, les vingt chevaux Sormens attendaient. Apeurés, ils s'étaient éloignés lorsque la paroi s'était écroulée sur leurs maîtres, puis ils étaient revenus près de la rivière.

– Amenons-les avec nous, suggéra Francœur. Ce sera une perte importante pour les Sormens et les nôtres pourront en profiter.

– De plus, ils ne sauront pas ce qui est advenu de leurs guerriers, renchérit sombrement Maghnas en jetant un coup d'œil vers la crevasse.

Après un dernier regard vers le glacier, ils chassèrent tant bien que mal le malaise qui les étreignait encore en s'affairant à regrouper les chevaux et à les diriger vers le sentier. Il fallait maintenant retourner le plus rapidement possible au Temple Fret. Ils devraient dormir en route, au même campement de chasseurs que la veille. Ces derniers pourraient surveiller l'avance des Sormens afin de ne pas être surpris par une autre troupe de cavaliers ennemis.

Le ciel se couvrait. Un vent froid les fit frissonner. Ce premier choc avec les Sormens avait été à leur avantage, mais parce qu'ils avaient été incroyablement chanceux. Lorsque les guerriers – des milliers assurément, selon Shau – arriveraient au Temple, quelle résistance pourraient-ils offrir ? Ce serait eux les victimes d'une avalanche noire et furieuse.

26.

Après une courte nuit de repos, Francœur, Shau et les gardes royaux étaient repartis très tôt le matin. Les dix chasseurs du campement les accompagnaient et s'occupaient de diriger les chevaux Sormens capturés la veille. Malgré le soleil radieux, la journée avait été pénible. Chacun ressentait une impression désagréable, redoutant à tout instant de voir surgir des cavaliers ennemis. La dépouille de Lebtar rappelait constamment la gravité de la situation et Taras souffrait de plus en plus de sa blessure.

Environ un millier de personnes vivaient aux alentours immédiats du Temple, un regroupement de trois gros bâtiments de pierres et de quelques résidences reliées par des galeries souterraines aménagées dans les chaudes entrailles de la terre. C'était un endroit de rencontre, de prière, d'administration, de commerce, d'entreposage, de refuge contre les éléments et de réjouissances communautaires. Le responsable des lieux était le Maître Frett, nommé par les chefs de famille pour une période de six ans afin de gérer les biens communs et de les maintenir en bon état. Depuis quatre ans, le poste avait été confié à Khandas, un puissant gaillard aux longs cheveux déjà aussi blancs que la neige, aux yeux vifs d'un gris surprenant, encore capable de coucher les plus jeunes d'une seule main, mais sage d'une solide expérience de la vie qui lui procurait autorité et respect en Région des Fretts.

Lorsqu'ils arrivèrent au lieu-dit Fret, en fin de journée, les Princes demandèrent à Maître Khandas de rassembler d'urgence des représentants de toutes les familles résidant à proximité. Pendant que des messagers parcouraient les environs, les torches et les âtres étaient allumés dans la Grande Salle du Temple. C'était la pièce centrale du plus important bâtiment du Temple, une salle de vingt-cinq jambés de large par plus du double de profond, de quatre tails de hauteur, aux murs de grosses pierres et au plafond fait de poutres de bois monumentales. Aucun ameublement n'était fixe, hormis une estrade à l'extrémité opposée de l'entrée principale. Les lieux pouvaient être aménagés selon les circonstances. Pour l'occasion, elle était vide afin d'accueillir le plus grand nombre de gens debout. Dans un flux continu, les Fretts arrivaient – surtout les hommes –, alarmés par cette exceptionnelle convocation et impatients de savoir ce qui se passait réellement. Déjà des rumeurs couraient et les conversations allaient bon train.

Dès que Maître Khandas estima que la population était bien représentée – un peu plus de deux cents personnes étaient massées dans la salle –, il monta sur l'estrade en compagnie de Francœur, Shau et Maghnas. Il tira la corde d'une grosse cloche suspendue au-dessus d'eux, donnant ainsi le signal de s'approcher et de se taire.

– Mes amis, il se déroule des événements très graves qui nous obligent à prendre rapidement des décisions importantes. Je vais laisser à Prince Francœur le soin de vous relater ce qui vient de se produire à moins de cent miljies d'ici vers la Mi-Nuit.

Le jeune homme attendait avec impatience de prendre la parole. En regardant tous ces gens au visage inquiet, il ne voyait pas une foule. Il distinguait des personnes avec chacune son histoire, ses espoirs, son bonheur à préserver. Nul ne possédait comme lui la connaissance des armes ou des relations complexes du pouvoir. Par contre, ces gens étaient riches d'un savoir essentiel – celui de la vie quotidienne, du travail qui s'inscrit dans le temps et dans les lieux du Pays de

Santerre – qui le rendait responsable d'assumer leur protection. Au-delà d'une obligation découlant de son titre de Prince ou des enseignements des membres de la Race Ancestrale, il ne concevait désormais plus autre chose à faire. C'était par cet engagement que sa vie prenait totalement sa signification. Son rôle devenait enfin concret.

Maintenant que toute l'attention était tournée vers lui, Francœur commença à décrire la situation.

– Fretts de Santerre, le Peuple Sormens a constitué une troupe de plusieurs milliers de guerriers. Ils sont descendus par le Grand Cap pour marcher sur les terres auxquelles nous appartenons. Leur but est de s'approprier Santerre par la force des armes, de nous chasser et de remplacer notre autorité par la leur. Leur premier objectif est ici, le Temple de la Région des Fretts, et ils arriveront vraisemblablement après-demain.

Des murmures sceptiques accueillirent ces paroles. Une telle situation était si inconcevable que les ordonnances du Roi Alahid avaient été prises à la légère. Chaque famille possédait bel et bien une épée, et les gens en âge de se battre avaient appris à le faire. Toutefois, les habitants de la région n'y voyaient qu'une précaution inutile devant un danger bien improbable. Maître Khandas réclama de nouveau le silence et Francœur poursuivit son récit, expliquant en détail ce qui s'était produit.

Une femme l'interrompit en criant son incrédulité, mettant particulièrement en doute la crédibilité de Shau.

– Qui êtes-vous pour tenter de nous faire avaler de telles sornettes ? Vous avez d'ailleurs des allures d'étrangers. Toi, jeune homme, tu peux à la rigueur passer pour un Culter. Mais l'autre, à côté de toi ? Son apparence n'est-elle pas celle d'une femme d'un pays de la Ceinture d'Eau ? Pourquoi vous faire confiance ?

– Je suis Frett, affirma Maghnas en s'avançant pour pendre la parole. D'ailleurs, tu dois me connaître, je suis de la famille

Bodarhar. Alors, écoute ma voix ! Prince Francœur et Prince Shau sont ici pour dire la vérité. Nous avons combattu côte à côte contre des Sormens.

– Je n'en crois rien, lança un homme dans la foule. Aucun peuple n'a jamais eu un tel comportement ! Cela n'a aucun sens.

– Et si c'était vrai ? cria une femme. Le Roi Alahid a toujours été d'une grande sagesse et c'est à cela qu'il nous a préparés.

Un brouhaha indescriptible suivit ces interventions, les uns appuyant les Princes, les autres les contestant. Francœur brûlait d'impatience à l'idée d'intervenir, mais Maître Khandas lui fit signe de le laisser agir. Il lui revenait de diriger cette assemblée. Le Frett laissa s'écouler juste le temps nécessaire pour que les gens s'expriment, sans toutefois que les positions se campent trop fermement. Alors, il fit sonner la cloche de nouveau. Le calme se fit rapidement.

– Mes amis, ce soir la question n'est pas de débattre d'hypothèses et de suppositions sur la valeur des faits ou sur ceux qui les rapportent, mais bien de décider comment réagir. Ou la situation est grave et notre inaction sera lourde de conséquences ; ou ce n'est que du vent et l'action sera simplement une fausse alerte.

Le Maître Frett avait ébranlé même les plus sceptiques. Dans un silence tendu, il poursuivit sa harangue.

– Nous n'avons pas le choix. Nous ne pouvons prendre le risque de retourner à nos occupations quotidiennes en croyant que nous ne courons aucun danger. Il faut décider ce que nous allons faire en considérant que des milliers de Sormens arriveront ici les armes à la main, déterminés à anéantir toute résistance. Si l'ennemi se présente, nous serons prêts. S'il ne se montre pas, les Princes de Santerre devront en répondre devant nous tous. Quant à moi, je refuse de discuter un instant de plus de sujets stériles. Je préfère défendre la Région des Fretts. Quelqu'un a-t-il quelque chose à ajouter ?

200

Les poings sur les hanches, Maître Khandas fixa l'assemblée. Personne n'osa le contester.

– Nous avons en fait deux choix, reprit-il gravement. Organiser la défense du Temple ou nous disperser dans la forêt. Dans les deux cas, les Sormens seront victorieux, il n'est même pas permis d'en douter.

La foule demeura pétrifiée, plongée dans un long silence, stupéfaite à la suite de l'affirmation du Maître Frett. Puis les gens commencèrent à tourner la tête pour interroger les autres du regard, pour chercher sur les visages familiers un quelconque point de repère afin de faire face à ce dilemme tragique. Se battre en vain, ou fuir inutilement ?

Le Maître Frett reprit la parole pour interpeller par leur nom les gens susceptibles d'être les plus influents et leur demander leur avis.

– Toi, Balchar, qu'en dis-tu ? Toi, Gardfel, qu'en penses-tu ? Et toi, Holdar ?

Ainsi sollicitée, une femme aux cheveux gris fut la première à répondre.

– J'ai des fils, des filles et maintenant des petits-enfants. Je ne leur ai pas donné la vie pour qu'ils la perdent dans des combats. Je ne peux concevoir que seules les armes puissent s'opposer aux Sormens !

De l'autre côté de la salle, un homme du même âge répliqua aussitôt.

– Moi aussi, j'ai des enfants et des petits-enfants que j'aime. Ce que j'ai bâti durant toute ma vie, c'est pour eux et non pas pour l'abandonner à des étrangers.

Cette fois, la discussion était lancée sur ce que les Fretts devaient faire. Chargés d'émotion, les échanges définirent rapidement les deux possibilités qui s'offraient à eux, avec leurs conséquences inévitables. Certains étaient prêts à prendre les armes et à se battre. Cependant, s'ils tentaient de se regrouper au Temple et de s'opposer à l'attaque des Sormens, ils succomberaient inévitablement sous leur nombre. Ce serait un sacrifice inutile. D'autres souhaitaient éviter de risquer des vies. Toutefois, s'ils fuyaient pour se cacher dans les bois, ils abandonneraient tous leurs biens aux envahisseurs et ils seraient incapables de les reprendre. Ils ne seraient plus que des fuyards perpétuels, des dépossédés sur la terre à laquelle ils appartenaient. Dans un cas comme dans l'autre, les Sormens s'approprieraient la Région des Fretts.

Constatant qu'aucun nouvel argument n'était apporté, Maître Khandas fit sonner la cloche pour exiger le silence. Visiblement lui-même indécis, il avait cruellement conscience que le temps pressait et qu'ils n'avaient plus le loisir de le gaspiller.

– Mes amis, tout est dit quant au choix que nous devons faire. Maintenant, il faut statuer. Nous savons d'avance que cela sera déchirant, mais nous...

Soudain, un couple s'avança vers l'estrade, des jeunes d'allure fière et déterminée. Commettant un manquement très rare aux règles, ils interrompirent le Maître Frett.

– Nous discutons pour prendre une décision urgente sur un sujet auquel nous n'avons jamais réfléchi, fit l'homme.

– Ceux qui nous annoncent cette menace portent un titre étrange, poursuivit la femme. Notre Roi les a désignés sous le nom de Princes de Santerre. Ont-ils, eux, déjà évalué tous les aspects d'une telle situation ?

– Ils sont venus durant l'hiver nous obliger à acquérir une épée et à nous entraîner aux combats. Maintenant, nous laissent-ils à nous-mêmes ?

– Quelles sont vos paroles, Princes de Santerre ?

Il y avait de la frustration en eux, mais surtout beaucoup d'espoir. Ils ne défiaient pas, ils désiraient savoir. Francœur n'attendait que ce moment pour parler de nouveau en tant que Prince. Jusque-là, il avait rongé son frein à écouter les discussions, s'astreignant à écouter les arguments sans intervenir. Il s'avança sur le bord de l'estrade, un peu devant Maître Khandas, pour s'adresser d'abord au couple, puis à toute l'assemblée.

Il parla d'une voix forte et ferme, chargée de passion et de conviction.

– Vous avez vu juste, nous considérons depuis longtemps l'éventualité d'une attaque de guerriers ennemis. Voilà pourquoi nous avons tant parcouru le pays durant l'hiver pour préparer des troupes capables de faire face à des envahisseurs, sans savoir d'où ils viendraient. Nous avons longuement discuté des mesures à prendre et de leurs répercussions. Aujourd'hui, nous avons des choses à proposer, non pas que nous soyons plus sages ou plus clairvoyants que vous, mais parce que cette tâche nous a été confiée. Nous n'attendions que l'instant où il serait opportun de parler. Le moment où nos paroles seraient écoutées.

– Dites-nous ce que vous croyez qu'il faut faire, Princes de Santerre, lancèrent spontanément plusieurs personnes.

– Gens de la Région des Fretts, qui d'entre vous ferait face seul à un désastre majeur ? poursuivit Francœur. Continuellement, entre parents et amis, vous faites preuve d'entraide devant l'adversité. Toutefois, jusqu'à ce jour, chaque région de Santerre s'est comportée comme un pays indépendant. Devant les Sormens, vous pensez naturellement en Fretts. En Région des Artans, ils penseront en Artans. En Région des Culters, ils penseront en Culters. En Région des Baïhars, ils penseront en Baïhars. Voilà qui avantagera les Sormens. Désormais, il faut réagir en Gens de Santerre. Vous ne devez pas protéger la Région des Fretts, vous devez lutter pour le Pays de Santerre. Pour *votre* pays, cette terre à laquelle vous appartenez, qui s'étend de la Mer du Couchant jusqu'au Grand Cap, de la Contrée des Chasseurs jusqu'à la Grande Forêt. Quand vous parlez des Princes de Santerre, vous ne devez plus dire « vous ». Lorsque nous vous parlons, nous ne devons plus dire « vous ». Tous ensemble, unis, il faut dire « NOUS ».

Francœur insista de nouveau sur la nécessité de réaliser enfin l'unité de Santerre qui demeurait toujours une association très théorique de quatre régions autonomes. Quatre groupes unis par la raison, mais pas encore par le cœur.

– Ce que nous devons faire maintenant, c'est agir en Gens de Santerre. Quittons ces lieux où nous sommes vulnérables. Apportons avec nous tout ce qui risquerait d'avantager les Sormens s'ils peuvent l'accaparer : nourriture, armes, vêtements. Replions-nous vers les Monts Chantants et regroupons nos forces avec celles des autres régions. Ce n'est pas abandonner la Région des Fretts. C'est protéger Santerre ! C'est certainement le contraire de ce que souhaitent les Sormens. Ils savent qu'ils sont supérieurs en nombre contre les Fretts, contre les Culters, contre les Baïhars et contre les Artans. Leur stratégie doit reposer sur des actions décisives dans chaque région et non contre un pays entier. Ils ignorent combien nous sommes supérieurs en tant que Gens de Santerre.

Le jeune Frett qui avait interrompu Maître Khandas reprit la parole.

– Je suis d'accord, Prince de Santerre. J'ai souvent entendu les aînés parler des Culters comme de purs étrangers. On raconte aussi parfois qu'il reste des liens anciens qui unissent les Artans et les Baïhars avec les Sormens ainsi qu'avec les Saglans. Mais tout cela relève d'un passé qui ne me concerne pas. Ni moi ni mes enfants ! Aujourd'hui, et demain, je veux que vive notre pays, Santerre ! Je suis avec toi... mon Prince !

– Santerre ! Santerre ! Santerre ! cria la jeune femme à ses côtés.

D'autres voix se joignirent graduellement à la sienne. Ce fut d'abord comme une clameur éparse, timide. Puis ce fut comme une seule voix qui se gonfle pour devenir puissante, irrésistible, reprise par des dizaines de gens et finalement par la foule entière.

– Santerre ! Santerre ! Santerre !

Devant eux, Francœur et Shau eurent l'impression merveilleuse qu'ils assistaient à la véritable naissance du Pays de Santerre. Le jeune homme prit la main de sa compagne et la serra avec émotion. La chaleur qui montait en lui chassait ses éternels doutes et confirmait la justesse de sa tâche.

Chant de bataille

27.

Au cours de la nuit, après que Francœur se fut adressé aux Fretts, Maître Khandas avait organisé l'évacuation du Temple. Des messagers avaient été désignés pour se rendre dans les villages et les campements d'hiver des chasseurs pour expliquer la situation et transmettre les ordres de départ. Les Princes avaient apprécié au plus haut point son efficacité et son autorité, tout en le secondant sans compter leurs efforts. Entre eux et le Maître Frett s'étaient tissés immédiatement des liens d'amitié ainsi qu'un grand respect mutuel. Le lendemain, Shau et Francœur avaient préparé leur retour à Belbaie avec Maghnas, Jalnac et Horhar. Ils avaient confié au Maître Frett la dépouille de Lebtar ainsi que Taras dont la blessure nécessitait des soins attentifs. Enfin, avec son accord, ils avaient recruté dix Fretts pour les accompagner avec des chevaux pris aux Sormens.

Ce fut donc une troupe de quinze cavaliers qui força l'allure au maximum en direction de Belbaie. Sur leur route, ils prévenaient tous ceux qu'ils rencontraient, mettant le Pays de Santerre en alerte. Au huitième jour d'une folle chevauchée, hommes et bêtes exténués, ils arrivèrent à destination et se dirigèrent immédiatement au Temple.

Informés que leurs compagnons se trouvaient justement chez le Roi Alahid, Francœur et Shau se hâtèrent de se rendre à la Résidence des Sages. Ils gravirent à la course l'escalier menant à l'étage supérieur. Si les lieux étaient riches d'histoire, ils se révélaient austères quant à l'aménagement. Outre sa chambre privée et une petite pièce de méditation, Alahid disposait d'une salle de travail éclairée par des fenêtres étroites qui perçaient les murs depuis le plancher de pierre jusqu'au plafond entre de massives poutres de chêne. Les Princes y étaient déjà venus à quelques reprises, et ils prenaient de nouveau place à la grande table de bois clair, rehaussée par de fines incrustations de roches polies, qui constituait l'essentiel du mobilier avec une vingtaine de sièges ainsi que les étagères et les armoires couvrant les murs. Après de chaleureuses mais rapides retrouvailles, les Princes et le Roi partagèrent les dernières informations.

La gravité de l'expression de Francœur et de Shau alarma leurs compagnons.

— Nous apportons de mauvaises nouvelles, annonça le jeune homme. Ce que nous redoutions est désormais enclenché. Une armée de plusieurs milliers de Sormens a pénétré en Santerre. Déjà nous avons dû engager le combat et des vies ont été perdues. Le Temple Fret a été abandonné et les habitants de la région sont en route vers Belbaie pour y trouver refuge.

— Il semble aussi que le Sorvak Raidak soit celui qui les commande, ajouta Shau. Nous avons nettement entendu un guerrier ennemi vouloir le prévenir.

Les deux Princes relatèrent en détail leurs aventures en Région des Fretts et les observations qu'ils avaient faites. Il fallut un certain temps avant que l'un d'eux réagisse, tant ils paraissaient tous assommés par la nouvelle. Ce fut Gouïk qui brisa le silence.

— Murdasak de douvayboush de jayfhil, le piège était gros et c'est une chance que vous n'y soyez pas tombés. Ça me soulage !

Les visages se tournèrent vers le Gouhach, exprimant tous la stupéfaction. Francœur l'interrogea, vraiment décontenancé.

— De quel piège parles-tu ?

— Pirchoukouëk, du souhait des Sormens d'engager des combats en Région des Fretts et d'y attirer toutes les forces de Santerre. Vous avez tous du fourrage humide entre les deux oreilles, ou quoi ? C'est limpide comme du koulafel, tout ça !

— Et que devrions-nous distinguer que notre bête ignorance nous empêche de voir ? s'impatienta soudain Jhibé.

Depuis l'attentat qui avait coûté la vie à Safyr, le ménestrel s'emportait facilement. Aussi le Gouhach n'en tint pas compte. Il se contenta de terminer son explication en évitant ses sarcasmes habituels en pareille circonstance.

— Preulflik, si le Peuple Sormens attaque Santerre, pourquoi une armée serait-elle commandée par un étranger, un Sorvak dans le cas présent, à qui vos adversaires font référence, confirmant de cette manière son rang à la tête des assaillants alors que ces combattants ont leur Roi qui sait les diriger, ce qu'il a déjà prouvé par le passé, et qui devrait naturellement être le chef ultime d'une horde formidable pour un assaut de cette envergure. C'est visiblement clair comme du wibalvinie de sekolhande qu'il ne s'agit pas de la totalité des forces ennemies descendues par le Grand Cap, car elles sont relativement limitées tout en étant assez importantes pour vaincre les premières résistances, ce qui laisse supposer qu'ils auraient bien aimé qu'on affaiblisse nos défenses à l'emplacement où Mornac arrivera avec le nombre le plus considérable de ses guerriers en profitant ainsi de l'effet de surprise combiné à la supériorité numérique en un lieu déserté parce que les Gens de Santerre se seraient précipités ailleurs dans les plus intenses délices du Roi Sormens qui tend le piège. Plurchuk que c'est limpide !

Peu habitué au langage du Gouhach, le Roi Alahid le fixa avec une grimace décontenancée.

— Qu'est-ce qui est si limpide ?

– Touarchalilak, que le Roi Mornac va surgir bientôt à un endroit différent avec le gros de ses troupes. Que voulez-vous qu'il se passe d'autre ?

– Et où donnera-t-il l'assaut ? demanda Alahid d'un air perplexe.

– Bhinsa, je ne saurais pas voir, bredouilla Gouïk soudainement intimidé par le Roi. Je vois bien ce qui est visiblement évident de visibilité quand il faut voir ce qui n'est pas invisible, mais je ne devine pas le futur. Je suis juste un Gouhach, pas un devin ! Et ne me regardez pas tous comme ça en attendant des révélations que je ne peux pas vous faire...

– Rassure-toi, tu es le plus clairvoyant de tous ici, affirma bien haut Shau pour le réconforter. Chacun l'apprécie et t'en remercie.

– C'est vrai, renchérit aussitôt Francœur. Gouïk, tu vois juste, j'en suis convaincu ! Nous devons maintenant préparer Santerre à résister au Roi Mornac. Il faut découvrir d'où viendront ses troupes. Peut-on consulter une représentation du Lentremers ?

Le Roi fit signe que oui. Il ouvrit l'armoire d'où il sortit une carte qu'il déroula sur la table. Ils s'installèrent tous autour pour bien observer les endroits que Francœur pointait en donnant ses explications.

– Nous avons passé l'hiver à imaginer comment un assaut d'envergure serait mené contre Santerre. Voyez, BaiNorde se trouve ici. Nous estimions que le plus facile pour les Sormens serait de suivre le Grand Cap jusqu'à cet endroit, au-delà du Glacier des Eaux, et d'entrer en Région des Fretts. C'est effectivement ce que Raidak a fait. Cependant, nous avons toujours considéré une seule attaque où l'ennemi concentrerait toutes ses forces. Heureusement, Prince Gouïk a compris que les Sormens pouvaient diviser leurs troupes pour nous tromper...

L'excitation gagna le groupe réuni autour des cartes. L'impression de déjouer une ruse magistrale de l'adversaire enflammait leur esprit et chacun y allait de ses suppositions. Finalement, Francœur résuma la situation.

– Les hommes commandés par Raidak ne constituent qu'une portion de l'armée. Ils pénètrent en Région des Fretts depuis le Grand Cap et, pendant ce temps, Mornac quitte BaiNorde par bateau. Il contourne la Contrée des Chasseurs en longeant les côtes de la Mer du Couchant pour aborder en Santerre par la Baie Joyeuse. Nous sommes tous partis combattre l'envahisseur qui nous attire à la Mi-Nuit, laissant la Région des Baïhars sans défense. Le Roi Sormens arrive alors à Belbaie pour débarquer là où se trouvent les installations idéales pour recevoir tous les navires qu'il a affrétés pour l'occasion. Un mouillage parfait, totalement à sa merci...

– Il faudrait pouvoir vérifier cela rapidement, fit Herkas. Mais comment ?

– C'est facile ! s'écria Shau. Notre voilier Haylabois est toujours au port. Il est certainement beaucoup plus rapide que des bateaux Sormens transportant des troupes. Je peux prendre la mer et remonter les côtes en éclaireur. Si une flotte Sormens s'approche, j'aurai amplement le temps de revenir avant elle.

– La navigation est encore risquée à cette époque de l'année, surtout vers la Mi-Nuit, objecta Herkas. Les glaces flottantes sont traîtresses.

– Il faut courir ce risque, affirma Francœur. Et j'en serai. J'ai appris à manœuvrer ce navire l'été dernier. Nous recruterons de bons marins de Belbaie, six personnes en tout sur le voilier. Ce sera suffisant pour naviguer sans arrêt, mais sans nous surcharger inutilement et nous ralentir.

– C'est un bateau de chez moi, alors j'en serai pour le diriger, poursuivit Shau. Allons au port dès ce soir. Je suis certaine que nous pourrons tout préparer afin de prendre la mer demain, à l'heure du mi-jour tout au plus.

– Pendant ce temps, nous rassemblerons les troupes nécessaires pour faire face à celles de Raidak, enchaîna Herkas.

De se lancer à l'action stimulait les Princes. Ils émettaient des hypothèses pour chaque situation, ils échangeaient des idées pour coordonner leurs gestes et, surtout, ils s'enflammaient à la perspective de contrer les Sormens. Seul Alahid demeurait en retrait, silencieux, affichant une mine préoccupée.

Soudain, le Roi réclama l'attention.

– Princes de Santerre, je reconnais là votre dévouement et la foi en votre mission. Formez vos troupes et donnez vos ordres de guerre au nom du Roi de Santerre. Que des peuples se combattent dépasse mon entendement et je ne saurais entrer efficacement dans cette logique. Je m'en remets désormais à vous pour prendre les bonnes décisions.

Alahid avait plus spécifiquement regardé Francœur en disant cela. Celui-ci acceptait certes la mission confiée par leur souverain au nom de tous les Princes de Santerre, mais surtout en son nom personnel, avec engagement total et sincère.

– Nous sommes au service de Santerre et du Bien, répondit-il en s'inclinant.

Le membre de la Race Ancestrale ferma les yeux un moment et soupira gravement. Il mesurait à quel point ses frœurs et lui avaient failli à leur tâche de guider les peuples du Monde d'Ici vers leur épanouissement serein et fructueux. En plus de l'affrontement désastreux contre Vorgrar, ils étaient maintenant douloureusement isolés les uns des autres. Et lui, Shan Tair Cahal, se sentait tellement impuissant devant leur gâchis.

28.

Lorsque les compagnons redescendirent l'escalier menant à la salle publique de la Résidence, ils la découvrirent bondée. La nouvelle de l'attaque des Sormens était maintenant connue dans tout Belbaie. Une foule inquiète affluait, avide d'être au fait de la situation exacte et considérant désormais le rôle des Princes avec le plus grand sérieux. Spontanément, Francœur fit demi-tour pour remonter de quelques marches afin que tous puissent bien l'apercevoir et l'entendre.

Inspiré et passionné, le Prince dégageait de plus en plus cette autorité fougueuse qui sait enflammer les cœurs et inciter à le suivre dans l'action.

– Gens du Pays de Santerre, Prince Shau et moi arrivons de la Région des Fretts. Nous avons vu l'armée des Sormens marcher sur les terres auxquelles nous appartenons. Nous avons affronté et vaincu leurs guerriers. Déjà, des mesures sont prises pour faire face à cette menace, conformément à la volonté de notre Roi Alahid. Nous venons de lui faire rapport de la situation et il nous fera part de ses décisions sans tarder. N'ayez crainte, nous ne sommes pas démunis devant cette inconcevable agression. Ce fut notre rôle, à la demande du Roi, de préparer le pays à cette éventualité. Nous sommes capables de repousser les Sormens. Ses quatre régions unies, le Pays de Santerre possède la force nécessaire pour se protéger et triompher. Ne répandez pas la panique, mais plutôt l'espoir.

Chassez les doutes et faites confiance au Roi. Nous, les Princes de Santerre, donnerons les ordres en son nom. Nous serons prêts et nous ferons face pour combattre. Ce ne sera pas facile. Nous verserons des larmes et du sang, mais nous préserverons l'âme et les valeurs de notre pays. Vive notre Roi ! Vive Santerre !

Levant la main au-dessus de sa tête, l'index pointé avec assurance, il se mit à scander le nom du pays avec passion.

– Santerre ! Santerre ! Santerre !

Galvanisée, la foule répondit d'une seule voix en faisant le même geste.

– Santerre ! Santerre ! Santerre !

Le Prince descendit l'escalier tandis que les acclamations se calmaient, remplacées par le brouhaha des conversations redevenues plus optimistes. Ensuite, ce fut presque une fuite de la Résidence tant les gens cherchaient à le retenir pour l'interroger. Francœur devait sans cesse les rassurer et promettre de revenir leur parler dès qu'il y aurait du nouveau. Pour couper court aux questions, il lançait des encouragements qui étaient repris en chœur autour de lui ou il interpellait les plus bruyants pour savoir si leurs armes étaient prêtes.

Une fois à l'extérieur, Shau fit part de son désir de se rendre immédiatement au port afin d'examiner le voilier. Jhibé proposa de l'accompagner car il devait s'acquitter d'une tâche personnelle dans la vieille Cité. Francœur, Gouïk, Delbiam et Herkas prirent pour leur part la direction du Palais des Princes. Ce fut avec plaisir qu'ils s'installèrent dans la salle commune pour préparer à manger.

Gouïk fut évidemment le premier à commenter la situation.

– Sirkuseil, offrons-nous donc un festif repas du soir digne de célébrer l'événement dramatiquement déterminant que nous avons vécu en ce jour grâce à l'habileté magistralement adroite et talentueusement futée de notre cher Francœur !

— Et ça vaut bien d'ouvrir sans tarder une bonne bouteille de vin, renchérit Delbiam.

Joyeusement, ils se rappelèrent ce qui s'était passé, Gouïk et Herkas décrivant les réactions qu'ils observaient pendant que leur compagnon haranguait la foule. Silencieuse, souriante, la Culter se remémorait la scène en regardant son enfant avec fierté.

— Je suis si heureuse de constater à quel point tu t'impliques totalement, confia Delbiam plus sérieusement. J'ai entraîné un fils hésitant en Santerre contre son gré, et me voilà devant un homme déterminé de qui j'attends désormais les ordres !

— Non seulement un meneur de guerriers, mais aussi un chef habile à discerner les intentions de l'ennemi et à établir des stratégies pour lui faire face, apprécia Herkas.

Intimidé par l'enthousiasme de ses compagnons, Francœur chercha à minimiser les éloges qu'ils lui adressaient.

— Il faut bien que mon apprentissage de Seigneur Alisan me soit utile, ainsi je n'aurai pas grandi inutilement auprès de Mithris Sauragon ! plaisanta-t-il avant de redevenir sérieux. Dans mes actions et mes décisions, je suis d'abord redevable aux enseignements du Sage Delbon et de notre Roi Alahid reçus tout l'hiver en compagnie de Shau. La Pensée du Bien que nous enseignent les membres de la Race Ancestrale m'apparaît si importante que je suis désormais prêt à tout pour la défendre contre celle de l'Eprit Mauvais. Toutefois, je suis si petit dans ce combat qu'on me demande de diriger. Lorsque je m'arrête à y réfléchir, je crains de commettre une erreur dont vous auriez à payer le prix, vous ou toute personne de Santerre.

— Chalbiparkouët, je lève mon verre à cela, s'exclama soudain Gouïk avec entrain. Maintenant mangeons bien, puis allons rejoindre nos amis au port. Il serait trubacluïk qu'ils s'éreintent à l'ouvrage pendant que nous faisons bombance !

Les Princes rirent de bon cœur, surtout Francœur qui appréciait comment son camarade Gouhach savait changer de sujet au bon moment. Après le repas, ils se rendirent en marchant à la vieille Cité. C'était une belle soirée de printemps. Déjà, les jours étaient plus longs et le temps agréable donnait envie de s'attarder à l'extérieur. En approchant de l'endroit où Safyr avait perdu la vie, un certain malaise gagna le Frett et la Culter, comme chaque fois qu'ils repassaient là. Cette fois, ils notèrent qu'un petit bouquet de fleurs avait été accroché sur le mur, juste sous la structure maintenant achevée de construire.

Delbiam le désigna à ses amis.

– Voilà qui est certainement à la mémoire de Safyr. Croyez-vous que ce soit de la part de Jhibé ?

– Il faudrait être arhpeureis pour en douter, assura Gouïk. C'est clair comme de la jurtikal sur du mihersak !

– Effectivement, il a tellement changé depuis l'attentat, soupira Herkas. Il ne chante plus ses airs entraînants et ses doux poèmes... Parfois, il y a de la hargne dans ses propos, de la brusquerie dans ses gestes et tant de colère dans ses yeux. Pourtant, il n'y avait rien de déclaré entre eux, aucune relation particulière qui les unisse !

– Vous avez vu son visage lorsqu'il a découvert les paroles de ses chansons si bien transcrites par Safyr, fit remarquer Delbiam. Il était bouleversé.

– Trukulamuïk, interrompit le Gouhach. Vous avez des écailles de tortue par-dessus les paupières ou quoi ? Vous n'avez jamais vu que Jhibé est un doux rêveur sensible qui vibre aux sensations que ses sens ressentent ! Son cœur tout entier tourné vers la beauté du monde vient de voir, de sa propre vue, la repoussante vision de l'horrible laideur que signifie l'affrontement avec la Pensée de Vorgrar. Friuuuuul ! Ça désaccorde la musique en lui !

Les Princes opinèrent gravement, puis ils pressèrent le pas pour se rendre au port par les ruelles désordonnées de Belbaie. En approchant des quais, ils constatèrent qu'il y régnait une grande agitation. Cette année, sur les rivages de la Baie Joyeuse, les battures avaient cédé tôt, ainsi que le disaient les marins. Cela signifiait que l'estran était libre de glace, à l'exception de gros blocs qui fondraient sur place. La navigation pouvait maintenant reprendre normalement et le port recommençait à grouiller d'activités. Déjà, Shau et Jhibé avaient entrepris le recrutement de leur équipage et ils en avaient profité pour demander l'aide des gens. Le voilier du Haylabec, utilisé l'été précédent par Francœur et ses compagnons, avait été démâté et mis à l'abri dans un hangar pour l'hiver. Avec une trentaine de solides gaillards pour les assister, il avait fallu peu de temps pour le remettre à l'eau, le mâter de nouveau et s'assurer qu'il était en parfait état.

C'était un bateau relativement petit, d'au plus douze jambés de coque, équipé d'une grande voile triangulaire et de trois jeux de rames, pointu à l'avant, large et plat au centre pour plus de stabilité, et carré à l'arrière avec une cabine couverte pour dormir. Comme tous les navires Haylabois dignes de ce nom, sa figure de proue donnait le ton à une décoration aux couleurs criardes permettant de les identifier de loin. Le thème de celui-ci était inspiré d'une sorte de cheval des Terres Brûlées, au pelage ras avec un motif de lignes très contrastées. Cela se traduisait sur la coque et sur la voile par un ensemble de lignes jaune clair et marron profond.

Se trouvant encore à quelque distance, Francœur s'arrêta pour examiner le voilier.

– Même si la nuit est tombée, on le voit de loin ! fit-il d'un air perplexe. Sur la mer en plein jour, cela ne sera pas vraiment discret.

– Le plus important sera sa vitesse, répondit Herkas. Il n'est pas question de s'approcher de navires ennemis. Et puis, comme ce n'est pas un bateau de Santerre, les Sormens seront peut-être moins méfiants.

Le jeune homme soupira, apparemment pas entièrement convaincu. Ils s'engagèrent sur le quai pour rejoindre Shau et Jhibé qui discutaient avec un groupe de marins. Même à bonne distance, Francœur remarqua immédiatement le contraste entre les deux Princes. Alors que la Haylaboise dégageait une grande énergie dans sa posture et dans ses gestes, le ménestrel paraissait sombre, le corps courbé sous le poids d'une sourde colère.

En apercevant ses amis, Shau se précipita à leur rencontre en souriant.

— Voyez, tout est en parfait état à bord, la coque est bien étanche et le voilier est pratiquement prêt à partir, s'enthousiasma-t-elle. Nos quatre marins sont choisis et les derniers préparatifs se termineront tôt demain matin. Ce sera presque une excursion de plaisir !

— Qu'Elhuï t'entende ! soupira Francœur en prenant la jeune femme par la taille. Je sais que tu brûles d'impatience de renouer avec la mer, fille du Haylabec ! Mais ce sera une expédition dangereuse.

— Allons, cela m'inquiète beaucoup moins que ce que nous avons vécu en Région des Fretts, répliqua-t-elle en souriant.

La perspective de se retrouver au large excitait Shau. Pour cette fille d'un pays de marins, cela ressemblait à une récompense après les innombrables chevauchées en Santerre. Francœur ne put que succomber à la joie de sa compagne.

Puisque leur arrivée coïncidait avec la fin des opérations pour la soirée, ils décidèrent de faire une halte à l'auberge des Mille coques avant de retourner à leur résidence pour la nuit. Ils furent immédiatement pressés de questions. Prévenus de la présence des Princes et maintenant informés des événements en Région des Fretts, les Baïhars affluaient sans cesse dans l'établissement. Ils souhaitaient connaître la gravité de la situation ainsi que la manière dont ils s'organiseraient face aux Sormens.

De nouveau, Francœur se mit à haranguer la foule. Encore une fois, il souleva l'auditoire par sa passion et sa détermination. Les gens scandaient le nom de Santerre, laissant de côté leur seule région pour s'associer désormais à tout le pays.

Lorsqu'il eut fini, ce fut Jhibé qui s'empressa de grimper sur une table pour prendre la parole. Il avait emprunté un instrument à un musicien présent à l'auberge, une sorte de tambour sur lequel étaient tendues des cordes. Le ménestrel en tirait des sons à la fois graves et rythmés, particulièrement entraînants pour faire chanter un auditoire à l'unisson. Il répéta deux fois le refrain et déjà la foule le savait. Puis, après chacun de ses couplets, elle le reprenait avec toujours plus d'intensité.

— *Aux armes ! Fils et filles d'ici !*
Aux armes ! Sus à l'ennemi !
Ensemble, soyons unis
Ensemble, nous vaincrons

Gens de Santerre
Nous sommes en guerre
Levons nos épées
Soyons prêts à frapper
Ils arrivent de l'étranger
Avec dessein de nous égorger

Que leur infâme sang
Soit pour toujours maudit
De leur immonde sang
Totalement, nous les viderons
Même s'il faut, pour les exterminer
Notre propre sang verser

Notre beau pays de Santerre
Jamais ne sera esclave
Personne n'occupera nos terres
Cela serait trop grave
Baïhars, Artans, Fretts et Culters

Nous refusons toute entrave
Debout, marchons sans ralentir
Chaque jour, battons-nous sans faiblir
S'il le faut à mains nues
Chaque coup est le bienvenu
Enfantons de nouveaux héros
Pour remplacer ceux au repos

Jamais ces guerriers étrangers
Ne s'approprieront nos foyers
Jamais ils ne viendront souiller
Nos précieuses destinées
Qu'ils le sachent, ils doivent trembler
Qu'ils l'apprennent, ils vont tomber

Pour préserver toujours notre liberté
Soyons aujourd'hui sans pitié
Notre combat est celui du juste
Notre triomphe sera auguste
Pour Santerre, rien d'autre que la victoire
Pour Santerre, viennent les jours de gloire

Les Princes de Santerre regardèrent leur compagnon, totalement déroutés. Jamais ils n'auraient cru possible que le doux ménestrel devienne si hargneux. Les mots avec lesquels il célébrait habituellement si magnifiquement l'amour s'étaient transformés en appel à la haine. Son visage, que sa poésie savait tant embellir, n'était plus que pierre froide, dure et fermée.

Gouïk avait vu juste. Le poète si sensible à la beauté du Monde d'Ici était profondément bouleversé par la menace qui pesait sur sa fragile splendeur.

29.

Le voilier Haylabois fendait les flots de la Mer du Levant, profitant d'un grand vent de travers. Défiant les glaces encore présentes, l'équipage avait navigué durant deux journées entières pour explorer les côtes en remontant vers la Mi-Nuit. Peu de temps après le lever du soleil, le matin du troisième jour, Shau avait été la première à discerner des points sombres à l'horizon. Ils s'étaient dirigés dans cette direction et, bientôt, ils eurent la confirmation de ce qu'ils redoutaient.

Une flotte de navires Sormens voguait toutes voiles hissées vers le Pays de Santerre. C'étaient de gros et robustes bateaux, aux coques faites de planches solidement assemblées sur une structure conçue pour affronter les glaces au besoin. Ils servaient certes à la pêche, mais aussi, à l'occasion, pour des expéditions de pillage et d'enlèvement qui faisaient la mauvaise réputation des Sormens. Depuis longtemps, ce peuple n'hésitait pas à s'approprier plus à la Mi-Jour les richesses et les douceurs qui leur faisaient défaut en Terres Mortes.

Les Princes s'approchèrent suffisamment pour les dénombrer et évaluer leur vitesse, puis ils firent demi-tour. L'équipage était catastrophé par l'estimation sur laquelle chacun s'entendait.

– Trente-trois navires capables d'embarquer chacun environ deux cent cinquante personnes, c'est énorme...

Francœur, qui savait compter les grands nombres, compléta le calcul.

– C'est plus de huit mille hommes, fit-il froidement. Et ils pourraient bien être plus nombreux encore à bord, plus serrés. . On peut concevoir possiblement jusqu'à dix mille guerriers en armes qui débarqueront à Belbaie.

L'un des marins Baïhars intervint. C'était un navigateur d'expérience.

– En exigeant le maximum de notre voilier et de nous six, nous serons au port demain assez tard. Quant aux Sormens, leurs bateaux sont plus lents et ils ne pourront faire mieux que d'arriver dans trois jours, probablement en fin de journée. Nous aurons une avance d'environ deux jours. Est-ce que cela sera suffisant pour nous préparer à les affronter ?

– Les entraînements réclamés par le Roi Alahid étaient plus importants que nous le pensions, se désola un autre homme de mer. J'ignore ce que vaudra mon épée contre celles d'ennemis envahissant Belbaie...

La discussion se poursuivit entre les Princes et les marins sur l'arrivée des Sormens ainsi que sur les moyens d'y faire face. De tous les angles sous lesquels ils considéraient la situation, Santerre n'en sortait jamais gagnant.

– S'ils pouvaient tous brûler comme de la mauvaise herbe, lança par dépit le plus jeune de l'équipage.

Francœur le fixa un moment sans dire un mot, concentré sur une idée qui prenait soudainement forme.

– Tu as raison ! s'exclama-t-il soudain. Voilà ce qu'il faut faire.

– Je ne comprends pas...

– Dès notre retour à Belbaie, nous réquisitionnerons tous les marins de la région pour nous rendre au-devant des

221

Sormens. Depuis nos bateaux, nous pourrons lancer des objets enflammés sur leurs voiliers. Nous devons les mettre en feu avant qu'ils arrivent au port !

– Les Sormens sont de fameux archers, rétorqua le plus vieux du groupe. Ils nous prendront pour cible afin de se protéger. Nous ne pourrons approcher à portée de leurs navires pour les incendier.

– Alors nous en aurons aussi pour nous défendre ! répliqua Francœur, déterminé à trouver des solutions à toutes les objections.

– Et si c'étaient nos archers qui projetaient le feu ? suggéra Shau. Peut-on enflammer les flèches de manière à ce qu'elles allument des incendies à l'endroit où elles arrivent ?

– Bien sûr ! Il suffirait que l'extrémité soit comme une torche, imbibée d'huile, proposa un marin.

Pendant que le voilier filait à toute vitesse pour retourner à Belbaie, son petit équipage mettait au point une manière d'affronter l'impressionnante flotte ennemie.

30.

– Je suis l'Amour. Tu sais à quel point j'aime le Monde d'Ici plus que tout. Je n'existe que pour le conduire à l'ultime stade de son épanouissement. Cette mission seule m'habite et dicte chacune de mes actions.

Vorgrar reprenait mot pour mot le discours qu'il avait tenu au Maître Sorvak. Pour s'en convaincre lui-même ou afin de persuader le Roi Alahid de sa bonne volonté ? Les deux à la fois, probablement. Malgré la sincérité qu'il insufflait à ses paroles, son frœur Shan Tair Cahal demeurait sur ses gardes.

Les deux membres de la Race Ancestrale se faisaient face au sommet d'une colline surplombant Belbaie. Le soleil les réchauffait agréablement dans ce décor libéré de l'emprise que l'hiver avait exercée. Une nouvelle vie montait dans les arbres, gonflant les bourgeons d'une énergie presque palpable. Quelques graminées que le froid n'avait pu coucher se dressaient fièrement, vainqueurs orgueilleux de la neige enfin disparue. Le blanc vif des bouleaux et les verts profonds des conifères se détachaient joyeusement sur le bleu pur d'un ciel éclatant. Cette rencontre aurait pu être un intense moment de joie pour les deux frœurs, mais la tension entre eux occultait tout le reste.

Comme chaque fois que des membres de la Race Ancestrale s'affrontaient, rien dans leurs gestes ou dans leur voix ne l'indiquait. Pourtant, c'était une évidence qui émanait d'eux, des sentiments qu'on aurait pu toucher tant ils s'imposaient avec force. Les liens complexes et étranges qui les unissaient à l'origine avaient été bouleversés, mais ils subsistaient en partie. Vorgrar les avait utilisés pour convoquer cette rencontre avec Alahid et celui-ci avait répondu à l'appel, intrigué et méfiant, désolé que le Sage Delbon – Jein Dhar Thaar – soit absent du Pays de Santerre à ce moment.

Alahid mit du temps à réagir, partagé entre la colère et l'obligation qu'il s'imposait d'écouter Orvak Shen Komi.

– Ta conception de l'Amour justifie-t-elle d'avoir tenté de nous éliminer ?

Vorgrar répéta la même explication donnée à Shar Mohos Varkur durant l'hiver en Pays du Levant. Il jura sa panique devant leur courroux, sa crainte d'être anéanti, son réflexe de survie, sa peine infinie de les voir renversés, ses regrets et ses remords. Puis il relata sa rencontre avec le Maître Sorvak en insistant sur son ouverture à la reprise du dialogue entre les frœurs.

– Vous avez toujours été très proches, répliqua Alahid avec scepticisme. Je n'aurais aucune difficulté à imaginer que tu le manipules...

– Tu me prêtes des intentions sournoises.

– Comment m'en empêcher ! Ton esprit est devenu mauvais. Tu caches même une épée dans ton vêtement, ce qui est hors de tout entendement !

– Cette épée, je la hais ! répondit Vorgrar. Je l'ai prise uniquement pour me protéger si quelqu'un de Santerre voulait me menacer. Tu sais bien qu'elle ne vaut rien entre nous. Moi, j'aspire à retrouver notre unité afin de poursuivre ensemble notre œuvre de perfection et d'Amour. Est-ce cela que tu considères être « l'Esprit Mauvais », ainsi que vous me nommez maintenant ?

– Un œuvre d'Amour ? s'insurgea Alahid. Ta Pensée a incité le Roi Mornac à lever une armée. Nous redoutons son attaque d'un jour à l'autre. Pour éviter l'anéantissement du

Pays de Santerre, nous avons dû passer l'hiver à instruire les Gens au métier des armes. Si les Sormens entrent sur ces terres, ce ne sera pas pour poser des *gestes d'Amour*, j'en suis convaincu !

— Ces écarts et ces excès sont terriblement malheureux, plaida Vorgrar. J'éprouve tant de peine en voyant des gens s'affronter, lever les armes les uns contre les autres. Tu dois me croire, je ne peux tolérer de telles imperfections sur la route de la Perfection, c'est inconcevable ! Comme je suis persuadé que tu souffres devant les gestes guerriers de ceux qui préservent le Bien tel que tu le conçois.

Les propos de Vorgrar ébranlaient Alahid. Ainsi, chacun de leur côté, ils ressentaient les mêmes tourments. Était-il encore possible de réparer leur erreur ? De retrouver leur unité pour reformer une Pensée unique, bienfaisante ?

— Il faut mettre fin aux divisions, poursuivit Vorgrar. Il faut rétablir nos liens afin qu'il n'y ait qu'une Pensée commune qui anime tous les peuples, toutes les races, tous les gens du Monde d'Ici.

— En principe, je pourrais être d'accord. Toutefois, il est clair que la Pensée qui doit nous unir ne peut être la tienne, Orvak Shen Komi ! Tu as démérité de ta tâche, de ton titre et de ton autorité parmi nous.

— Shan Tair Cahal, mon frœur, tu dois comprendre la grandeur de mon œuvre – de *notre* œuvre – avant de te fermer à ma Pensée, répliqua Vorgrar. Tu ne m'as jamais accordé le temps nécessaire pour en discuter en profondeur, pour prendre la mesure réelle de la Perfection vers laquelle nous devons nous diriger...

— Au contraire, je sais parfaitement à quoi m'en tenir, affirma Alahid. Je n'ai nul besoin de considérer la logique qui t'anime encore plus que nous l'avons fait jusqu'ici. Ne juge-t-on pas une Pensée aux gestes et aux paroles qu'elle fait naître ? Désormais, tu n'as plus de *Bien* à revendiquer ! Tu engendres le *Mal*...

Les derniers mots d'Alahid résonnèrent douloureusement dans l'esprit de Vorgrar. Voilà qu'il se retrouvait au même point qu'auparavant. Son frœur Shar Mohos Varkur hésitait peut-être, mais il se rallierait assurément à la majorité. Voilà que l'espoir d'infléchir la position de Shan Tair Cahal s'amenuisait. En fait, Alahid se campait de plus en plus fermement dans son refus de dialoguer, de reconsidérer leurs divergences de vues. Le mur entre les deux frœurs devenait infranchissable. Pour Vorgrar, il était évident qu'il allait les séparer définitivement. De plus, il ressentit une subtile impression quant aux motivations du Roi de Santerre. Il discernait un besoin de s'affirmer, de prendre seul ses décisions et de se prouver à lui-même la justesse de son jugement. Cela expliquait pourquoi Alahid avait accepté ce rendez-vous avec son frœur, seul et sans en faire part aux autres. S'adapter à la nouvelle réalité entre eux ne se faisait pas de la même manière pour tous les membres de la Race Ancestrale.

Vorgrar eut un sentiment de satisfaction en constatant les tiraillements moraux qui déstabilisaient Alahid. Il recherchait visiblement une assurance qu'il ne possédait pas ! Cela le rendait vulnérable. Puisqu'il ne voulait rien entendre, il devait saisir l'occasion de l'écarter. Définitivement cette fois ! Pourtant, cela couperait aussi à jamais tous les liens possibles avec les siens, surtout avec Shar Mohos Varkur. Encore une fois, l'indécision paralysait Vorgrar. En face de lui, Alahid réalisait le danger qu'il encourait maintenant, ainsi que les hésitations de son frœur. Il devait en profiter pour le maîtriser avant d'être lui-même renversé. Ses frœurs ne pourraient qu'approuver cette initiative inconcevable.

Un tourbillon d'émotions confuses et contradictoires enveloppa les deux membres de la Race Ancestrale. À la fois décidés et hésitants, ouverts au dialogue et fermés à la moindre concession, avides de recréer des liens et désireux de les couper définitivement, amis et ennemis, Alahid et Vorgrar constatèrent simultanément l'inéluctable issue. L'un devait vaincre l'autre. Chacun *voulait* vaincre l'autre ! Autant pour défaire l'adversaire que pour se prouver à lui-même qu'il avait raison.

Tout se passa alors rapidement. Comme il l'avait fait dans leur refuge des Terres Mortes, Vorgrar déploya sa puissance. Cependant, Alahid ne pouvait plus être pris par surprise. Mieux encore, lui aussi attaquait. Une lumière intense occupa brusquement tout l'espace autour d'eux. En fait, ce furent deux éclats distincts qui cherchaient à s'annihiler, l'un rouge vif et l'autre jaune éclatant.

Le flamboiement dura un bref instant et une éternité à la fois. Ensuite, les deux frœurs eurent l'impression d'être plongés dans le noir malgré le soleil radieux. Ce fut comme s'ils tombaient à la renverse dans l'obscurité morbide du néant. Mais une lumière persistait au-dessus d'eux, un rayonnement lointain, un espoir diffus. Chacun s'y accrocha de son mieux, angoissé et déterminé à survivre.

– Revenir à la lumière...

La même plainte, la même exhortation monta aux lèvres de Vorgrar et d'Alahid.

– Revenir à la lumière...

Le goût de s'abandonner aux ténèbres s'insinua dans leur esprit. Pourquoi lutter ? Pourquoi l'autre définition du Bien ne pourrait-elle pas être le véritable Bien pour tous les Peuples et toutes les Races du Monde d'Ici ? Qui pouvait croire sa Pensée supérieure ?

– Revenir à la lumière...

L'ennemi était le doute. La lumière vacillait par indécision ! L'obscurité naissait du manque de foi. Il fallait s'en affranchir, lutter, vaincre, croire et imposer la juste Pensée, *pour le Bien* du Monde d'Ici !

– Revenir à la lumière...

Puisant dans leurs ultimes ressources, animés chacun par la conviction qu'ils détenaient la vérité et par la tâche de la faire triompher, les deux frœurs se redressèrent enfin, se faisant face encore une fois. Toutefois, un nouvel affrontement en faisant usage de leur énergie vitale risquait non seulement de se révéler vain, mais cette fois fatal tout autant pour l'assaillant que pour l'agressé. Exténués, ils se fixaient avec autant de crainte que de hargne, tentant de reprendre leurs forces au plus vite tout en guettant le moindre signe avant-coureur d'une action de leur vis-à-vis.

Soudain, Vorgrar commit un geste inexplicable dans la logique des membres de la Race Ancestrale. Sans même véritablement réfléchir, mû par l'urgence angoissante d'agir de façon déterminante dans un affrontement auquel rien ne les avait jamais préparés, Orvak Shen Komi brandit l'arme alisane qu'il dissimulait sur lui. Gauchement, mais de toutes ses forces, il frappa son frœur au corps. Les fines épées alisanes possédaient un tranchant exceptionnel, capable de couper profondément les chairs sans que le coup ne soit vraiment ressenti. Alahid vit la lame passer, n'éprouvant qu'une brève sensation de froid métallique.

Les deux frœurs demeurèrent immobiles, stupéfaits, l'un d'avoir subi une telle attaque, l'autre de l'avoir osée.

Le Roi de Santerre sentit une chaleur inhabituelle sur son ventre. Au risque que son frœur profite de ce moment d'inattention, il baissa les yeux pour alors se rendre compte qu'une tache écarlate s'élargissait rapidement sur le tissu de son vêtement. Interloqué, il releva la tête en cherchant à comprendre. Il vit que Vorgrar le fixait, le visage ravagé, la bouche ouverte sur des mots qui refusaient de franchir ses lèvres, les yeux écarquillés et pleins de terreur. Alahid regarda de nouveau son ventre. Il mit la main sur sa tunique, puis la retira pour l'examiner, incrédule de la découvrir ainsi rouge de sang. Une nouvelle fois, il leva le regard vers son frœur, le suppliant silencieusement d'intervenir. Comme si cette requête rendait enfin réel son crime, Vorgrar voulut fuir cette scène inimaginable. Il laissa tomber l'épée, la repoussant comme si elle était devenue soudainement brûlante, puis il recula lentement, sans quitter sa victime des yeux.

Tout se mit à tourner autour du Roi Alahid. Une grande faiblesse le saisit et ses jambes ployèrent sous son propre poids. Il tenta d'amortir sa chute, n'y parvenant qu'en partie. Le choc qu'il éprouva en s'affaissant le fit grimacer et fermer les paupières. Lorsqu'il les ouvrit de nouveau, il ne voyait plus Vorgrar.

Il était seul. Solitaire comme jamais auparavant ne l'avait été un membre de la Race Ancestrale.

31.

Depuis sa toute première visite en ces lieux sacrés, alors qu'elle était enfant, Delbiam appréciait l'atmosphère particulière de la Salle de Méditation, cœur lumineux de la Tour des Prières. La pièce circulaire semblait attirer l'âme vers le ciel avec ses murs surdimensionnés, hauts de huit tails, percés de fenêtres en vitrail aux teintes de l'arc-en-ciel. C'est ici qu'elle avait deviné le secret du Roi Alahid et du Sage Delbon. Fillette curieuse et un brin indiscrète, elle y était entrée par curiosité tandis que son père avait affaire au Temple. Les deux membres de la Race Ancestrale paraissaient méditer en silence et ils n'avaient pas aperçu la petite visiteuse. Lorsqu'ils avaient échangé quelques idées par la pensée, Delbiam les avait saisies aussi clairement que s'ils avaient parlé à voix haute. Spontanément, sans s'étonner le moindrement du phénomène, elle avait répliqué de la même manière à une pensée du Sage Delbon à propos de laquelle elle n'était pas d'accord. Cela avait à voir avec quelque travers des commerçants et l'enfant défendait son père bec et ongles, même s'il fallait pour cela tenir tête au Roi et au plus puissant Sage du Pays de Santerre ! Séduisant petit bout de femme effrontée, elle avait immédiatement gagné l'amitié des deux imposants personnages dont elle connaissait désormais la double identité. Par la suite, jusqu'à son départ vers le Plateau des Alisans ainsi que depuis son retour, elle était revenue le plus souvent possible, toujours aussi fascinée par la sérénité et le sacré rayonnant des lieux.

En ce milieu de journée ensoleillée, la lumière pénétrait par la fenêtre jaune, la couleur d'éclat du Roi Alahid parmi les membres de la Race Ancestrale. La Culter s'y trouvait avec Herkas, tous deux vêtus comme il se devait de la tunique blanche des Méditants. Auprès de sa compagne, le Frett avait redécouvert l'apaisement que cet endroit pouvait procurer lorsqu'ils avaient l'impression d'être étouffés par le fil des événements.

Blottie contre Herkas qui, debout derrière elle, l'enlaçait de ses bras puissants, la tête sur son épaule, Delbiam se sentait merveilleusement bien. Ils s'accordaient cette courte pause après avoir terminé l'organisation des troupes de la vieille Cité et en attendant le retour du voilier de Shau. Avant de se remettre à la tâche, ils n'avaient pas manqué de venir à la Tour des Prières pour, entre autres, remercier Elhuï de ses bienfaits. Le couple s'attardait encore un instant sur place, s'abandonnant corps et âme à l'ambiance envoûtante de la pièce, chassant toute préoccupation de leur esprit.

Soudain, Delbiam se crispa.

— Herkas, quelque chose ne va pas... Le Roi Alahid pense à moi !

Le trouble de sa compagne inquiéta le Frett. Il allait parler, mais Delbiam lui fit signe de rester silencieux tandis qu'elle penchait la tête pour se concentrer, les yeux fermés et les doigts sur les tempes. Au bout d'un moment, elle se tourna vers Herkas, à la fois incrédule et alarmée.

— Je ne comprends pas. On dirait qu'Alahid appelle au secours ! Il serait dans la forêt sur les hauteurs de Belbaie... au Nid du Harfang...

— Je connais cet endroit. Une colline un peu isolée, mais facile d'accès. À cheval, nous y serons rapidement.

Delbiam fit à peine un signe pour acquiescer. Déjà elle se précipitait vers la sortie, suivie d'Herkas. En toute hâte, les deux Princes quittèrent leur tenue de Méditant, remirent leur chemise blanche et leur cape rouge, récupérèrent leurs armes et coururent jusqu'à l'écurie prendre leur monture.

Herkas savait très bien quel trajet emprunter et ils lancèrent leur cheval au galop dans la route en lacets qui gagnait les sommets autour de Belbaie. Ils montèrent d'abord par un chemin de grosses dalles, soigneusement entretenu et bordé d'un muret en pierres plates. Puis ils bifurquèrent dans un sentier où ils ne distinguaient aucune trace de pas ou de sabots.

– Es-tu bien sûr que c'est la bonne direction ? s'inquiéta Delbiam. Personne n'est venu ici !

– Es-tu certaine qu'Alahid se trouve au Nid du Harfang ? rétorqua Herkas. C'est dans cette direction.

Ils hésitèrent un court instant, puis ils relancèrent leur monture à pleine vitesse. Finalement, ils virent des empreintes. Une personne était passée par là récemment. En suivant cette piste, ils débouchèrent dans une éclaircie où un triste spectacle les attendait. Le Roi Alahid gisait sur le sol, la main crispée sur sa poitrine ensanglantée, à peine conscient de ce qui se déroulait autour de lui. Le roux mêlé de blanc de sa moustache et de son bouc faisait paraître son visage plus blême encore, plus tragique. Ses yeux habituellement si doux étaient chargés d'une infinie tristesse.

Les deux Princes sautèrent à bas de cheval et se précipitèrent près du Roi. Delbiam se pencha vers lui, plongeant son regard dans le sien et s'adressant à lui par la pensée afin qu'il ne se fatigue pas à parler.

– « Alahid mon Roi, mon vieil ami, je t'ai entendu m'appeler. Que s'est-il passé ? »

Il désigna l'épée alisane abandonnée sur le sol, horrible témoin du drame.

– « Mon frœur, mon propre frœur Orvak Shen Komi... Il a brandi une arme contre un membre de sa race ! Il est mauvais. Il est *l'Esprit Mauvais*. Combattez-le, Delbiam. Vous devez le vaincre... »

– « Nous le ferons. Nous combattrons avec toi, Roi Alahid. Il faut que tu guérisses vite. Nous allons te ramener à la Résidence des Sages. »

Le membre de la Race Ancestrale fit un faible signe de négation.

– « Il ne reste plus assez de vie en moi... C'est à vous de prendre ma place... »

Une angoisse folle fit se raidir Delbiam. Le Roi s'abandonnait. Plus encore que sa blessure, le fait même que Vorgrar l'ait agressé l'affectait affreusement. Le découragement l'avait gagné au point qu'il perde la force de combattre. Cependant, la Culter refusait cette éventualité. Elle apostropha littéralement Alahid, lui parlant cette fois à haute voix avec un mélange d'autorité et de rage.

– Accroche-toi ! Je t'interdis d'abandonner, sinon je le ferai moi aussi. Tu m'entends ? Je te jure que j'affronterai Vorgrar uniquement si tu es là pour me guider et me soutenir !

La virulence de Delbiam estomaqua d'abord Herkas. Puis le Frett renchérit.

– Mon Roi, j'ai servi Santerre en étant garde royal. Si tu nous quittes, je considérerai que mon devoir est terminé.

Les yeux du Roi se fermèrent un instant. Puis ils s'ouvrirent sur un regard plus ferme où cherchait à naître un peu d'espoir et de détermination. Comme il était trop faible pour parler, il s'adressa à Delbiam par la pensée.

– « Petite impertinente, tu n'as donc pas changé ! En plus, tu donnes le mauvais exemple à un guerrier aussi valeureux qu'Herkas ! »

– C'est à toi de donner l'exemple pour Santerre. Il faut te battre pour vivre.

Alahid serra les dents et fit un signe de la tête. Il sembla aux deux Princes qu'un peu de couleur teintait de nouveau son visage. Pendant que Delbiam examinait la blessure du Roi et improvisait un pansement, Herkas alla couper deux jeunes arbres en utilisant son épée comme hache. Il les ébrancha sommairement, puis il s'en servit pour confectionner un brancard avec leurs capes. Même s'ils devaient faire vite, il fallait qu'ils évitent de trop secouer le Roi durant son transport. Dans le sentier, jusqu'au moment de rejoindre la route principale, ils marchèrent en portant la civière, Herkas devant et Delbiam derrière qui surveillait l'état d'Alahid. Le Frett en profitait pour examiner les environs, intrigué de ne plus voir de traces autres que les leurs. Alahid et Vorgrar avaient emprunté des trajets bien étranges pour venir à ce funeste rendez-vous.

Arrivés sur le chemin dallé, les deux chevaux pouvaient se tenir côte à côte. Herkas utilisa leurs rênes pour soutenir une extrémité de la civière pendant qu'il se plaçait à l'autre bout. Delbiam guidait les montures pour qu'elles ne fassent aucun geste brusque. De cette manière, ils purent redescendre plus rapidement vers Belbaie. Dès qu'ils approchèrent du Temple, les gens les virent arriver. Immédiatement, les Princes reçurent de l'aide pour transporter le Roi alors que la nouvelle de son état se propageait à toute vitesse. La Sage Umée et les soigneurs se précipitèrent à leur rencontre et bientôt, le Roi fut conduit à ses appartements de la Résidence des Sages. La vieille amie d'Alahid prit en charge la suite des événements, exigeant le calme et renvoyant tous ceux dont la présence n'était pas indispensable, y compris les deux Princes.

Delbiam se rebiffa.

— Je veux rester ici. Je veux veiller sur Alahid.

Herkas intervint, approuvant la Sage Umée.

— Nous avons fait ce qu'il fallait et toi, plus que les autres, affirma-t-il. C'est toi qui l'as persuadé de s'accrocher, de ne pas abandonner. Maintenant, laissons les soigneurs agir sans que tu mettes encore plus de pression sur eux… et sur notre Roi ! Retournons plutôt à la Salle de Méditation adresser une prière à Elhuï et retrouver notre calme.

Finalement convaincue que c'était ce qu'il y avait de mieux à faire, Delbiam accepta de partir. Posant un geste exceptionnel, elle alla déposer un baiser sur le front du Roi. Elle en profita pour lui transmettre un dernier encouragement par la pensée, puis elle accompagna Herkas à la Tour des Prières. Cela leur fit effectivement beaucoup de bien. Ils se rendirent ensuite au port de Belbaie, s'avançant au bout de la grande jetée pour scruter l'horizon.

– J'ai hâte que Francœur soit de retour, soupira Delbiam. Il faudra qu'il assume encore plus de responsabilités le temps qu'Alahid retrouve ses forces, tout comme nous d'ailleurs.

Herkas eut une moue contrariée. Visiblement, il anticipait des complications.

– Il semble à tous que le Roi Alahid règne depuis toujours et qu'il sera sans cesse présent, expliqua Herkas. Toutefois, tout est prévu s'il devait être remplacé rapidement. Parmi tous ceux qui servent le Pays de Santerre, certains sont désignés pour lui succéder temporairement… ou définitivement.

– Mais c'est notre raison d'être, à nous les Princes ! Nous sommes chargés d'organiser la défense de Santerre !

– Certes, mon amour… Malheureusement, les Princes de Santerre n'ont pas encore un pouvoir reconnu comme nous l'aimerions. Nous sommes perçus comme des gardes royaux un peu à part des autres, plus proches du Roi, mais certainement pas comme les responsables du pays… On nous obéit parce que nous représentons l'autorité du Roi Alahid. S'il le faut, le pouvoir royal sera remis à Ingléged, un Artan très respectable que tous surnomment Ingled le Posé. Ce sont alors ses ordres qui prédomineront.

La perspective d'un nouveau souverain en Santerre ignorant tout du combat contre Vorgrar inquiétait Delbiam.

– Nous n'avons jamais envisagé qu'Alahid ne soit plus avec nous, fit-elle sombrement. Il ne faudrait surtout pas que le pays soit en guerre et qu'en même temps, la situation soit floue quant au pouvoir en Santerre. Nous devons faire confirmer que nos ordres sont prioritaires. Si nous sommes soumis à ce Ingled, aussi digne soit-il, nous risquons de ne pas pouvoir accomplir notre tâche aussi facilement...

– N'oublie pas que nous pouvons compter sur les Sages Delbon, Umée et Thalos pour nous soutenir, répondit Herkas sans grande conviction. Ils connaissent l'importance de notre action...

Delbiam se serra encore plus contre Herkas.

– J'ai eu une impression bizarre quand j'ai vu Alahid dans le brancard rouge que tu as fait avec nos capes, ainsi que tout ce sang, rouge lui aussi. C'était comme si je voyais un avenir sanglant pour Santerre.

Mer de feu

32.

Dans la nuit tombante, Herkas, Delbiam, Jhibé et Gouïk se tenaient à l'extrémité de la jetée qui s'avançait le plus loin dans la mer. En silence, ils observaient l'horizon avec anxiété. Soudain, un point lumineux dansa au loin sur les flots, s'approchant résolument de Belbaie. En dépit du danger que représentaient les dernières glaces flottant dans la baie, le navire arrivait à toute vitesse. Malgré l'obscurité, ils reconnurent avec joie le voilier Haylabois. Ils se hâtèrent de se rendre à l'endroit où il devait accoster. Un marin lança une première corde qu'Herkas entoura prestement à une bitte d'amarrage et, bientôt, l'équipage fut prêt à sauter à terre.

Avant même que l'équipage soit sur le quai, les exclamations fusaient.

— Nous avons vu la flotte de Mornac. Elle est impressionnante !

— Trente-trois bateaux ! Nous les avons comptés.

— Ils doivent bien être dix mille guerriers à bord !

— Ils seront ici dans deux jours...

Francœur fut le dernier sur la jetée. Il rejoignit ses compagnons, affichant une expression déterminée.

— Nous avons conçu un plan pour les arrêter, annonça-t-il avec enthousiasme. En agissant rapidement, nous pourrons les empêcher de débarquer à Belbaie.

Le jeune homme exposa les grandes lignes de leur stratégie. Les quatre marins étaient encore plus excités. Déjà, ils voulaient se rendre dans la Cité et réveiller ceux qu'ils avaient identifiés pour organiser les navires de Santerre qui se porteraient à la rencontre de ceux des Sormens. Puis les nouveaux arrivés réalisèrent que la mine grave de leurs compagnons présageait des mauvaises nouvelles sur un autre sujet.

La Culter brisa le silence qui s'était fait sur la jetée.

— Notre Roi Alahid a été sérieusement blessé. Nous ignorons son état exact en ce moment. Il se pourrait qu'Ingled l'Artan devienne le détenteur du pouvoir royal...

— Je ne doute pas de la qualité de votre plan, et il est sage de planifier les préparatifs, laissa tomber le Frett à contrecœur. Toutefois, je crois qu'il serait préférable de savoir à quoi s'en tenir avant d'engager des actions contre la flotte de Mornac. Le seul droit de commandement que nous pouvons faire valoir auprès des Gens de Santerre est celui qui nous est accordé par le Roi. Cela demeure bien fragile...

La nouvelle les atterra. Pire encore, l'éventualité de patienter jusqu'à ce qu'Alahid reprenne place sur son trône ou qu'un nouveau Roi soit désigné frustrait profondément ceux qui revenaient du large et qui avaient vu la menace. La raison et le respect de l'autorité royale commandaient de ne rien précipiter, ainsi qu'Herkas le soulignait avec justesse.

— Il n'est pas question d'attendre ! affirma soudain Francœur d'un ton sans réplique. Le Roi Alahid a confié aux Princes de Santerre la direction des combats. Le temps presse et il faut se hâter d'agir.

— Nous sommes dans l'incertitude quant à ceux qui peuvent donner des ordres, fit valoir Herkas. Aux yeux des gens, les Princes de Santerre ne possèdent pas une autorité égale à celle du Roi. Tant que nous ne saurons pas...

Mais Francœur ne voulait rien entendre de plus. Le feu dans les yeux, il coupa court à toute discussion possible.

– Nous, nous savons l'essentiel ! Alors, nous passons à l'action selon le plan que nous avons imaginé en revenant à Belbaie. Je me rends aux Mille coques pour ordonner de se mettre à la tâche. Si d'aucuns hésitent, libres à eux, mais qu'ils s'écartent de notre chemin. Nous avons besoin de gens déterminés pour faire face aux Sormens.

Sur ces paroles et sans même jeter un regard derrière lui, Francœur prit la direction de l'auberge de Miran. Shau fut immédiatement à son côté, tandis que les marins et Jhibé emboîtaient le pas spontanément. Seuls Herkas et Delbiam eurent un moment d'hésitation qui déclencha la colère de Gouïk. Il les apostropha avec tant de force que tous ceux qui se trouvaient au port durent l'entendre distinctement.

– Krutsul de devaybosh ! Qu'est-ce que vous attendez là, figés sur place comme deux mottes de bruak qui attendent que la poussière les recouvre ? Prendre racine sur le quai pendant que le sort du Roi se précise ne fera pas dévirer la flotte de Mornac. Les Princes de Santerre ne sont peut-être rien dans l'officialité officielle du pouvoir, mais ils ne sont surtout pas une bande de jourstrons totalement bourassiks enfermés dans l'indécision typique des décideurs indécis quelle que soit la décision à décider. Fraal !

Le Gouhach laissa échapper un inévitable bruit malséant, puis il s'élança pour devancer le petit groupe et marcher devant eux. Francœur jeta un regard par-dessus son épaule, se réjouissant à la vue de sa mère et du Frett qui se dépêchaient de les rejoindre. Il échangea un grand sourire complice avec Shau, heureux de constater qu'ils partageaient la même détermination.

La nouvelle du retour des éclaireurs s'était propagée à toute vitesse dans Belbaie. À l'arrivée des Princes aux Mille coques, l'auberge était déjà bondée et les gens tournèrent vers eux des visages lourds d'inquiétude. Ils étaient anxieux de connaître la vérité sur les attaques Sormens en Région des Fretts et, surtout, sur les rumeurs de l'arrivée imminente d'une flotte ennemie à Belbaie. Certains se montraient prêts à se défendre, pour autant qu'ils soient dirigés avec assurance. D'autres voix s'élevaient pour réclamer une approche de négociation. En fait, la plupart des Gens de Santerre ne pouvaient concevoir la notion de guerre entre deux peuples. Cela paraissait si absurde qu'ils estimaient que cette situation devait pouvoir se régler raisonnablement, par les discussions.

Un grand Baïhar, à la tête ronde et dégarnie par l'âge, ralliait beaucoup de gens à sa vision très posée.

— Il nous arrive tous d'avoir des conflits avec un voisin, plaidait-il. Mais personne ne prend une arme pour attaquer celui qui est chez lui. Le ton monte parfois, il se peut qu'il y ait épreuve de force, mais tout finit par se résoudre lorsqu'on se parle ! Les Sormens sont reconnus pour naviguer vers la Mi-Jour pour aller s'y emparer de ce qui leur manque en Terres Mortes. En réalité, qui pourrait vraiment les blâmer ? Nous ferions vraisemblablement de même si nous appartenions à une contrée aussi aride !

— Le nombre de leurs guerriers entrés en Région des Fretts est probablement exagéré, lança une femme qui l'appuyait. C'est sûrement juste une expédition un peu plus importante que celles qu'ils font habituellement. Quant aux navires que vous avez vus, rien ne dit qu'ils soient remplis de gens qui veulent nous attaquer !

Une femme à la présence autoritaire réclama soudain le silence pour mieux interpeller Francœur.

— N'est-ce pas toi qui donnes des ordres au nom de notre bon Roi Alahid ? Qu'as-tu à dire maintenant ? N'étais-tu pas le plus ardent à nous inciter à lever les armes ? À nous encourager à nous battre ? Avant de partir en mer, n'étais-tu pas ici même pour nous exhorter à combattre au nom de Santerre, soutenu dans ton discours par ton ami, Prince Jhibé, qui nous a fait chanter des paroles guerrières ?

Sans dire un mot, la foule réunie dans l'auberge attendait la réponse de Francœur. Le jeune homme réalisa à quel point les Baïhars étaient divisés et qu'il fallait justement tenir compte de cette réalité incontournable. Tout compte fait, la Pensée Mauvaise de Vorgrar était inconnue en Santerre. Pire encore, Francœur se sentait désormais comme celui qui en faisait la promotion, s'acharnant à justifier que les Gens fassent la guerre pour préserver ce qu'ils considéraient comme étant le Bien. N'étaient-ce pas ceux qui préféraient la parole aux armes qui avaient raison ?

Il regarda tous ces visages tournés vers lui, certains hostiles, d'autres favorables, mais tous inquiets et désireux de connaître avec certitude les choix à faire. Il se rappela soudain la rencontre avec Emla, le *Messager*, alors qu'il fuyait Saur-Almeth contre son gré. Autour du feu, il y avait Delbiam, Herkas, Jhibé, Gouïk, la Nyctale Nulva et lui. Les propos du mystérieux personnage lui revinrent en mémoire.

Grimpant sur une chaise pour être mieux vu de tous, Francœur prit la parole avec calme, mais aussi avec un aplomb remarquable.

– Je vais vous raconter une histoire. Il y eut un jour où l'Amour et la Vie ne firent qu'un. De leur union naquit le Monde d'Ici. Elhuï le Créateur en confia l'épanouissement à des guides sages et savants. Malheureusement, au sein d'eux se développa une Pensée différente. Cela trouble maintenant le Monde d'Ici et divise les membres d'une même famille, érige des murs entre des races sœurs, suscite des conflits entre des peuples frères, fait basculer tant de vies dans la peine... Les deux Pensées cherchent à s'imposer dans les esprits et dans les cœurs, chacune convaincue de son droit. Dans leur recherche du meilleur, elles ouvrent la porte au pire. Gens de Santerre, nous accordons notre vie à la Pensée du Bien, celle d'Elhuï. Cela est tout en notre honneur. Je crois que cela est précieux, et qu'il faut le préserver. Mais devant nous, un peuple a choisi la Pensée différente, assuré que cela le rendrait plus heureux. Le choc entre eux et nous ne peut qu'être douloureux.

L'auditoire de l'auberge écoutait attentivement, partisans et adversaires de Francœur tous aussi troublés les uns que les autres par le discours inattendu du Prince.

– Je ne suis pas meilleur qu'aucun de vous pour décider ce qui est acceptable ou non, poursuivit-il avec passion. Toi qui appelles à la négociation, et toi qui es prêt à prendre les armes à ma suite, vous avez tous deux une vision aussi valable et juste. Voilà pourquoi nos choix sont si douloureux. Notre Roi Alahid nous a confié, à nous les Princes, de mettre sur pied des troupes de combat. Il sera peut-être bientôt remplacé sur le trône royal par un Artan que l'on sait prompt à la conciliation plutôt qu'à l'affrontement. Cela témoigne bien de notre dilemme. Ce soir, je n'ai qu'une réponse à faire à cette femme qui vient de m'interpeller. Je me conforme à la volonté d'Alahid et, oui, je prépare la guerre. Mais je n'y trouve aucun plaisir. J'espère seulement que la paix triomphera et si cela pouvait se faire par les paroles plutôt que par les armes, je serais le premier à m'en réjouir.

Une voix s'éleva, celle d'un enfant qui s'attardait encore dans la salle malgré l'heure tardive.

– C'est qui le meilleur alors pour décider, si ce n'est pas toi ni le Roi ? demanda-t-il avec toute la candeur de son jeune âge.

Francœur regarda le gamin avec le plus grand sérieux. Ne posait-il pas la question essentielle pour chacun d'eux ? Il répondit à la foule, mais aussi à lui-même.

– Dans ta vie, tu es certes celui qui peut le mieux décider pour toi-même, fit-il gravement. Pour t'aider à le faire, écoute les enseignements des Sages et ceux de ton cœur. Parfois, cependant, les choix deviennent difficiles car même des arguments contraires paraissent aussi valables les uns que les autres. C'est ce qui se passe ici ce soir. Alors, nous ne ferions que tourner en rond toute la nuit si nous tentions de trouver la meilleure façon d'agir hors de tout doute, si nous cherchions le compromis idéal capable de satisfaire tous les points de vue. Pour statuer, il faut faire confiance. Jamais, en mer, je n'oserais discuter les directives d'un marin de Belbaie, car il connaît son navire et il le dirige avec certitude. De même, pour œuvrer la matière, je suivrais aveuglément les recommandations d'un sculpteur Baïhar, car il maîtrise son art bien mieux que moi. Alors, je n'ai qu'une chose à vous dire. À la demande du Roi Alahid, nous, les Princes de Santerre, avons reçu la tâche de comprendre une menace qui n'avait jamais existé auparavant en Monde d'Ici et d'imaginer comment y faire face.

Francœur tira son épée du fourreau et en piqua la pointe sur la table. Ses deux mains sur le manche, la lame bien droite devant lui, il regarda lentement autour de lui, plongeant tour à tour son regard dans celui des partisans comme des opposants à son appel aux armes.

– Je respecte ceux qui croient sincèrement qu'une autre façon d'agir serait préférable et je ne les forcerai pas à venir avec moi, ni en les menaçant ni en ridiculisant leur choix. Cependant, pour ma part, je vais prendre la mer et aller au-devant de la flotte des Sormens. J'irais seul s'il le fallait. Mais je sais que beaucoup m'accompagneront pour protéger le Pays de Santerre.

Un Baïhar s'avança pour se tenir devant Francœur.

– J'en serai moi aussi. Je ne connais rien aux armes, mais je ne crains aucune vague et mon navire est à ta disposition.

– Compte sur moi aussi, lança un autre.

– Donne tes ordres et je ne les discuterai pas, fit un troisième.

Finalement, la majorité se rangea aux côtés des Princes. Les préparatifs s'organisèrent alors rapidement. Francœur émit ses directives, puis à la première occasion, il se rendit au Temple dans l'espoir de rencontrer Alahid. Sa visite fut vaine, car les guérisseurs interdisaient toute rencontre. Soucieux, il revint au port et rassembla les Princes à l'écart.

– Mes amis, nous ne pourrons pas compter sur une approbation publique du Roi, ni sur ses conseils pour lancer notre expédition contre les Sormens.

— Krapcheuk que tu frankouilles ! se désespéra Gouïk. C'est toi qui dois décider des ordres à donner, alors arrête de te poser des questions et donne les réponses !

— Je voudrais bien te voir à ma place, s'impatienta Francœur. Tout ce que nous faisons maintenant est inédit. Personne n'a jamais vécu cela en Monde d'Ici...

— Drakouek ! Ça devrait te rassurer, riposta le Gouhach. Comme personne ne sait quoi faire, tu as juste à montrer que tu sais ce qu'il faut faire et tu feras faire aux autres ce que tu veux qu'ils fassent. Quant à nous, on attend que tu nous dises quoi faire, mais on peut te dire quoi nous dire si tu en as besoin...

Le Gouhach ponctua le tout d'un vent et d'une mimique de défi qui détendirent aussitôt Francœur.

— Prince Gouïk, tu es franchement tout aussi grossier qu'indispensable ! Tu as raison, cela fait plusieurs lunaisons que nous préparons ce moment. À partir de cet instant, la réflexion est terminée et nous passons à l'action. Herkas et Delbiam, partez immédiatement au-devant de Raidak. Les Fretts et les Culters avaient déjà la directive de se rendre aux Monts Chantants. Une fois sur les lieux, vous assumerez le commandement. Shau et Jhibé, vous embarquez avec moi pour diriger la flotte.

— Enfin, nous cessons d'attendre ! se réjouit Herkas.

— Oui ! Les Princes de Santerre prennent désormais l'initiative, confirma Francœur avec enthousiasme.

— Et moi ? demanda le Gouhach du ton de celui qui craint d'être mis à l'écart.

— Toi, Prince Gouïk, tu as la charge d'assurer les liens entre nous tous, ainsi qu'avec le Roi de Santerre... Qui qu'il soit !

Une dernière fois, les compagnons firent le point sur toutes les questions qui leur venaient à l'esprit. Ensuite, Francœur, Shau et Jhibé se rendirent au port pour voir où en étaient les préparatifs qu'ils avaient confiés aux marins de leur équipage. L'atmosphère était fébrile sur les quais et dans la vieille Cité. Toute la nuit et avant le mi-jour, les Baïhars se dépensèrent sans compter pour organiser la flotte chargée d'aller au-devant de celle des Sormens. Ils déployèrent des trésors d'ingéniosité pour confectionner ce qui servirait à projeter efficacement du feu sur les bâtiments des Sormens. Ceux qui prendraient la mer étaient aidés par ceux qui restaient à terre.

Ils furent prêts à appareiller au moment où le soleil arrivait à son plus haut dans le ciel. Les Princes disposaient alors de cinquante voiliers choisis parmi les plus rapides et les plus manœuvrables. À bord, chacun emportait sa provision de projectiles, surtout des flèches, pouvant propager les flammes sur les navires ennemis. Par contre, plusieurs Baïhars particulièrement ingénieux avaient fixé de grandes lames de métal au bastingage. Grâce à un câble tendu entre les extrémités, ils obtenaient une sorte d'arc d'une dimension impressionnante et de forte puissance qui pouvait être bandé avec le treuil servant à remonter les filets de pêche. Des poutrelles faisaient office de flèches avec, au bout, un petit baril d'huile à lampe. Quelques autres mécanismes improvisés étaient installés par les artisans qui recouraient maintenant à leur créativité pour que l'équipage puisse lancer efficacement des torches de feu et des barils enflammés sur leur cible.

Dans la fébrilité des derniers préparatifs, Francœur convoqua sur le quai principal ceux qui seraient aux postes de commandement des navires. Il donna ses directives pour coordonner les actions de la flotte. Plusieurs marins firent des suggestions qui furent adoptées immédiatement. Cinq navigateurs des plus respectés à Belbaie étaient désignés pour commander chacun leur groupe de dix bateaux. Ceux-ci passeraient d'ailleurs la soirée avec Francœur afin de finaliser la stratégie. Il ne resta aux équipages qu'à attendre que les dernières provisions soient apportées sur les ponts et dans les cales. Les marins saluaient leurs proches, embrassaient les membres de leur famille, partageaient leurs inquiétudes et leurs espoirs. La journée était belle, déjà très chaude pour cette époque de l'année, et la mer d'un calme exceptionnel qui contrastait avec les préoccupations des gens sur les lieux. Chacun était conscient que cette quiétude tirait à sa fin. Francœur adressa quelques mots à la foule, insistant sur l'importance de protéger Santerre, non pas avec la haine du Peuple Sormens, mais plutôt avec une juste colère contre ceux qui l'entraînaient dans l'horreur des combats.

Le Prince s'apprêtait à donner l'ordre du départ lorsqu'une voix s'éleva parmi l'assistance.

– Le moment est si calme, Prince Jhibé. Redeviens un instant le ménestrel des temps heureux. Chante-nous une jolie chanson, pas un chant guerrier, quelque chose qui nous rappelle bien ce que nous voulons préserver.

– J'ai un lurk avec moi, cria une autre voix. Ce n'est pas un instrument d'aussi belle sonorité que le tien, mais je serais ravi que tu le prennes.

Le ménestrel ne pouvait refuser. Le temps de s'installer, ses compagnons et les marins en rangs serrés autour de lui, Jhibé commença à jouer une douce mélodie qui se transforma en un air émouvant, tandis que des mots venaient se marier aux notes du lurk.

– *Il fut autrefois*
Où les hommes riaient
Il fut autrefois
Où les femmes dansaient
C'était à une époque
Où rien ne changeait

Tu partais tous les matins
Aux champs ou au moulin
Pour nourrir toute la maisonnée

Au retour, le repas pris en famille
Éclats de rires pour mille raisons
Tu goûtais la chaleur de ta maison

Puis au soir, chacun ses occupations
On partage, travail d'homme, ouvrage de femme
Jusqu'à ce que la fatigue impose le calme

C'était autrefois
Quand on ne mesurait pas vraiment
La richesse de ces petits événements

Une saison pour les gros travaux
Une saison pour les doux repos
Deux saisons pour le quotidien

Des journées pour se visiter
Des soirées pour s'amuser
Et du temps pour nourrir son âme

Le choix de multiplier les liens
Plutôt qu'accumuler les biens
Était le guide d'un grand bonheur

Il fut autrefois
Où les hommes riaient
Il fut autrefois
Où les femmes dansaient
C'était une bien belle époque
Sans savoir encore combien on l'aimait

Les dernières notes du lurk montèrent dans le ciel de Santerre, transportant avec elles la prière que le ménestrel leur adressait. Francœur et Shau se serraient l'un contre l'autre en oubliant les armes qu'ils portaient.

À des miljies de là, près des Monts Chantants, d'autres Gens de Santerre appréhendaient eux aussi le choc avec les guerriers aux ordres de Raidak.

33.

Les voiliers de Santerre profitaient d'un vent portant qui leur avait permis de gagner rapidement la Mer du Couchant. Ils remontaient les côtes au large de Santerre lorsqu'ils virent enfin la flotte ennemie. Comme cela avait été convenu, le bateau de Francœur poursuivit seul sa course, pendant que les autres amenaient leurs voiles.

En approchant, les Princes pouvaient mieux détailler les navires des Sormens. Il s'agissait de solides vaisseaux à la coque arrondie, surmontée de deux gaillards, celui d'avant de moindre importance, mais celui d'arrière impressionnant par sa taille et ses sculptures de monstres marins qui excédaient les bords pour descendre jusqu'à la mer. Ils étaient gréés de trois mâts, un premier fortement incliné à l'avant, pointant loin devant et supporté par une figure de proue en forme de tête d'animal. Le second mât, le plus haut, se trouvait juste derrière le gaillard avant et il portait deux grandes voiles rectangulaires l'une au-dessus de l'autre. Enfin, à l'arrière, le troisième mât servait à hisser une voile triangulaire. Les surfaces de bois exposées à l'eau étaient recouvertes d'un enduit noir qui donnait au navire, en plus de sa voilure d'un bleu sombre, une allure rébarbative et faussement lourde. Ils s'avéraient en réalité relativement rapides et de manœuvre facile.

Les marins partageaient leurs impressions.

. – Ils font entre trente et quarante jambés de la proue à la poupe, de huit à dix jambés d'un bordage à l'autre, évalua l'un d'eux.

– On voit qu'ils sont lourdement chargés, affirma un autre. Il doit y avoir beaucoup de monde dans les gaillards et de matériel dans les cales.

– Ils ont un plus gros tirant d'eau que nos navires. Ils vireront moins vite que nous, mais ils sont plus stables et leurs archers seront plus précis que les nôtres.

– Il faudra rester à bonne distance, car en cas de collision, ils peuvent nous envoyer par le fond facilement.

Les commentaires et les comparaisons se poursuivirent jusqu'à ce qu'ils arrivent à portée de voix d'un premier bâtiment. Francœur revêtit sa cape rouge de Prince pour afficher de loin son rang, mais il mit ses armes de côté pour démontrer des intentions pacifiques. Seuls quelques Sormens s'avancèrent au bastingage. De toute évidence, équipage et passagers avaient ordre de demeurer cachés. Le jeune homme fit un grand signe à l'intention de celui qui devait être le commandant du navire.

– Hé ho ! Du bateau ! Où se trouve celui qui parle en votre nom ? Je dois m'adresser à lui de la part des Gens du Pays de Santerre.

Le Sormens hésita un instant, puis il désigna un autre vaisseau vers le centre de la flotte.

– Qu'il se détache de vos rangs, cria Francœur. Qu'il vienne me rejoindre.

Aussitôt, le marin à la barre fit virer le voilier vent dedans pour prendre de la distance, au grand soulagement de Jhibé.

– Je préfère m'éloigner d'eux. Ils sont peut-être deux cent cinquante à bord et nous n'avons vu que cinq hommes en tout. Se dérober ainsi aux regards ne m'inspire rien de bon !

Ils se placèrent de manière à accompagner de plus loin les Sormens qui maintenaient leur allure et leur formation. Enfin, le navire qui était vraisemblablement celui de Mornac modifia son cap. Le Roi Sormens n'avait rien à redouter de ce petit bateau de pêcheurs avec seulement dix personnes d'équipage. Il se détacha de la flotte, tel que demandé, et manœuvra de façon à s'approcher. Comme le pont du bâtiment Sormens était beaucoup plus haut que celui du Haylabec, Francœur monta sur le toit de la cabine arrière. Lorsque les deux voiliers naviguèrent de concert, à moins de dix de jambés de distance, des guerriers apparurent au bastingage. Celui au centre impressionnait par sa taille et sa corpulence.

Sa voix tonna, couvrant le bruit des vagues contre les coques et de la voilure gonflée de vent.

– Qui es-tu, toi qui veux me parler au nom de ton souverain ?

– Je suis Prince de Santerre ! Je me nomme Francœur.

– Je suis Roi des Sormens. Mornac ! Un nom que tu devras dire avec soumission.

– Au nom du Roi du Pays de Santerre, je te donne ordre de faire demi-tour et de retourner vers les terres auxquelles votre peuple appartient.

– Un ordre ? Tu prétends ordonner au Roi Mornac ce qu'il doit faire ? Tu es fort prétentieux.

– Les tiens se comportent de façon belliqueuse sur les terres auxquelles les Gens de Santerre appartiennent. Vous n'êtes pas les bienvenus.

Le Sormens éclata d'un rire cinglant.

– C'est *vous* qui n'êtes plus les bienvenus sur *nos* terres ! Va dire à ton Roi que les Sormens reprennent désormais leur place en Terres du Couchant.

– Je te préviens, Mornac, si vous ne virez pas de bord immédiatement, nous vous empêcherons d'approcher de la Baie Joyeuse.

Pour toute réponse, le Roi fit un geste et une vingtaine d'archers apparurent au bastingage en bandant leur arc. Comme ils surplombaient largement leurs vis-à-vis, ils profitaient d'une position avantageuse. Francœur se trouvait à l'endroit le plus critique. Debout sur le toit de la cabine, il n'avait aucune chance d'échapper aux flèches. Les Princes et les marins de Santerre figèrent sur place, conscients que le moindre mouvement de leur part risquait de leur être fatal. Shau tourna lentement la tête vers son compagnon, mesurant la précarité de sa situation, cherchant désespérément comment l'aider. Le jeune homme lui adressa un regard tout aussi anxieux.

La voix du Sormens retentit de nouveau.

— Alors, Prince de Santerre, tu te crois capable de te dresser sur la route du Roi Mornac. En vérité, c'est toi qui vas retourner à Belbaie annoncer à ton Roi que son autorité n'existe plus et que ce pays est maintenant la terre des Sormens.

Francœur tenta de gagner du temps. Tout en gardant un œil sur les flèches pointées vers lui, il cherchait une façon d'échapper à la menace.

— Il est vrai que le Roi des Sormens devrait discuter directement avec celui de Santerre. Que ta flotte mouille ici pendant que je me rends prendre notre Roi à mon bord et que je reviens avec lui. Vous pourrez vous rencontrer et...

— Tu as raison, interrompit Mornac. Il ne sert à rien de bavarder avec toi. Quant à ton Roi, il saura bien assez vite ce que j'ai à lui dire. Adieu donc, Prince de Santerre.

Les archers tendirent leur arc au maximum dès que Mornac leva le bras. Il l'abaissa et les flèches sifflèrent aussitôt. Dans un réflexe, Jhibé avait bondi de côté en entraînant Shau avec lui. Sur leurs gardes, les marins s'étaient reculés vivement eux aussi. Des cris de douleur retentirent sur le pont du navire. Dans la confusion, Shau parvint à tourner la tête vers la cabine. Le toit était désert, elle ne voyait plus Francœur. Le barreur avait déjà donné un coup pour éloigner le voilier de celui des Sormens. Une autre volée de flèches siffla, arrachant une plainte à un marin. La Haylaboise se précipita à l'arrière pour scruter la mer. Dans leur sillage, elle aperçut la cape de Francœur en train de s'enfoncer sous l'eau. Affolée, elle hurla à l'homme de barre de faire demi-tour.

Le navire Sormens poursuivait sa route et, en effectuant son virage, celui des Princes se plaça rapidement hors de portée de tir des archers. Fébrilement, Shau entraîna avec elle un marin pour tomber la voile au plus vite et le voilier courut sur son erre. La jeune femme scrutait les vagues, le cœur serré. Soudain, elle vit une forme surgir, un bras qui se dressait au-dessus des flots pour attirer l'attention. Une vive chaleur traversa son corps, un soulagement et un bonheur intense. Francœur nageait vers le navire. Elle saisit une corde et dès qu'ils furent assez proches, elle la lui lança adroitement. Quelques instants plus tard, il était à bord, grelottant de froid. Shau s'empressa de l'envelopper dans une couverture et de le serrer contre elle, autant pour le réchauffer que pour savourer sa présence.

Leur étreinte fut de courte durée ; il fallait faire le point et passer à l'action.

– Lorsque j'ai vu qu'ils allaient décocher leurs flèches, j'ai plongé immédiatement à l'eau, expliqua Francœur. Ils m'ont manqué de très peu, j'ai senti un coup dans ma cape. Regarde, elle est percée à plusieurs endroits ! Ici, quelle est la situation ?

Shau constata qu'elle n'avait plus porté attention à ce qui s'était produit sur le navire. Elle réalisa en même temps que Francœur l'état de Jhibé et de l'équipe. En se jetant sur elle pour l'écarter du tir des Sormens, le ménestrel avait été atteint à l'épaule. La blessure était douloureuse, mais elle ne mettait pas sa vie en danger. Trois des marins avaient aussi été touchés, l'un d'eux assez gravement au côté. En raison de l'angle dans lequel se tenaient les archers, plusieurs flèches étaient fichées droit dans le plancher. Ils purent voir combien elles étaient redoutables, conçues pour frapper la cible avec puissance, elles comportaient trois lames en triangle affutées de manière à arracher les chairs plutôt que les trancher. De cette manière, une blessure de moindre importance s'avérait tout de même éprouvante et longue à guérir.

La voile fut hissée de nouveau et le voilier fonça à toute vitesse pour rejoindre sa flotte. De toute évidence, le Roi Mornac n'accepterait pas de discuter. Il allait alors essuyer le feu que Santerre lui réservait.

34.

La flotte Sormens allait vent largue, fonçant vers la Mi-Jour en formation serrée. Une première série de cinq voiliers était suivie par trois rangées de huit vaisseaux, et les quatre derniers formaient une ligne à l'arrière.

Plus petits, plus rapides, plus faciles à manœuvrer, les bateaux de Santerre purent facilement se déployer de la manière prévue. Ils se répartirent en cinq groupes de dix navires, un de chaque côté de la flotte ennemie, un qui la précédait et deux qui la talonnaient. Les commandants respectaient une distance suffisante pour être hors de portée des flèches des Sormens.

Depuis le gaillard d'arrière de son bâtiment au centre de la première ligne, le Roi Mornac observait les manœuvres de ses adversaires en compagnie du principal chef de navigation, un marin de grande expérience, à la longue chevelure grise et aux yeux d'acier.

– Qu'en penses-tu, Dumak ? Ces coquilles de noix ne peuvent rien contre nos navires. Alors, qu'espèrent faire ces moustiques en nous encadrant ainsi ?

– Ils nous escortent vers la victoire ! s'esclaffa d'abord le Sormens. Mais plus sérieusement, il y a une intention. Ces gens ne sont pas pris par surprise et la disposition qu'ils adoptent n'a rien d'improvisé... Il est évident que c'est coordonné en vue d'une action précise. Je ne vois pas ce qu'ils peuvent faire avec de si petits voiliers, mais, mon Roi, je te recommande de mettre nos archers en alerte.

– C'est ce que je pense aussi.

Mornac donna ses ordres et, immédiatement, des signaux furent relayés depuis le navire du Roi jusqu'à tous les autres. Bientôt, sur tous les bâtiments, soixante archers prirent place, accompagnés chacun d'un guerrier prêt à tendre de nouvelles flèches. Au besoin, les Sormens pouvaient ainsi assurer un tir incessant.

Le voilier de Francœur faisait partie du groupe qui précédait la flotte Sormens. Il réduisit sa course pour s'approcher de l'ennemi – ou plutôt se laisser rejoindre par lui. Le jeune homme grimpa de nouveau sur le toit de la cabine, mais cette fois pour passer à l'attaque. Il était accompagné de deux marins aux bras puissants, capables de bander à l'extrême leur arc démesuré. Sur le pont, Shau et les marins valides se tenaient prêts à les alimenter en projectiles enflammés.

À bord de son vaisseau, Mornac avait reconnu celui de Francœur et, malgré la distance, il avait identifié celui à qui il venait de parler.

– Là, Dumak, n'est-ce pas ce Prince qui voulait nous commander de faire demi-tour ? Je croyais qu'il avait été abattu. Il est tenace !

Une ride soucieuse barra le front du chef de navigation Sormens.

– Coriace et aussi dangereux. Je n'aime pas ce qui se trame. Regarde, il y a visiblement des feux allumés sur les ponts de leurs navires.

– Et alors ?

Mornac venait à peine de poser cette question que deux traits enflammés furent décochés depuis le voilier des Princes. Ils montèrent haut dans le ciel sans nuages de cette magnifique journée. Les deux éclats de feu paraissaient dérisoires dans l'immensité bleue de l'azur qu'ils souillaient chacun d'une mince traînée de fumée noire. Au plus haut de leur trajectoire, ils passèrent devant le soleil et Mornac dut fermer les yeux, les perdant de vue un instant. Il avait compris la menace et il échappa un juron.

– Par l'âme de Galiv, ces moustiques crachent le feu ! Notre formation nous désavantage. Nous devons nous disperser ! Que nos vaisseaux foncent sur eux.

Le premier trait tomba à l'eau, entre deux bateaux. Le second se ficha sur un pont où il fut immédiatement éteint par les marins. Surpris, ils regardèrent vers le voilier de Francœur pour constater que les tirs se multipliaient déjà depuis les dix navires de son groupe. Ceux sur les flancs de la flotte Sormens n'attendaient que ce signal et ils entrèrent en action, aussitôt suivis par les autres à l'arrière.

En quelques instants, une nuée de projectiles incendiaires monta dans les airs pour ensuite s'abattre sur leur cible. Le feu éclatait un peu partout sur les bateaux Sormens. Si les flammes étaient promptement étouffées à certains endroits, elles embrasaient par contre rapidement les voiles. Bientôt, de nombreux mâts se transformèrent en immenses torches. Désemparés, les marins Sormens cherchaient par tous les moyens à circonscrire les foyers d'incendie tandis que les archers restaient coûte que coûte à leur poste, répliquant de leur mieux en tirant en direction des voiliers qui les harcelaient.

Enhardis par leur succès, les marins de Santerre s'approchaient dangereusement pour viser à bout portant sur les navires, recherchant des emplacements où le feu pourrait être difficilement éteint avant d'avoir causé des dommages importants. De plus, le centre de la formation Sormens n'était pas atteint aussi facilement et plusieurs équipages poussèrent l'audace jusqu'à vouloir s'avancer entre les bateaux ennemis. La réplique se fit meurtrière. Des commandants dirigèrent leur bâtiment contre ceux qui les attaquaient et parvinrent à les éperonner. Les marins de Santerre qui tombaient à la mer devenaient des cibles faciles pour les archers cherchant vengeance et ils se faisaient cribler de flèches. Les vagues se chargeaient alors de sang, frappant coques et débris en projetant une écume rouge.

À tribord, les voiliers de Santerre bénéficiaient du vent. Les projectiles avaient une portée supérieure, alors que les flèches ennemies pouvaient plus difficilement les atteindre. À bâbord, la situation était inverse et c'est là que plusieurs embarcations s'étaient approchées jusqu'à tenter de pénétrer les rangs ennemis. C'est aussi de ce côté que la flotte Sormens commença à vouloir se disperser. Toutefois, la fumée des incendies se faisait de plus en plus épaisse, voilant la vue et rendant les manœuvres plus difficiles. Des navires se heurtèrent, un voilier se retrouva coincé entre deux bâtiments qui le pulvérisèrent littéralement. Effrayés, les marins de Santerre battirent en retraite, cessant ainsi la pression qu'ils exerçaient de ce côté, celui du rivage de Santerre visible à quelques miljies seulement de là.

Toujours debout sur la cabine de son voilier avec les deux Baïhars, Francœur s'efforçait de prendre la mesure exacte de la situation. La plupart des navires Sormens devaient combattre le feu à bord et plusieurs semblaient lourdement endommagés. Des projectiles incendiaires continuaient d'être lancés, mais à un moins grand rythme. Tel que convenu, il fallait éviter de les gaspiller. Après la première vague massive de tirs, l'ordre était de s'accorder plus de temps pour viser avec davantage de précision sur des cibles mieux choisies.

Si les deux archers se réjouissaient du succès de la stratégie des Princes, Francœur demeurait soucieux.

– Leurs navires résistent assez bien aux dommages et ils commencent déjà à se diriger vers les côtes.

– Ce n'est pas certain qu'ils y parviendront, fit un Baïhar. Privés de voile, ils ne peuvent que guider du mieux possible leur dérive.

– Ils finiront par toucher terre, on ne peut en douter ! Il y aura donc sur le rivage des milliers de guerriers n'ayant plus de vaisseaux en état pour rebrousser chemin. Ils auront tout à gagner et rien à perdre en combattant sur le sol de Santerre. Ils seront d'autant plus dangereux ...

Cette perspective fit se rembrunir les deux Baïhars. Le plus jeune, un colosse encore plus grand de taille que Francœur, n'hésita aucunement à prendre parti.

– Il faut envoyer leurs navires par le fond. Que la mer les engloutisse !

– Mais comment ? demanda le Prince déchiré entre la nécessité et la cruauté de cette éventualité.

Pendant qu'ils discutaient ainsi, les archers et Francœur avaient cessé de tirer. Shau grimpa sur la cabine les rejoindre pour savoir ce qui se passait.

– Nous devons improviser, constata-t-elle. Jamais personne n'a affronté une situation semblable en Monde d'Ici. Ce qu'il faudrait, c'est leur démontrer que nous pouvons faire sombrer tous leurs bâtiments et alors négocier leur retraite. Mornac admettra sa défaite quand suffisamment de guerriers auront été...

La jeune femme ne termina pas sa phrase, tant elle lui paraissait lourde d'horreur.

– Lorsqu'il aura subi assez de pertes, compléta Francœur sombrement. Donc, nous devons couler quelques navires Sormens rapidement et faire la démonstration que nous pouvons continuer jusqu'à ce qu'ils soient tous éliminés. Mais comment ?

Les Princes et les archers regardèrent le fascinant spectacle devant eux. Aux prises avec le feu, privés de leurs voiles, les imposants bateaux ennemis dérivaient en désordre. Les plus proches se découpaient sur la mer, masses noires d'où surgissaient les flammes et une épaisse fumée. Les autres devenaient des formes imprécises à mesure que le nuage âcre les enveloppait.

— Il serait inutile de lancer nos propres voiliers contre les leurs, fit encore Francœur. Et si nous approchons trop, nous serons à la merci de leurs archers.

— À moins de nous protéger avec des panneaux de bois, voire des tonneaux !

— D'accord, mais pour faire quoi ? insista le Prince.

— Pour sauter à l'eau avec une hache et provoquer une voie d'eau ?

— Impossible, objecta l'autre Baïhar. Même avec une prise solide sur la terre ferme, il serait ardu de défoncer de telles coques. Dans l'eau, la force de frappe est trop faible. Mais à bien y penser, je crois qu'il y aurait une façon...

Pendant que la flotte de Santerre semblait hésiter quant à la stratégie à adopter, le Roi Mornac donnait de nouveaux ordres à son chef de navigation.

— Ordonne aux commandants des cinq navires les plus endommagés de se placer entre le reste de la flotte et les bateaux de Santerre. Qu'ils les laissent brûler en créant le plus de fumée possible. Cela fera un écran pour nous protéger pendant que nous irons nous échouer sur le rivage.

— Nous risquons des pertes importantes, fit valoir Dumak.

— C'est le sacrifice à consentir pour sauver le plus grand nombre, affirma Mornac froidement.

35.

Le voilier Baïhar s'approcha à quelques jambés seulement du navire Sormens. Sur le pont, les archers des Terres Mortes décochaient des traits sans arrêt. Sous les impacts répétés, les panneaux de bois avec lesquels les marins de Santerre se protégeaient allaient bientôt éclater, les rendant dramatiquement vulnérables.

– Vite ! hurla Francœur. C'est le temps.

Sur le flanc du bateau, les bandes d'acier étaient tendues au maximum. Au lieu d'une poutrelle légère servant à envoyer un baril d'huile enflammée, le projectile prêt à lancer était un lourd madrier recouvert à l'extrémité d'une masse de métal qui venait d'être façonnée à la hâte.

Au signal du Prince, un marin libéra le treuil. L'immense arc imaginé par des artisans de Belbaie se détendit en projetant la pièce de bois avec une force fabuleuse. L'angle de l'engin avait été calculé de sorte qu'en se trouvant à une distance précise, la tête de la poutre frappe la coque du navire juste un peu sous la surface de l'eau. Francœur la vit pénétrer dans une vague et disparaître sous les flots à moins d'un jambé de l'objectif. Au moment de l'impact, aucune gerbe d'eau ni fracas particulier ne lui confirma que la manœuvre avait réussi. Déjà l'homme de barre avait donné un coup pour éloigner son bateau de celui des Sormens. Quelques flèches frappèrent encore le pont, les tirs cessant rapidement alors qu'ils se mettaient hors de portée.

– Je suis certain que la poutre a traversé la coque, cria Francœur à l'équipage. Elle n'a jamais dévié !

– Faisons vite la même manœuvre vers le prochain bâtiment avant qu'ils la comprennent, proposa le commandant.

Lorsque l'archer Baïhar avait précisé son idée, elle avait été adoptée sur-le-champ. Francœur avait rejoint un voilier équipé de ces arcs géants installés sur le bastingage par les artisans de Belbaie. Ils avaient préparé en hâte trois poutres tandis que Shau et Jhibé repartaient expliquer à d'autres équipages ce qu'il fallait faire. La tactique se révélait très simple. Les navires des Sormens, privés de voile, étaient presque immobiles. Celui de Santerre arrivait donc à pleine vitesse en faisant une courbe de manière à passer très vite à la bonne distance de tir. À ce moment, ils étaient proches, cibles faciles pour les archers ennemis et ils se protégeaient avec des panneaux provenant des cabines.

Le second objectif se trouvait tout près, un bâtiment dont les deux mâts verticaux avaient été complètement dévorés par le feu. Des flammes féroces jaillissaient du gaillard d'avant. Les marins tournèrent le treuil pour bander l'arc de nouveau et une nouvelle attaque s'amorça. Le voilier prenant sa vitesse, les attaquants s'approchèrent dans l'angle souhaité. Sur le pont ennemi, les archers commençaient déjà à décocher leurs traits. Concentré sur la manœuvre, Francœur surveillait la cible par un petit trou dans le panneau sous lequel il était accroupi. Il ne vit pas la longue poutre que les Sormens avaient avancée au-dessus de l'eau. Au moment où le voilier de Santerre arrivait à l'endroit voulu, le Prince hurla l'ordre de tirer. L'arc se détendit et la pièce de bois frappa la coque juste dans le creux d'une vague, ce qui donna l'occasion de constater qu'elle parvenait effectivement à enfoncer les planches, créant ainsi une ouverture béante.

Toutefois, le Prince ne put en voir plus. Des coups sourds sur le pont et des hurlements le firent se retourner. Ayant compris la manœuvre adverse, les Sormens avaient prévu que le voilier passerait tout près d'eux. Ils avaient alors fait excéder du bord une longue poutre qui leur permettait de s'avancer suffisamment pour sauter sur le bateau ennemi. Vingt guerriers avaient bondi dans le vide, quelques-uns chutant à l'eau, mais la plupart arrivant bel et bien à l'endroit souhaité. Aussitôt, ils se remettaient debout, l'arme à la main. Les marins de Santerre n'avaient pas envisagé de combattre ainsi sur leur voilier et ils n'étaient pas tous armés. Ceux qui avaient des épées les saisirent à la hâte, les autres prenant tout ce qui leur tombait sous la main pour se défendre, gaffe, perche, harpon ou simple pièce de bois.

Le tir des archers Sormens avait cessé et Francœur s'était relevé d'un bond pour faire face aux ennemis. Il n'eut pas le temps de les détailler car déjà le combat s'engageait, furieux, les opposants animés par l'énergie du désespoir. Le Prince de Santerre se révélait redoutable. L'entraînement suivi durant toute sa jeunesse à Saur-Almeth lui procurait des réflexes rapides, des parades efficaces et des attaques dévastatrices. Trois Sormens avaient foncé sur lui. Le premier fut feinté et terrassé en un éclair. Il s'écroula lourdement. Le second porta un coup que Francœur para habilement pour ensuite faire tomber l'arme, le laissant désarmé et contraint de retraiter. Le troisième engagea un combat plus ferme. Les épées se frappèrent avec fracas, les heurts puissants obligeant tour à tour les adversaires à reculer.

Sur le pont exigu et encombré du voilier secoué par les flots, l'attaque surprise des Sormens se transforma en une mêlée confuse où chacun luttait pour sa survie. Moins nombreux, les Gens de Santerre étaient par contre des marins d'expérience, à l'aise sur leur bateau. Les guerriers des Terres Mortes se trouvaient souvent en déséquilibre, empêtrés dans les cordages, portant des attaques d'une moindre efficacité. Obligé de se défendre lui aussi, le barreur avait abandonné le gouvernail et le navire se retrouva dans la vague, subissant un brusque roulis. Des combattants perdirent pied, d'autres en profitèrent pour échapper à un corps à corps périlleux. Déstabilisé, l'adversaire de Francœur ouvrit sa garde et le Prince lui asséna un coup fatal. Le Sormens eut une expression horrible, mélange de douleur, de frayeur et de désespoir, qui bouleversa le jeune homme. Mais déjà, il fallait affronter un nouvel antagoniste, frapper de toutes ses forces, ne pas se poser de questions, viser les endroits vitaux, blesser, prendre des vies, préserver la sienne...

Une attaque de Francœur fut bloquée par un solide guerrier et leurs lames restèrent coincées l'une contre l'autre dans une formidable épreuve de force. Un autre Sormens surgit à côté, venant prêter main-forte à son camarade. Du coin de l'œil, le Prince aperçut la forme arriver sur lui, l'arme haute. Il ne pouvait pas réagir, immobilisé par son affrontement. Il sentit la terreur le gagner. Résister à un guerrier le livrait sans défense à l'autre. Tenter de parer le second attaquant procurerait l'avantage décisif au premier. Le temps sembla s'arrêter, lui donnant tout le loisir de voir les visages de ses ennemis, leur regard furieux, l'un déterminé à le vaincre, l'autre savourant d'avance le coup victorieux qu'il allait porter. Ils n'étaient guère plus âgés que lui, des guerriers dans la vingtaine, assurément convaincus par leur Roi Mornac qu'ils venaient en ces nouvelles terres pour reprendre leurs droits, pour y gagner une meilleure existence tout autant pour eux que pour leur peuple. Des jeunes hommes enthousiastes, passionnés, avides de bonnes et belles choses pour leur famille, maintenant sur le point de lui ôter la vie parce qu'ils ne pouvaient faire autrement.

Simultanément, pendant que le temps était figé, tout allait si vite. Un harpon surgit de biais et transperça la gorge du Sormens qui s'apprêtait à frapper Francœoeur. Un marin de Santerre était intervenu au dernier instant. Le Prince trouva de nouvelles forces pour repousser son opposant, dégager son arme, porter des coups furieux en rafales. Le Sormens s'effondra sans même que le jeune homme sache quelle frappe avait atteint la cible. Emporté par une panique incontrôlable, Francœur fonça sur un autre ennemi en effectuant des moulinets démentiels avec son épée. Il sentit un choc, s'élança vers le guerrier suivant, frappa encore, tourna sur lui-même, donna des coups sur chaque forme sombre autour de lui, quatre ou cinq assurément, jusqu'à ce qu'il s'écroule sur le pont, vidé de toute énergie, incapable de poursuivre sa folle attaque, hanté par le regard si affligeant du premier adversaire dont il avait mis fin à l'existence.

Ce fut à peine si Francœur entendit les hurlements terribles des marins de Santerre qui célébraient leur douloureuse victoire. Sans vie ou simplement blessés, les Sormens furent rageusement balancés par-dessus bord. Le voilier s'éloigna, repris en main par l'homme de barre.

Un Baïhar s'approcha pour aider son chef à se relever.

– Prince Francœur, nous avons gagné la bataille ! jubilait-il.

– À quel prix ?

Le Prince de Santerre retrouva ses sens. L'air sombre, il regarda sur le pont. Quatre marins ne reverraient jamais le pays qu'ils étaient venus défendre. Trois autres paraissaient bien mal en point. Y compris lui-même, ils étaient cinq plus ou moins indemnes, mais meurtris dans leur corps ou dans leur âme.

– Éloignons-nous ! ordonna Francœur. Nous ne ferons pas une troisième charge maintenant. Rejoignons les autres...

– Regarde ! s'exclama le Baïhar en désignant les navires qu'ils avaient attaqués.

Le premier bateau Sormens dans lequel ils avaient provoqué une voie d'eau s'apprêtait visiblement à sombrer. La coque s'enfonçait anormalement et une grande agitation régnait sur le pont. Tout ce qui pouvait servir à s'agripper pour éviter la noyade était jeté à l'eau en catastrophe. Quant au second navire, il donnait de la gîte dangereusement.

Derrière eux, composant un décor hallucinant, les autres bâtiments Sormens luttaient contre le feu, démâtés pour la plupart par les incendies, laissant monter dans le ciel bleu de la Mer du Couchant des colonnes de fumée sombre. Âcre et oppressante. Les deux navires Sormens attaqués par Francœur s'enfoncèrent finalement dans la mer, obligeant des centaines de guerriers désespérés à lutter pour éviter la noyade. Trois autres équipages de Santerre firent de semblables attaques, respectivement sous la conduite de Shau, de Jhibé et du Baïhar qui avait imaginé la tactique. Au total, six bâtiments ennemis furent envoyés par le fond. Ceux qui se trouvaient à bord tentaient par tous les moyens de rejoindre les autres voiliers de leur flotte, les uns à la nage, ceux qui en étaient incapables en s'accrochant à des débris flottants. L'eau froide du large les engourdissait rapidement et plusieurs n'eurent bientôt plus la force de lutter.

La Mer du Couchant offrait un spectacle sinistre, dont personne ne se réjouissait dans un camp comme dans l'autre. Plus ou moins regroupés dans leur dérive, les bateaux Sormens se dirigeaient de leur mieux vers les côtes. Sur leurs silhouettes sombres s'agitaient les doigts écarlates des flammes que les équipages combattaient avec acharnement. Quelques mâts calcinés pointaient à travers la fumée sale qui s'élevait pour obscurcir le ciel. Du côté du large, les naufragés cherchant à rejoindre la flotte menaient un pitoyable combat contre les flots. Les voiliers de Santerre tournaient lentement autour d'eux, les observant tout en restant prudemment hors de portée et sans intervenir.

Le Roi Sormens rageait.

– Vois-les, Dumak ! explosa-t-il. Ils ressemblent à des charognards qui attendent que la victime trépasse pour s'en repaître.

Le chef de navigation grogna quelques mots inaudibles, ce qui fit rugir Mornac.

– Quoi ? Parle pour que je te comprenne ! Si tu as des reproches à exprimer, fais-le maintenant.

Dumak fit face à son Roi, l'air sombre, la voix ferme.

– Selon toi, mon Roi, nous devions arriver à Belbaie par surprise et rencontrer peu de résistance. Voilà que nous avons été arrêtés en pleine mer, que six de nos navires ont été coulés, précipitant plus de mille cinq cents hommes à la mer, que notre flotte dérive en brûlant de telle sorte qu'au moins le tiers des bâtiments seront pratiquement irrécupérables si du moins ils ne sombrent pas avant qu'on puisse les échouer sur le rivage. Autour de nous, je ne vois pas des rapaces se repaître de notre déroute, mais plutôt des braves qui sont parvenus à contenir une menace inattendue. Ils ne sont plus qu'une quarantaine de voiliers avec au plus une douzaine de personnes à bord. C'est une poignée de combattants contre notre armée et c'est nous qui sommes à leur merci. Voilà ce que je vois... et mon reproche !

Le Roi Sormens leva les poings, mais il se contenta de les serrer, puis de les baisser. Dumak était un homme de valeur et sa franchise commandait le respect.

— Tu as raison, ils ne sont qu'une poignée, admit Mornac avec un étrange sourire. Ainsi, pour l'instant, notre véritable combat est de gagner la côte. Ils ne s'approcheront plus de nos navires et ils ne peuvent pas nous attaquer directement. Ils ne peuvent qu'assister impuissants à notre débarquement. Ensuite, nous marcherons vers Belbaie, puis nous rejoindrons les troupes d'Armac. Rien n'est terminé. Rien n'est perdu.

Le soleil se rapprocha de l'horizon en rougissant. Il semblait pressé de s'enfuir dans la nuit pour éviter de voir les vaisseaux calcinés vomir leurs guerriers sur les côtes de Santerre. Ou peut-être espérait-il que la lune croissante, encore toute timide, donne si peu de lumière aux Sormens qu'ils ne distinguent pas les embûches qui les attendaient au large, ces rochers à fleur d'eau sur lesquels les coques risquaient de s'éventrer.

Réunis sur le même voilier, les Princes et les principaux commandants de Santerre faisaient le point. Jhibé restait assis sur un tonneau, grimaçant de douleur à chaque mouvement du bras.

— La nuit tombe et nous ne pouvons rien faire d'autre que les regarder dériver vers nos côtes, pesta le ménestrel.

– Nous leur avons porté un coup puissant, fit valoir un Baïhar. Ce Mornac n'est plus à la tête d'une flotte imposante, tout au contraire !

. – Mais il dispose toujours de milliers de guerriers qui seront déterminés à nous vaincre, répondit Shau. Il ne faut pas s'attendre à ce qu'il batte en retraite, surtout qu'il n'a plus les navires pour le faire.

Les discussions se poursuivirent, chacun essayant de trouver une manière d'intervenir. Finalement, Francœur dut avouer que Jhibé avait parfaitement bien résumé la situation.

– Voilà les faits, nous ne pouvons rien faire maintenant et nous ignorons tout de ce qui se passe dans les Monts Chantants. Nos forces en Région des Artans et en Région des Baïhars doivent s'organiser pour faire face à Mornac. Nous savons où il se trouve. Il ne pourra que tenter de gagner Belbaie. Il faudra lui couper la route et, pour cela, l'attendre sur un terrain qui nous avantage. Que Jhibé retourne à Belbaie avec le tiers des nôtres et qu'il commence immédiatement à regrouper nos combattants au meilleur endroit.

– Et vous, pendant ce temps ? demanda le ménestrel.

– Nous surveillerons sans arrêt les agissements de Mornac. Chaque fois que ce sera justifié, nous enverrons des voiliers vous faire rapport.

– Il ne faudrait pas croire que nous venons de remporter la victoire, soupira Shau. L'affrontement n'est que reporté.

Ses compagnons acquiescèrent en silence.

Fer et peur

36.

À cet endroit, à la limite des Monts Chantants, les flancs des douces montagnes descendaient paresseusement dans une prairie aux herbes grasses que les fleurs printanières parsemaient de touches multicolores. Avec leur protection en cuir noir épais, renforcée d'anneaux de fer, et leur casque recouvert de plaques de métal, les trois mille Sormens donnaient l'impression d'une vague sombre aux reflets d'acier glissant dans le paysage. En arrivant au bas de la pente, ils s'immobilisèrent en adoptant leur formation de combat. Ils attendaient les derniers ordres, cachant leur nervosité en entonnant des chants rythmés ou en répondant aux exhortations de leur chef de troupe.

Les premiers rangs se composaient en alternance de guerriers brandissant de solides hallebardes et d'autres tenant leur impressionnante épée se maniant à deux mains. Derrière eux, les archers pouvaient puiser à volonté dans leur carquois des flèches longues et lourdes aux tranchants menaçants. Des armes plus courtes pendaient à leur ceinture en prévision de corps à corps. Quant aux cavaliers, ils demeuraient en retrait pour l'instant.

Raidak savourait intensément ce moment, même s'il ne commandait pas le gros des forces qu'il avait organisées et entraînées durant l'hiver. Il allait porter un premier coup puissant et démoralisant à l'ennemi. Pendant ce temps, le Roi

Mornac arrivait par surprise à Belbaie et l'étau se refermerait inexorablement sur le Pays de Santerre. Le Sorvak avait prévu combattre dans les monts plutôt que dans la plaine. Il aurait préféré profiter du couvert de la forêt afin de s'exposer le moins possible. Toutefois, Armac assurait que les Gens de Santerre n'offriraient guère de résistance même s'ils étaient en nombre supérieur. Raidak partageait maintenant son avis. Les éclaireurs avaient rapporté que les troupes adverses avaient visiblement été formées à la hâte. Leurs armes consistaient souvent en outils de ferme et leurs montures étaient des chevaux de trait.

Armac s'était d'ailleurs bien amusé de ce compte rendu.

– Que se passe-t-il lorsqu'un homme décidé et armé d'un solide couteau entre dans un poulailler ? avait-il demandé en s'esclaffant. Les poules ont beau être nombreuses et les coqs peuvent montrer les ergots, la volaille finit à la casserole !

– Ainsi, nous ne ferons qu'une bouchée d'eux, approuva le Sorvak avec un rare sourire.

L'imminence de l'affrontement survolait les sens et il était temps de se lancer à l'attaque. Raidak ordonna à ses deux compagnons Sorvaks de l'accompagner un peu en retrait. Si le chauve Korjak demeurait égal à lui-même, toujours aussi sec et taciturne, Haruk avait bien changé durant l'hiver. Les premiers signes d'une barbe rousse lui fonçaient le menton et le dessous du nez. Les traits du jeune colosse s'étaient marqués et son regard avait pris de l'aplomb. Son air candide s'était grandement dissipé à fréquenter les tavernes de BaiNorde avec des fêtards s'engourdissant dans les beuveries pour tuer le temps. Ou, surtout, entre les cuisses des filles qui trompaient la grisaille de la saison froide dans les bras d'un amant de passage.

En ce moment où la tension atteignait son comble, Raidak préférait que ce soit son lieutenant Sormens qui leur adresse la parole. En effet, il ne s'agissait pas de donner des ordres de combat, mais de galvaniser les guerriers. Il valait mieux que ce soit l'un des leurs qui le fasse. Or, Armac avait le respect de tous ses hommes. Il leur parla avec passion, rappelant à quel point cette intrusion en Santerre était légitime.

– Nous savons tous que notre cause est juste, conclut Armac. Voilà pourquoi nous frapperons les premiers, sans pitié, rapidement et fermement, afin que les affrontements soient les plus brefs possibles. Ensuite, lorsque nous aurons repris notre place sur cette terre que nos ancêtres n'auraient jamais dû quitter, nous vivrons dans la paix et l'abondance. Ce n'est que justice après tant de temps en Terres Mortes !

Une clameur s'éleva, à la fois rageuse et résolue.

– Ici, chez nous ! Ici, chez nous !

En les écoutant, Raidak ne put qu'apprécier l'efficacité des discours du Roi Mornac lors des rassemblements à BaiNorde pour annoncer qu'ils prendraient les armes. Les hommes étaient véritablement convaincus du bon droit de leur attaque en Pays du Couchant. Le Sorvak se demanda brièvement si le Roi croyait alors vraiment à ses propres paroles, ou si elles ne servaient qu'à faire obéir les guerriers avec enthousiasme.

Que lui importait, du moment qu'il pouvait écraser Santerre sous son talon ?

Raidak ferma les yeux un instant pour s'enivrer du souvenir de Vardal. Il la revit marcher à ses côtés dans les rues de Belbaie, tellement sublime, femme parfaite et envoûtante. Puis, à cette image, se superposa celle du voilier en feu qui entraînait sa dépouille sous les flots. La vision des flammes se fit plus intense et se mélangea à celle qu'il entretenait d'un feu vengeur dévorant la vieille Cité des Baïhars.

✧ ✧ ✧

À l'autre extrémité de cette vallée qui deviendrait bientôt un champ de bataille, Herkas et Delbiam regardaient avec appréhension les Sormens. Au plus un miljie les séparait des Gens de Santerre qui se regroupaient depuis déjà plusieurs jours pour faire face aux envahisseurs. Les deux Princes étaient parvenus à les rejoindre avant l'affrontement au prix d'une folle chevauchée, exténuant de nombreuses montures d'un relais à l'autre, ne s'accordant eux-mêmes aucun repos.

Les chefs de combat formés durant l'hiver se tenaient nerveusement à la tête de cinq mille Gens de Santerre. Malgré leur plus grand nombre, ils ne donnaient guère l'impression de pouvoir combattre victorieusement. L'armée dont les Princes prenaient le commandement se composait essentiellement de chasseurs Fretts et de fermiers Culters. Leur armement hétéroclite comportait certes des épées, Alahid ayant ordonné que chaque famille en ait au moins une, mais aussi des haches, des fourches et divers outils pouvant servir d'arme. Une soixantaine de gardes royaux, armés et entraînés, occupaient les postes cruciaux. Ils possédaient des chevaux rapides, tandis que les autres cavaliers, quelques centaines, montaient surtout des bêtes de travail.

Maghnas et Horhar – qui accompagnaient Francœur et Shau lors du premier choc avec les Sormens – dirigeaient les troupes Fretts, notamment ses nombreux archers. Les Culters obéissaient à deux des leurs, Teldias et Tholam. L'arrivée des Princes de Santerre les avait rassurés et ils avaient mis au point leur stratégie ensemble. Depuis que les envahisseurs traversaient le pays, les gens avaient reconnu le sérieux de leur rôle et ils louaient maintenant leur acharnement à les préparer à de tels affrontements. La valeur d'Herkas en tant que garde royal était connue depuis longtemps et, face à l'ennemi, les accusations dont il avait été l'objet étaient oubliées. C'est vers lui, porteur de l'étrange titre de Prince de Santerre, que les regards se tournaient désormais.

À son plus haut dans un ciel immaculé, le soleil faisait resplendir la tenue blanche et la cape rouge d'Herkas. Il s'avança sur sa monture devant les troupes de Santerre pour leur adresser la parole d'une voix forte et calme.

– Gens de Santerre, vous savez pourquoi nous sommes ici ? Nous ne désirons pas ces combats, nous ne recherchons pas la gloire des victoires.

Herkas se mit à longer le front des combattants, dévisageant ces guerriers improvisés et les interpellant en les pointant du doigt.

– Toi, n'as-tu pas hâte de retourner dans tes champs pour y cultiver les magnifiques blés de la Région des Culters ?

L'homme approuva d'un hochement de la tête. Le Frett poursuivit sa harangue.

– Toi, n'es-tu pas ici pour que tes enfants grandissent en sécurité ? Et toi, ton souhait n'est-il pas de rire en serrant ta compagne contre toi ?

Chaque fois, les gens acquiesçaient silencieusement. Herkas évoqua encore des moments heureux du quotidien auxquels tous aspiraient. Puis il prit un ton plus grave.

– Nous craignons les Sormens en face de nous. Cette guerre nous fait tous peur. Je prie Elhüi pour que je sois toujours vivant ce soir et que je puisse m'allonger près de celle que j'aime.

La voix du Frett demeurait ferme, celle d'un homme semblable à tous les autres, mais calme devant la menace et déterminé à accomplir son devoir.

– Bien que cette menace soit une horreur, nous y ferons face. Ce pays auquel nous appartenons compte sur nous. Santerre nous demande de le protéger et nous répondrons avec toute l'énergie et le courage qui nous habitent. Par le fer. Par notre sang, s'il le faut. Pour ceux que nous aimons. Pour Santerre.

Herkas ne possédait pas la facilité de parole de Francœur pour haranguer la foule. Il le savait. Pourtant, c'était un meneur d'hommes à sa manière. Ses mots fort simples venus du cœur, son calme, son assurance, avaient le pouvoir de faire naître la confiance. Il n'était pas de ceux dont on dit qu'il parle bien, mais plutôt de ceux près de qui on veut se trouver au plus fort de la bataille. À ce moment, celle qui souhaitait le plus intensément être à ses côtés était certainement Delbiam.

Les Culters et les Fretts, dans un même élan, d'un seul cœur, se mirent à scander le nom de leur pays.

– Santerre ! Santerre ! Santerre !

Sur le même rythme, Delbiam prononçait avec ferveur des mots fort différents.

– Herkas ! Herkas ! Je t'aime !

La Culter aurait tant voulu que sa voix soit la plus forte, mais elle se perdait dans le rugissement des combattants de Santerre.

37.

On aurait dit que le soleil tenait à ce que chacun voie tous les détails de l'horreur à venir, très clairement, avec une précision qui en graverait les images à jamais dans les consciences. Il déversait sur la petite vallée au pied des Monts Chantants une lumière intense, brutale même. Ses rayons étaient lourds de chaleur aussi, mettant ces fous de guerre en nage à force de brandir bien haut leur armement, vers lui qui ne faisait que dispenser généreusement ses bienfaits. Les Sormens, surtout, suaient à grosses gouttes salées sous leur protection de cuir et de fer.

Les deux armées s'approchaient, celle des Sormens en rangs compacts, celle de Santerre déployés sur un front beaucoup plus large, mais moins profond. De chaque côté retentissaient des cris où s'entremêlaient les insultes envers l'ennemi et les encouragements à l'intention des frères d'armes. Toutefois, cette clameur cachait mal la peur qui étreignait tous ceux qui se faisaient face. Aucun d'eux ne pouvait concevoir ce qui se produirait dans quelques instants puisque le Monde d'Ici n'avait jamais connu un tel affrontement de milliers de guerriers dont la survie dépendait de leur ardeur à vaincre l'adversaire. À enlever la vie de l'autre pour préserver la sienne.

Herkas attendait que les Sormens soient rendus à un endroit précis pour passer à l'action selon la stratégie qu'il avait imaginée. Un premier groupe atteignit le repère qu'il s'était donné. Le Prince de Santerre fit un signal, aussitôt relayé par Maghnas et Horhar d'un côté, Teldias et Tholam du leur. Les combattants s'immobilisèrent dans l'attente du prochain signe. Le Frett évalua la distance qui les séparait encore de l'ennemi toujours en marche. Lorsqu'il estima que le moment était venu, il ferma les yeux un instant, puis fit le geste convenu avec les archers Fretts. Ceux-ci s'étaient dispersés derrière la première ligne des leurs. Ils tendirent leur arc et se mirent à tirer flèche après flèche, sans arrêt. Les traits partaient de toute la largeur du front, convergeant vers les Sormens surpris par cette attaque imprévue. Leurs archers tentèrent de répliquer, mais avec peu de succès, les cibles étant réparties sur une bonne distance.

Raidak hurla de rage envers Armac.

— C'est ce que nous devions éviter. Il ne fallait pas combattre en terrain découvert. Notre formation nous avantage en forêt !

— Replions-nous en ouvrant les rangs !

— Jamais ! Au contraire, donne l'ordre d'attaquer au pas de course. Fonce vers eux avec tous les guerriers. Les cavaliers, un groupe avec moi, l'autre avec Korjak.

Les flèches s'abattaient de partout, tel un orage dévastateur. Si les protections portées par les Sormens faisaient dévier nombre de traits, plusieurs s'effondraient, touchés douloureusement. Il y eut un flottement dans leurs rangs. Voyant leur hésitation, Armac courut vers les chefs de troupe pour les obliger à reprendre leur marche vers l'ennemi.

— Ne restez pas sur place. Vite ! Laissez les blessés derrière pour l'instant. Allez. Allez. Pour le Peuple Sormens ! Pour le Roi Mornac !

Bravant les flèches, l'arme haute, Armac prit la tête des guerriers et leur cria de le suivre au pas de course. Les Sormens se ressaisirent et une clameur monta de leurs rangs tandis qu'ils se remettaient en mouvement. Pendant ce temps, Raidak divisa ses hommes en deux escadrons qui partirent au galop en décrivant un grand arc de cercle. Hors de portée du tir des archers, ils se rendirent vis-à-vis des extrémités de la ligne formée par l'armée de Santerre afin de les attaquer de côté.

Herkas hurla ses ordres.

– Maghnas, prends un groupe et ne t'occupe que des cavaliers de ton côté. Teldias, fais de même de l'autre. Les archers, tirez sur ceux qui arrivent à pied jusqu'au dernier instant, puis sortez vos épées.

Tant que les corps à corps ne débutaient pas, l'avantage semblait du côté de Santerre. Cependant, le Frett ne se faisait pas d'illusions sur la valeur des siens devant les Sormens, le courage n'étant pas une arme suffisante pour contrer un guerrier bien préparé à la guerre. Il se tourna vers Delbiam qu'il savait tellement intrépide, redoutant que sa hardiesse ne devienne de la témérité inutile.

– Mon amour, reste toujours près de moi ! Je compte sur ta présence à tout instant.

Le ton du Frett se voulait un ordre qu'on ne discute pas, cela lui paraissant la meilleure façon pour que sa compagne respecte ce qui était en fait une supplique angoissée.

Stimulés par Armac, les Sormens criaient en fonçant droit devant eux au mépris des flèches ennemies. Plus ils approchaient, plus les tirs de Santerre les fauchaient, les uns s'effondrant, les autres trébuchant sur leurs corps hurlant de douleur. Les archers ajustaient des flèches en courant, s'arrêtaient le temps de décocher leur trait vers ceux de Santerre, et reprenaient leur course folle.

Le choc se produisit finalement. D'un côté, les Sormens en armure, les uns frappant avec leur longue épée tenue à deux mains, d'autres avec de lourds épieux, et les archers ayant laissé tomber leur arc pour utiliser des haches, des fléaux d'armes ou des glaives. De l'autre côté, les Gens de Santerre en vêtements de chasse ou de labour, armés pour certains d'armes semblables à celles de leur adversaire, les autres maniant perches, fourches, haches, massues ou épieux.

Parmi les cris de fureur et le vacarme des armes qui s'entrechoquent s'élevaient des hurlements de douleur et de déchirants appels à l'aide. L'effroi serrait tous les cœurs. Leur entraînement ne pouvait les avoir préparés à cette horreur qu'ils découvraient et dont ils mesuraient l'effroyable réalité. Dans un camp comme dans l'autre, il fallait les exhortations des plus hardis afin de ne pas fuir. Pour frapper celui qui se trouvait en face de soi, la raison initiale de cette furie n'existait plus. Il ne s'agissait plus de s'approprier une terre ou de la défendre, de vaincre ou de contrer un ennemi, mais uniquement d'instinct de survie. La vallée fut bientôt submergée par une clameur aussi confuse que le déroulement de la bataille. Les affrontements faisaient maintenant rage à trois endroits distincts. Au centre, la majorité des guerriers ne formait plus deux groupes opposés, mais plutôt une seule masse sans délimitation particulière, composée d'une multitude de corps à corps et de luttes individuelles, où l'unique espoir des combattants était de demeurer vivant.

Le plus grand nombre des ennemis s'affrontaient dans l'indécise mêlée centrale. Cependant, la situation devenait dramatique à chaque extrémité du front initial. Grâce à la vitesse de leurs montures, les escadrons Sormens avaient isolé les combattants les plus éloignés pour se livrer à un véritable carnage parmi leurs adversaires qui couraient en tous sens pour leur échapper. Heureusement, des renforts à cheval arrivèrent enfin et les guerriers croisèrent le fer en restant sur place. Cette fois, les Gens de Santerre à pied prirent leur revanche de l'assaut qu'ils venaient de subir. Surgissant sur le côté ou sur l'arrière des cavaliers Sormens, ils les frappaient du bas vers le haut avec leur lance ou leur épieu. Ceux qui avaient une hallebarde en utilisaient le crochet pour désarçonner le combattant. Aussitôt, ils sautaient à quatre ou cinq sur celui qui était tombé pour l'assaillir à coups d'épée, ou parfois de hache.

Des archers Fretts évitaient le corps à corps afin de poursuivre leur tir. L'ennemi se trouvant plus proche, ils prenaient le temps de viser un guerrier en particulier et faisaient mouche la plupart du temps. Si la charge des Sormens avait été meurtrière à leur arrivée au galop, ils devenaient maintenant des cibles plus faciles en demeurant au même endroit pour combattre.

Au début, Raidak avait renversé furieusement tous ceux qui se trouvaient à sa portée en vociférant sa haine de Santerre à chaque coup qu'il portait. Lorsqu'il constata que ses guerriers perdaient leur avantage, il leur ordonna de se replier. Momentanément à l'écart avec une trentaine des siens, le Sorvak hésita un instant entre provoquer un combat avec les cavaliers ennemis ou rejoindre l'escadron de Korjak pour ensuite foncer dans la mêlée principale. Un groupe à cheval non loin d'eux attira alors son attention. Il remarqua immédiatement ceux qui portaient des capes rouges. Malgré la distance, il eut la certitude qu'il s'agissait des mêmes personnes qu'il avait affrontées à l'auberge de Belbaie. La cavalière à la longue chevelure noire ne pouvait être que Delbiam. Il ressentit un grisant bouillonnement de furie contre celle qui avait frappé mortellement Vardal et d'euphorie de la retrouver enfin.

– À l'attaque de ce groupe et laissez-moi la femme !

Puisque Raidak était vêtu et coiffé de la même manière que les autres, ni Herkas ni Delbiam ne le reconnurent lorsque les Sormens foncèrent l'arme haute vers eux. Les adversaires désignés par le Sorvak étaient moins nombreux, mais il s'agissait cette fois de gardes royaux maniant leur épée avec aplomb. Les deux groupes entrèrent en contact – pratiquement en collision – dans le vacarme indescriptible des cris, des hennissements et du fracas des lames. Le premier choc passé, les combats singuliers s'engagèrent.

L'épée alisane de Delbiam la servait bien lorsque la finesse et l'habileté pouvaient l'emporter. Par contre, si la force brute procurait l'avantage, elle devait couper court à un affrontement qui devenait par trop inégal. La Culter se lançait plutôt à la rescousse de ses camarades en mauvaise posture, leur permettant de reprendre le dessus ou portant elle-même des coups décisifs contre l'adversaire. Elle venait de s'écarter de deux combattants lorsqu'elle vit un ennemi foncer sur elle tout en enlevant son casque. La longue chevelure rousse brilla au soleil et Delbiam reconnut le Sorvak, un feu vindicatif dans le regard.

La première attaque du Sorvak fut d'une brutalité effrayante. La Culter para la charge difficilement, ne songeant dès lors qu'à échapper à son assaillant. Elle lança son cheval au galop pour se mettre hors de portée, mais Raidak la talonnait, gagnant du terrain grâce à une bête plus rapide. Delbiam fit un brusque demi-tour et immobilisa sa monture pour faire face. Ils s'étaient rapidement éloignés et ils se retrouvaient seuls à l'écart des autres combattants.

– Je viens te faire payer ta dette, hurla Raidak en prenant position devant Delbiam.

Retenus sur place, les deux chevaux piaffaient nerveusement en attendant un signal. Ils ressentaient la tension de leur cavalier, l'un brûlant d'une fureur dévorante, l'autre gagnée par une terreur sourde. Brusquement, un feu dément dans les yeux, le Sorvak éperonna sa monture et passa à l'attaque. Épouvantée, Delbiam se cramponna à deux mains sur le manche de son épée, consciente de la protection dérisoire que lui offrait la fine lame alisane. Comme si le temps refusait de s'écouler, la scène paraissait se dérouler au ralenti. Elle vit le cavalier et la bête se ruer vers elle, semblable à une masse informe qui grossit et grossit inexorablement jusqu'à occuper tout l'espace devant elle.

Le choc fut terrible.

Après avoir terrassé un Sormens, Herkas chercha sa compagne du regard. Il la vit s'arrêter pour faire face à un cavalier à la longue chevelure rousse. Raidak ! Il assista à la charge du Sorvak, au coup qu'il asséna, à la chute de celle qu'il aimait éperdument. Déjà, le Frett avait lancé son cheval dans un galop désespéré. Il hurla de toutes ses forces pour attirer l'attention du Sorvak, pour qu'il se détourne de sa victime, qu'il ne l'approche pas.

Raidak ne se préoccupait de rien d'autre autour de lui. Le temps s'était arrêté, le Monde d'Ici avait cessé d'être réel, les autres combats n'existaient plus. Il menait le sien, le seul qui comptait. Enfin, l'assassine de Vardal, la chienne galeuse, la mère des bâtards Egohan et Francœur, celle qui avait détruit sa vie, gisait sur le sol à ses pieds. Il voulait se repaître de cet instant, s'assurer qu'il était bien véridique, concret, absolu. Il s'apprêtait à sauter à bas de cheval lorsqu'un cri dément parvint à transpercer son isolement, à lui faire prendre conscience de l'univers autour de lui. Le Sorvak tourna la tête et vit une forme hurlante se précipiter sur lui pour le renverser.

Fou de détresse, Herkas avait lancé sa monture contre celle de Raidak. Les deux bêtes et leur cavalier s'écrasèrent sur le sol dans les hennissements de souffrance et les rugissements de colère. Le Frett et le Sorvak se relevèrent aussi vite l'un que l'autre, l'arme à la main. L'affrontement débuta immédiatement, les deux combattants portant des coups furieux, à la limite du concevable. S'ils étaient manifestement tous les deux de grande valeur au combat, Herkas bénéficiait d'une meilleure portée avec une arme plus lourde qu'il maniait avec vigueur. Après une feinte habile, il frappa avec tant de puissance qu'il arracha littéralement l'épée des mains du Sorvak.

Au même moment, des Sormens arrivèrent au galop, poursuivis par des cavaliers de Santerre. En tête, le jeune colosse Haruk venait au secours son chef. Fonçant entre les deux combattants, il obligea Herkas à reculer alors que, d'une seule main, il attrapait Raidak au passage pour le hisser sur son cheval. Les autres passèrent en trombe, mais le Frett ne s'en souciait pas. Il courut vers Delbiam, le cœur battant à tout rompre, une angoisse insupportable lui donnant l'impression qu'il n'avançait pas, que jamais il ne parviendrait près de son aimée.

Elle était étendue sur l'herbe, le visage couvert de sang, sa chemise blanche de Prince de Santerre éclaboussée de rouge. Herkas se pencha pour l'examiner, découvrant aussitôt la plaie sur le côté de la tête, le cuir chevelu entaillé jusqu'à l'os. En même temps, il avait posé la main sur sa poitrine. Elle était chaude, elle bougeait, se soulevait au rythme de sa respiration.

– Delbiam, mon amour... Parle-moi ! Je t'en prie, reste avec moi...

Ses yeux s'ouvrirent lentement, dévoilant un regard indéfinissable, fixe, chargé de peur et d'incompréhension à la fois. Puis ils s'embrasèrent d'une lueur brillante, éclatante de vie et de bonheur.

– Herkas. Mon amour ! Je suis là, avec toi !

Le Frett se mit à pleurer, ses immenses épaules secouées d'un tremblement qu'il n'essayait même pas de contrôler.

– Merci Elhuï ! Merci Delbiam. Tu es toujours là. Merci, merci...

Enfin, Herkas se calma un peu. Il regarda autour de lui pour s'assurer qu'ils n'avaient rien à craindre pour quelques instants et il examina sa compagne. Delbiam était parvenue à parer en partie le coup porté par Raidak. Toutefois, l'épée l'avait atteinte à la tête, certainement sur le plat, ce qui l'avait assommée sans fracasser les os. Le bout de la lame ou une partie du tranchant avait fendu le cuir chevelu qui saignait passablement et la Culter avait déjà perdu beaucoup de sang. Le Frett dégagea les cheveux de la plaie, s'assura qu'elle était propre et la referma de son mieux. Il trancha à la hâte sa chemise pour faire des bandelettes avec lesquelles il confectionna un pansement temporaire.

Delbiam tenta de raconter ce qui s'était passé, mais Herkas lui coupa la parole.

– Ne parle pas, tu as une vilaine blessure. Heureusement que tu as la tête dure !

Ils sourirent tous les deux. Herkas termina son bandage, puis il se releva pour examiner la situation. La guerre faisait toujours rage autour d'eux.

38.

– Ne reculez jamais ! Foncez.

Au cœur de la mêlée principale, Armac renversait des adversaires, puis il revenait vers les siens pour les encourager. Il voyait bien que tous les combattants, aussi bien Sormens que de Santerre, tremblaient de peur. Chacun aurait préféré fuir cette horreur jusqu'ici inconnue en Monde d'Ici. Plusieurs, après avoir terrassé un rival, restaient littéralement figés sur place, en état de choc, à la fois surpris d'être vainqueurs et révulsés par le sort du vaincu.

Le Sormens secouait ses camarades au regard absent pour qu'ils reprennent au plus vite le combat. Puis il prenait la tête de petits groupes sur le champ de bataille, le temps de leur procurer l'avantage. Armac semblait être partout, impressionnant aussi bien ses propres hommes que ses adversaires du Pays de Santerre. Le nombre de combattants qu'il renversait à lui seul était incroyable. Son arme fendait l'air avec une puissance dévastatrice et une précision redoutable. Dès le début, il avait enfoncé les lignes ennemies au mépris du danger, affrontant victorieusement jusqu'à quatre adversaires simultanément. Maintenant, il poursuivait son avance sans s'accorder le moindre répit, apparemment insensible aux coups qui parvenaient à l'atteindre. Son visage ruisselait de sang, celui de ses victimes, et sa lame était devenue rouge de la pointe au pommeau.

Armac s'imposait comme le héros qui oblige les uns à avancer et qui force les autres à tout tenter pour le contrer.

Soudain, un Frett et un Culter se dressèrent devant lui en brandissant de longs épieux pour le tenir en respect. Dans cette situation, le Sormens savait prendre l'avantage rapidement puisque ces armes n'étaient d'aucune valeur dans un corps à corps. Il écartait les piques menaçantes de deux solides coups d'épée, créant ainsi une ouverture béante dans laquelle il pouvait bondir et frapper facilement ses adversaires. Cependant, cette fois, ceux-ci s'étaient vivement reculés et ils avaient croisé leur épieu devant eux de manière à empêcher Armac d'avancer. Il s'apprêtait à changer de tactique lorsqu'il vit deux autres pointes surgir sur ses côtés. Le guerrier s'immobilisa, constatant alors qu'il se faisait encercler par des combattants qui restaient hors de portée de son épée.

Le Sormens vit deux nouvelles lances le menacer. Il choisit aussitôt de créer une ouverture sur sa droite. Au moment même où il frappait une arme ennemie pour l'éloigner, il comprit le piège. Ses adversaires étaient parvenus à le retenir au même endroit assez longtemps pour que des archers ajustent leur tir avec précision. Trois flèches furent décochées coup sur coup à bout portant. Elles transpercèrent sa protection de cuir assez profondément pour que la douleur le saisisse et l'oblige à laisse tomber son arme. Alors, ceux qui l'entouraient frappèrent de toutes leurs forces. Les six pointes s'enfoncèrent dans son torse. Deux autres Culters arrivèrent par-derrière, ajoutant leur lance à celles de leurs compagnons avec tant de furie que les pieds du Sormens quittèrent le sol. Les Gens de Santerre poursuivirent le mouvement, convergeant ensemble en soulevant dans les airs leur ennemi toujours vivant.

Armac eut un râle désespéré vers le ciel, puis sa tête pencha vers l'avant, ses épaules s'affaissèrent. Il resta ainsi, comme suspendu au-dessus du champ de bataille, visible de loin par tous les Sormens. Une clameur féroce s'éleva des rangs de Santerre. Galvanisés par cette victoire sur le puissant Sormens, ils reprirent le combat avec une énergie nouvelle. Du même coup, le spectacle de leur héros vaincu démoralisa les guerriers des Terres Mortes. Ils hésitaient, perdaient confiance et reculaient devant leurs adversaires. Les chefs de troupe criaient de se replier, cherchant à éviter de perdre le contrôle de leurs hommes. L'affrontement tournait maintenant à l'avantage de Santerre.

Un vent de panique souffla sur les rangs Sormens. Des armes commencèrent à choir sur le sol et des guerriers tournèrent les talons pour fuir la vision du plus brave d'entre eux suspendu dans les airs, tel un macabre trophée proclamant leur défaite. En un instant, le mouvement gagna tout le champ de bataille. Certains se laissaient tomber à genoux, les bras bien hauts pour signifier qu'ils abandonnaient le combat et pour réclamer la clémence des vainqueurs. D'autres s'enfuyaient à la course vers les Monts Chantants, espérant se réfugier dans la forêt et se regrouper autour du commandant Raidak.

Les Gens de Santerre levaient aussi les bras vers le ciel, mais d'une tout autre façon. Ils criaient la joie de la victoire et le bonheur d'être toujours vivant. Quelques coups furent encore portés, exécutant sommairement des adversaires sans défense, mais les plus vindicatifs furent rapidement contenus. En fait, les combattants ignoraient comment réagir, tant cette situation se révélait sans précédent. Que devaient faire les vainqueurs et les vaincus après la fureur d'une bataille de cette envergure ?

Les gardes royaux donnèrent le ton. Ils se dirigèrent vers Herkas en l'acclamant.

– Vive les Princes de Santerre ! Vive Herkas !

C'est lui qui avait su leur parler avant l'assaut, c'était donc lui qui saurait quoi leur dire maintenant.

Le Frett se retrouva soudainement entouré de gens, des centaines de personnes massées autour de lui, à l'ovationner encore et, surtout, à réclamer des consignes. Herkas repéra la plupart de ceux qui avaient été désignés pour transmettre les ordres et les faire respecter. Il demanda à six solides gaillards de placer des épieux sur leurs épaules de manière à improviser une plateforme sur laquelle il put monter pour être bien vu et entendu de tous.

Au moment où il se dressait au-dessus de la foule, les acclamations reprirent de plus belle.

— Vive Herkas ! Vive les Princes de Santerre !

D'où il se trouvait, le Frett voyait les Gens de Santerre en liesse, mais attentif à ses instructions. Puis, plus loin, une multitude de corps étendus sur le sol, Sormens, Culters et Fretts pêle-mêle, un trop grand nombre d'entre eux immobiles à jamais, d'autres gémissant de douleur, luttant encore pour que la vie ne s'échappe pas définitivement par leurs blessures, par leurs membres mutilés, par leurs plaies béantes. D'un camp comme de l'autre, certains se portaient à l'aide des plus mal en point, plusieurs pleuraient amèrement des amis ou des proches. Des Sormens tentaient de fuir. Par endroits, ils étaient arrêtés et contraints de revenir. Ailleurs, ils parvenaient à fausser compagnie à des vainqueurs qui préféraient porter secours à leurs camarades plutôt que les poursuivre.

— Gens de Santerre ! cria Herkas pour obtenir le silence. Nous avons beaucoup à faire avant de regagner nos foyers. Que tous les Sormens soient désarmés. Qu'ils rassemblent les corps des leurs qui ont perdu la vie. Ils feront un bûcher afin de les brûler dignement dès le coucher du jour. Qu'ils conduisent leurs blessés près de la rivière pour les soigner. Ils attendront là, sous la surveillance de nos gens armés. À partir de demain, nous les escorterons jusqu'au Grand Cap afin qu'ils retournent sur les terres qui leur appartiennent et qu'ils n'auraient jamais dû quitter !

— Qu'on leur coupe plutôt tous la tête, vociféra un Culter.

— Non ! répliqua Herkas. Trop de sang a déjà souillé Santerre. Une telle horreur ne doit plus jamais se reproduire. Jamais ! La guerre est le Mal.

Herkas voyait tous ces visages tournés vers lui, espérant des paroles enthousiastes, réjouissantes. Mais le champ de bataille qu'il apercevait plus loin le remplissait de dégoût. Il leva le bras, le doigt pointé vers le ciel.

– Gens de Santerre, réjouissons-nous. Non pas parce que nous avons combattu et terrassé un adversaire. Célébrons la paix revenue, cette menace écartée et le bonheur de retrouver ceux que nous aimons. Vive Santerre !

Les acclamations reprirent avec enthousiasme.

– Vive Santerre ! Vive Herkas ! Vive les Princes de Santerre ! Vive Herkas !

Le Frett sauta de l'estrade que lui avaient faite les combattants. Rapidement, il donna des directives aux gardes royaux et aux chefs de troupe. Puis il s'empressa de rejoindre sa compagne allongée sur un brancard construit à la hâte. Un soigneur avait coupé les cheveux autour de sa plaie afin de la dégager et la nettoyer. Il s'affairait maintenant à recoudre les chairs. Delbiam, pâle et affaiblie par la perte de sang, serrait les dents en silence chaque fois que l'aiguille perçait sa peau. Herkas s'agenouilla près d'elle jusqu'à ce que la suture soit terminée et qu'elle soit recouverte par un bandage propre. Il la prit ensuite dans ses bras pour l'amener ailleurs tandis qu'un autre blessé était aussitôt confié au soigneur.

Herkas trouva un endroit à l'écart où installer confortablement la Culter.

– Tu vas te reposer ici sans bouger, ordonna-t-il. Tu dois refaire tes forces. Je reviendrai souvent te voir. Promets-moi de ne pas essayer de te lever en croyant te rendre utile ! Je t'interdis de faire le moindre mouvement.

Delbiam aurait souhaité se relever immédiatement, aider les plus mal en point qu'elle, prêter main-forte au Frett, assumer son rôle de Prince de Santerre. Cependant, son corps trop faible refusait d'obéir à sa volonté. Elle acquiesça finalement d'un sourire qui se voulait soumis. Dans ses yeux brillait une vive admiration pour ce Prince si humble et d'une si grande valeur.

– Tu es merveilleux, Herkas. Tes paroles étaient dignes des Sages de Santerre et tes actions sont les plus valeureuses. Quel bonheur de t'avoir comme compagnon !

– C'est moi le plus chanceux des hommes, répondit doucement le Frett.

Il l'embrassa avec tendresse, puis il la quitta à regret pour rejoindre les gardes et les chefs de guerre qui réclamaient sa présence. Déjà, les premières estimations permettaient de tracer un portrait assez complet de la situation. Du côté de Santerre, sur cinq mille combattants, entre cinq et six cents avaient perdu la vie, tandis que près d'un millier soignaient des blessures assez importantes pour les tenir à l'écart de toute tâche. Il restait tout de même un peu plus de trois cents cavaliers disponibles. Pour leur part, les Sormens comptaient environ quatre cents guerriers qui avaient péri, un plus grand nombre de blessés graves, plus de quatre cents maintenant prisonniers et les autres – plus de mille sept cents – en fuite dans les Monts Chantants. C'est cela qui préoccupait le plus Herkas.

– Le Sorvak Raidak va sûrement les regrouper. Il avait laissé des hommes en poste au Temple Fret. J'imagine qu'il tentera de les rejoindre au plus vite. Que fera-t-il alors ? Regagner les Terres Mortes, ou se terrer en Santerre comme une bête malfaisante qui cause des dégâts pour ensuite se cacher et recommencer ailleurs ?

– D'une manière ou d'une autre, nous devons l'intercepter, fit le garde Maghnas. Lançons nos cavaliers à leurs trousses. Pour leur part, ils ne disposent que de quelques chevaux. Ils ne pourront se déplacer très vite.

Le Frett opina en silence. Il aurait souhaité partir sur-le-champ à la poursuite de Raidak. Toutefois, il refusait de quitter Delbiam. Cette fois, son cœur et sa raison s'opposaient. Le garde royal constata son hésitation et la comprit.

– Reste ici, Herkas. Ton autorité de Prince de Santerre sera essentielle pour contenir les nôtres qui risqueraient d'assouvir leur vengeance contre des ennemis désarmés. Il faut organiser le départ des Sormens, prendre des décisions, donner des ordres. Je m'occuperai des fuyards et je te ramènerai vivant ce fameux Raidak. D'accord ?

Fort de ce bon motif pour ne pas s'éloigner de Delbiam, le Frett accepta la proposition du garde royal. Il émit ses premières consignes en songeant que, finalement, cette bataille n'avait rien réglé. Désormais, un ennemi dangereux rôdait dans le pays, qui panserait ses blessures et regrouperait ses forces. Il ne restait qu'à prier que Francœur ait eu le dessus sur la flotte du Roi Mornac.

Quand tout bascule

39.

– Nous errons.

Le constat s'imposait de lui-même, lourd d'angoisse, tout autant pour Orvak Shen Komi que pour Shar Mohos Varkur. Debout à l'immense fenêtre de la pièce de travail du Maître Sorvak, les mains posées sur le rebord de pierre froide, les deux frœurs ressentaient la même impression. Au bout de l'horizon, avant de sombrer sous les flots de la Mer du Levant, le soleil semblait les épier tel un gigantesque œil rouge perçant la grisaille d'une fin de journée terne. À travers son regard de sang, c'était tout le Monde d'Ici qui les accusait.

Vorgrar répéta les deux mots cruels.

– Nous errons.

Une tristesse insurmontable écrasait le Maître Sorvak, courbant son dos, affaissant ses épaules, le privant de toute réaction.

– Comment en sommes-nous venus à cela, mon frœur ?

– C'était lui ou moi, se défendit de nouveau Vorgrar. Shan Tair Cahal m'aurait anéanti... Je ne faisais que me protéger. Rien de cela n'était réfléchi. Face à Alahid, ce fut un réflexe, un geste... animal !

– Que tu aies frappé notre frœur avec une arme défie tellement toute logique, tout sens, toute raison... Comment veux-tu que je t'aide désormais ?

Au loin, l'œil écarlate les fixait encore. Puis il se cacha derrière l'extrémité de l'océan, barbouillant durant un moment le ciel de gros traits sanglants. Le vent ne semblait attendre que ce signal pour souffler, poussant des vagues froides sur la plage d'où surgissait l'élégante tour de pierre rouge blottie contre un escarpement de la rive. À l'étage le plus haut de la résidence du Maître Sorvak, une magnifique salle s'ouvrait largement sur l'extérieur par des fenêtres dont l'une, monumentale, laissait pénétrer les sons, les odeurs, le goût et la sensation de la mer. Shar Mohos Varkur y passait le plus clair de son temps, appréciant le contact avec les éléments, même lorsque le souffle du large s'engouffrait pour mettre la pièce en désordre.

Cette fois, le membre de la Race Ancestrale actionna le mécanisme qui permettait de faire descendre un panneau transparent dans l'ouverture. Les deux frœurs furent alors coupés de l'extérieur. Vorgrar marcha lentement vers l'âtre où des bûches finissaient de se consumer. Il en ajouta quelques-unes et il surveilla le moment où les flammes renaîtraient des braises pour les dévorer.

Il retourna près de son frœur, inspiré par ce qu'il venait d'observer.

– Tu vois, Shar Mohos Varkur, des sacrifices s'imposent. Les morceaux mis au feu doivent disparaître pour que la chaleur apparaisse. Il en est ainsi de nous. La Race Ancestrale devait subir des déchirements avant qu'une nouvelle vérité éclaire le Monde d'Ici. Nous allons atteindre un niveau supérieur de perfection.

Si Vorgrar retrouvait son enthousiasme, le Maître Sorvak demeurait abattu.

– Mais tu as frappé ton propre frœur ! s'indigna-t-il. Où peux-tu voir la moindre grandeur dans cet acte ?

Ces remarques stimulaient Vorgrar. Il ressentait le besoin d'y répondre, de persuader son frœur de la justesse de sa cause afin de s'en convaincre lui-même.

— Ce fut un geste malheureux qui n'aurait pas été commis si vous ne vous étiez pas révoltés contre moi. Celui qu'il faut blâmer est Hunil Ahos Nuhel. Ma Pensée a évolué avec le Monde d'Ici, elle s'est adaptée, elle a progressé vers le mieux. Mais Alios est demeuré au même point, en croyant que rien ne change, que les repères de nos actions doivent rester immuables. Il n'a pas compris qu'en ce monde, celui qui n'avance pas est condamné à reculer, à céder la place. Les Races Anciennes sont devenues marginales. Les Races Premières déclinent. Le Moyen Peuple constitue l'avenir du Monde d'Ici. Cette réalité est nouvelle et elle doit être guidée par une Pensée nouvelle. Voilà mon œuvre et la voie que je trace vers la Perfection. Alors, même entre nous, un choix s'impose désormais entre le passé et le futur.

Chaque argument ébranlait Shar Mohos Varkur. Il frissonna soudain, se sentant pris dans un étau qui allait le broyer, la Pensée ancienne de sa race formant une mâchoire et la Pensée nouvelle de Vorgrar étant l'autre.

— Il y aura des déchirements, j'en conviens, et il faudra fermer les yeux sur les errements de ceux qui se cherchent, poursuivit Vorgrar. Le jeune Egohan, dont j'ai fait le *Marqué-du-Destin*, représente bien l'avenir du Monde d'Ici. Avec ma Pensée, vois comment il dirige déjà Saur-Almeth vers la gloire et la splendeur. Par contre, aucune Race Ancienne n'est parvenue à un tel progrès après des générations tout simplement perdues à respecter la Pensée originelle. Pour t'en convaincre, il suffit que tu regardes les Saymails ! Ils sont aussi frustes qu'au moment de la naissance de leur peuple.

— Mais ils sont bons ! répliqua faiblement le Maître Sorvak.

— Qu'est-ce qu'être bon ? Être incapable de s'affirmer ? Alors, tu es bon, mon frœur Shar Mohos Varkur ! Selon ta logique, tous les membres de notre race sont bons, sauf Alios et moi !

Vorgrar s'enflammait et son frœur l'écoutait attentivement, déconcerté par l'évidence de ses arguments et la force de son raisonnement. Effectivement, seuls deux d'entre eux soutenaient des positions claires et précises. Cependant, ils s'opposaient désormais de façon irréconciliable. Chacun devait donc choisir son camp, accepter qu'une Pensée soit la *bonne* et que ce ne soit pas nécessairement celle qu'ils défendaient depuis l'origine du Monde d'Ici.

Le Maître Sorvak se sentit étourdi par toutes ces contradictions.

– J'ai besoin d'y réfléchir encore, Vorgrar mon frœur. Tu traces une voie dont nous ignorons l'aboutissement...

– Les événements se précipitent, Shar Mohos Varkur mon frœur ! Tu dois prendre parti. Si tu n'es pas avec moi, tu es contre moi...

– Non ! Ce n'est pas aussi irrévocable, se désespéra le Maître Sorvak.

– Oui, affirma Vorgrar, presque menaçant. Alors, es-tu avec moi, mon cher frœur ?

Shar Mohos Varkur recula devant Vorgrar. Il chercha un fauteuil pour s'y asseoir. Les mâchoires le broyaient, écrasant sa résistance. Il était prêt à tout pour que l'étau se relâche enfin, pour que les doutes s'écartent.

– Es-tu avec moi, mon frœur que j'aime tant ? insista Vorgrar.

La pression devenait insoutenable. Son âme n'était plus que douleur. Il fallait choisir pour que les mâchoires s'ouvrent et qu'il s'en échappe.

– Non ! Je ne peux pas...

Ce n'était qu'un murmure, une ultime résistance qui avait à peine franchi ses lèvres. L'ignorant, Vorgrar s'acharna à réclamer une véritable réponse.

– Te ranges-tu à mes côtés, frœur Shar Mohos Varkur ?

Le cri du Maître Sorvak fut pitoyable tant il contenait de terreur et de tourments.

– Oui !

40.

Un magnifique cheval à la robe grise portait le Sage Delbon. Même si son cavalier le retenait, GrisPas galopait à une vitesse stupéfiante. C'était une monture originaire du Nalahir, l'un des Domaines Cachés que l'Ancêtre avait créés à l'insu des autres membres de la Race Ancestrale, spécialement de Vorgrar. Véritables sanctuaires secrets, ces lieux échappaient au temps afin de les préserver de la Pensée Mauvaise. Jeim Mier Pehar avait souhaité en faire des témoins éternels de la réalité originelle du Monde d'Ici. Toutefois, leur nature tellement particulière avait aussi provoqué des résultats parfois inattendus, comme les chevaux du Nalahir, des bêtes exceptionnellement rapides et, surtout, d'une grande sensibilité envers ceux qui gagnaient leur amitié. Lorsque les frœurs brillaient de tout leur éclat complémentaire, le halo vert de Delbon et le bleu de l'Ancêtre s'entremêlaient étroitement. C'est donc à lui que Jeim Mier Pehar avait confié l'existence de son œuvre et qu'il lui avait donné l'autorisation d'en utiliser – en toute discrétion – les ressources fabuleuses pour contrer la Pensée Mauvaise.

À son arrivée à la Résidence des Sages, Delbon s'était rendu directement aux appartements privés du Roi. Sous son identité de Sage de Santerre, il laissa voir sa grande inquiétude quant à l'état d'Alahid. Cependant, lorsqu'il fut enfin seul avec son frœur, sa colère éclata.

– Ainsi, c'est Vorgrar qui a osé te frapper !

Alahid avait le teint livide. Ses forces le trahissaient et il ne se sentait pas suffisamment d'énergie pour débattre avec Delbon des torts de l'un ou l'autre. Il parvenait tout juste à communiquer par la pensée avec son frœur.

– « C'est bien lui, mais si j'avais été armé, et lui non, il est possible que la situation ait été l'inverse. Que *moi*, je frappe notre frœur... »

– Les faits sont les faits ! explosa Delbon. Il est venu vers toi avec une arme. Il l'a levée contre toi et il t'a frappé, t'abandonnant ensuite sur place. Son esprit est définitivement mauvais. Il est le *Mal* et il faut l'anéantir !

Un sentiment inconnu de la Race Ancestrale s'empara de Delbon. La haine.

– Je te jure, mon frœur, que je n'aurai de repos que le jour où j'aurai écrasé Orvak Shen Komi. Il ne mérite plus d'exister.

– « Tu t'égares, mon frœur. Nous errons à vouloir régler cette situation par l'affrontement. Regarde le Monde d'Ici qui bascule dans cette horreur. Les Sormens attaquent les Pays du Couchant. Entre des gens du Moyen Peuple, c'est désormais la *guerre*... »

De prononcer ce terrible mot sembla exténuer Alahid. Delbon se pencha vers lui et prit sa main pour tenter de le réconforter.

– Il existe un endroit où tu pourras reprendre tes forces, le Nalahir, un Domaine Caché créé par notre frœur Jeim Mier Pehar. Je connais la façon de t'y conduire. Tu retrouveras la santé et tu reviendras guider le Pays de Santerre comme autrefois.

Un long moment passa sans qu'Alahid réagisse. Croyant qu'il doutait de la réalité de ce lieu extraordinaire, Delbon lui décrivit tout ce qu'il en savait.

– « Je ne peux pas abandonner Santerre en ce moment, l'interrompit Alahid. Ce serait une désertion si lâche... »

– Cela n'est en rien une fuite, affirma Delbon. C'est au contraire ta seule chance de pouvoir agir de nouveau pour Santerre. Il faut que tu guérisses ! Nous devons être unis, tous les cinq : Alios, Maître Sorvak, toi, moi, et même l'Ancêtre ! Nous devons terrasser Vorgrar... pour le bien du Monde d'Ici.

La panique gagnait Jein Dhar Thaar qui cherchait de quelle manière convaincre son frœur de lutter, de ne pas abandonner malgré son état désespéré. Alahid ferma les yeux et cessa même de penser.

– Il ne faut pas que tu abdiques, implora Delbon.

Alahid poussa un long mais faible soupir. Finalement, il plongea un regard déterminé dans celui de son frœur.

– « Je sais que si je reste ici, la vie va s'échapper définitivement de moi. Mais si je me rends en ce lieu que tu nommes le Nalahir, je suis convaincu que je n'en reviendrai jamais. Cependant, je pourrai imaginer une manière de venir en aide à Santerre. Oui, conduis-moi là-bas où je pourrai concevoir un guide pour ce pays que j'aime tant, un *Santerrian* qui reviendra au moment opportun. »

Cette fois, Alahid s'était rendu au bout de ses forces. Les deux frœurs restèrent longtemps en silence, Delbon s'acharnant à transmettre une partie de son énergie à Alahid. Enfin, le Roi parut un peu mieux. Toujours par la pensée, il s'adressa au Sage.

– « Il faut vaincre Mornac, lui reprendre l'épée Galiv qui fut autrefois confiée à son père et me l'apporter en Nalahir. »

– Pourquoi ? s'étonna Delbon.

– « Fais-le, je t'en prie. Maintenant, convoque Ingléged l'Artan et les Princes de Santerre. Je vais confier l'autorité royale à un nouveau Roi de Santerre. »

La salle de travail attenante à la chambre du Roi était bondée de gens graves et silencieux, les notables de Belbaie, les Sages et Gouïk, le représentant des Princes de Santerre. Toute l'attention convergeait vers celui qui serait bientôt le nouveau souverain du pays, Ingléged, mieux connu sous le nom d'Ingled le Posé.

C'était un Artan grand et mince, le dos légèrement voûté, à l'épaisse chevelure d'un noir de suie qu'il séparait sur le côté pour la rejeter en arrière, découvrant un visage dont il était difficile de dire s'il était sympathique ou non. Il avait le front haut et carré, le nez long et pointu, les yeux minuscules et bruns, aux coins tombants, les joues rebondies dans une figure anguleuse, la bouche petite aux lèvres charnues toujours souriantes – plus moqueuses que rieuses – et le menton bien rond. Sa voix coulait doucement, un peu haut perchée et autoritaire à sa manière, celle des gens posés et réfléchis. Il portait des vêtements sobres, mais taillés dans des étoffes de grande qualité. Spontanément, Gouïk eut l'image d'un roseau sachant en chaque occasion plier sous le vent sans se rompre, solide par sa persévérance et non par sa force, soupesant avec attention tous les aspects de chaque situation et prompt à inciter chacun à prendre son temps en toute chose. Bref, pour le Gouhach, il s'agissait d'une personne de réflexion, et pas tellement d'action, qui privilégierait la négociation en toutes circonstances.

Gouïk le salua respectueusement et il allait se diriger vers la Sage Umée lorsqu'il entendit Ingled l'appeler.

– Prince Gouïk, j'apprécierais que nous ayons une conversation...

Le Gouhach hésita. L'Artan devait être un tacticien habile et, avant même d'être désigné par Alahid pour assumer le pouvoir royal, il désirait assurément évaluer tous ceux avec qui il devrait composer. Tout compte fait, Gouïk préférait attendre et lui parler au moment qu'il choisirait lui-même.

– Je dois faire rapport au Roi de Santerre avant d'échanger avec quiconque, objecta le Prince en souriant. Ensuite, j'aurai grand plaisir à ce que nous discutions ensemble.

– Puisque je prendrai la charge d'Alahid d'ici la fin du jour, tu peux me transmettre toute information devant être portée à l'attention du Roi.

D'un coup de tête, Gouïk rejeta sa couette en arrière, puis il se mit à se gratter le menton avec l'expression de celui qui doit trancher un important dilemme.

– Prulchoet, tu diplartokes, mais je pursuligek en thaberlhu.

Ingled fut décontenancé, incertain si le langage du Gouhach était volontairement ou non incompréhensible.

– Qu'est-ce que cela veut dire ? Peux-tu parler clairement ?

– Pirlachouek, j'ai dit ce que j'ai dit, car les mots en langue Gouhach veulent dire ce qu'ils veulent dire. C'est clair et simple, limpide et cristallin, n'est-ce pas ? Maintenant, je m'excuse, mais c'est Alahid que je dois informer de la situation.

Ingled fut sur le point de protester lorsque la porte de la chambre du Roi s'ouvrit. Le Sage Thalos apparut dans l'embrasure.

– Prince Gouïk, tu es attendu. Viens aussi, Ingled.

Le Gouhach et l'Artan échangèrent un long regard ambigu, puis ils entrèrent en silence, découvrant Alahid le teint livide, les yeux creux et cernés, les lèvres blanches, le front couvert de sueur. Il se tourna vers Gouïk et l'invita à parler d'un imperceptible mouvement de la tête.

– Princes Francœur, Shau et Jhibé ont appareillé hier un peu après le mi-jour avec cinquante bateaux pour aller ordonner à Mornac de faire demi-tour sinon ils mettront le feu à ses navires tandis que Princes Delbiam et Herkas sont en route vers les Monts Chantants où ils tenteront aussi de parlementer avec les guerriers Sormens pour éviter les combats sans toutefois les laisser avancer plus avant en Pays de Santerre.

Gouïk avait tout débité d'un seul trait, d'une voix ferme. Il fit une pause pour conclure autant à l'intention d'Alahid que d'Ingled.

– Ainsi que tu le constates, tout ce que nous avons préparé depuis l'automne dernier sous tes ordres nous a permis d'être prêts, ta volonté nous guidant en chaque geste et décision et elle continuera toujours à le faire car il n'y a d'autre chemin pour Santerre que celui indiqué par son souverain éternel, bienveillant, sage, clairvoyant, sagace et lucide.

Le Roi Alahid approuva d'un mince sourire et d'un hochement de tête. Puisant dans ses maigres forces, il s'adressa à Ingled.

– Tu exerces désormais l'autorité royale. Fais-toi plus petit que le plus humble des Gens de Santerre afin que le bien durable pour tous l'emporte chaque fois sur le bien immédiat pour un seul. Telle devra être ton unique préoccupation lorsque tu prendras une décision. Pour faire face aux Sormens, efface-toi derrière les Princes de Santerre. Ils feront de même pour toute autre question concernant le pays. Ainsi, dans l'histoire de notre peuple, puisse leur rôle être bien court et le tien très long.

Le nouveau Roi de Santerre s'inclina profondément devant Alahid. Gouïk en fit autant, puis ils quittèrent la chambre. Lorsque la porte fut refermée, le Gouhach s'empressa de prendre la parole pour annoncer lui-même la nouvelle aux Nobles et grands notables qui patientaient dans la pièce de travail.

– Illustres Gens de Santerre, voici le Roi Ingled le Posé ! Joignez-vous aux Princes de Santerre pour le saluer.

Compte tenu de la situation, les acclamations furent sobres. Des célébrations joyeuses se tiendraient plus tard. Pendant que les gens l'entouraient, Ingled chercha Gouïk des yeux. Leurs regards se croisèrent, celui de Gouïk chargé de satisfaction, celui de l'Artan encore indéfinissable.

41.

La Grande Forêt n'avait jamais rien connu de tel. Le sol tremblait sous les chocs répétés du pas de marche de neuf mille guerriers fortement armés. Il s'agissait surtout de Darchais, mais il y avait aussi des mercenaires des cinq Pays du Levant, des Hipparans, des Kalardhins, des Gueldans, des Coubalisins et des Mauserans ainsi que des Kahopiens et des aventuriers de diverses origines. Ils étaient précédés par un millier de cavaliers, le plus formidable escadron de combattants à cheval jamais réuni à ce jour. De plus, six cents personnes suivaient l'armée, responsables d'assurer le ravitaillement et de pourvoir à tous les besoins des troupes.

À la tête de cette force redoutable, organisée avec génie, le Prince des Alisans paraissait tout simplement invincible, en mesure d'imposer sa volonté en tous lieux sans que personne puisse résister.

Egohan avait choisi le même itinéraire qu'à l'automne précédent, utilisant de nouveau le col creusé par les Saymails, et s'engageant dans la Grande Forêt à proximité du territoire où résidaient les Magomiens. Il décréta une halte de quelques jours à cet endroit, s'accordant ainsi le temps de se rendre lui-même chez BrihanSildon et MilaSildon pour s'enquérir de leur fille SpédomSildon. En effet, malgré le nombre impressionnant de cavaliers lancés à leur recherche, aucun n'avait été capable de retracer la jeune Magomienne et le vieillard qui l'accompagnait. Ils paraissaient s'être volatilisés.

Le Darchais Harchal, nommé Grand Commandant de l'armée par Egohan, vint le rejoindre sous sa tente. Il approuvait ce premier arrêt prolongé, mais pour d'autres motifs que ceux du Prince Alisan.

– Ce repos sera le bienvenu pour tous, affirma-t-il. Nous sommes arrivés ici en un temps surprenant et cela fut très exigeant.

Une immense carte du Lentremers était étalée sur la table de travail installée au centre de l'abri de toile à l'aménagement luxueux dans le contexte. Les deux hommes y inscrivaient chaque soir les annotations pertinentes sur leur trajet.

– Nous avons été beaucoup plus rapides lorsque nous sommes revenus des Terres Mortes, observa froidement Egohan.

– Nous étions alors un tout petit groupe. Réalise l'exploit que nous accomplissons présentement. Cela ne s'était jamais fait auparavant. Nous inventons absolument tout, au fur et à mesure, dans la façon de se déplacer en aussi grand nombre. Du bétail nous accompagne, nous avons de la volaille dans des chariots et même des bacs de terre pour disposer de légumes frais. C'est une aventure hors du commun à tout point de vue !

Le Darchais tenta de transmettre son enthousiasme à Egohan qui restait d'un calme – ou plutôt d'une insensibilité – d'une étrange uniformité depuis le départ de Saur-Almeth. Il ne paraissait jamais irrité, jamais enjoué, d'un flegme qui en devenait exaspérant pour ses proches. Harchal en avait fait mention à quelques reprises et il avait eu droit chaque fois à une autre réponse nébuleuse, le Prince Alisan affirmant qu'étant toujours le même, il était normal qu'il soit constamment égal à lui-même.

Cette fois, le jeune homme se montra d'une ironie que Harchal ne savait trop comment décoder.

– Je suis extraordinaire. J'ai un destin extraordinaire. Il est normal que tout soit extraordinaire autour de moi.

Embarrassé par l'affirmation indéchiffrable de l'Alisan, Harchal se racla la gorge et changea rapidement de sujet.

– Nos éclaireurs en Terres Mortes et en Pays de Santerre devraient bientôt être de retour. Nous pourrons refaire le point.

– D'après nos premiers rapports, je crains que le Roi Mornac ne soit déjà passé à l'action. Les préparatifs que Raidak a dirigés durant l'hiver étaient destinés à envahir des Pays du Couchant, sûrement Santerre en premier...

– Nous imposerons d'autant plus facilement notre volonté, autant à nos ennemis qu'à nos alliés, puisqu'ils seront affaiblis par les combats entre eux ! se réjouit le Darchais.

– Quel que soit leur état, comment l'un ou l'autre pourrait-il nous résister ?

La confiance absolue dont Egohan faisait montre ressemblait à une évidence indiscutable ne suscitant chez lui aucune émotion particulière. Il évoquait ses victoires à venir comme s'il parlait du jour qui succède à la nuit, comme une banalité. Lors des discussions stratégiques avec son Grand Commandant, il n'était jamais question d'obstacles sur leur route ni même de résistance notable que quiconque pourrait offrir.

Ce soir-là, les échanges avaient porté sur un projet qu'Egohan avait imaginé depuis quelque temps pour occuper l'armée durant la pause qui lui était accordée à proximité du territoire des Magomiens. Il ne fallait pas que des guerriers partent en maraude et offensent l'une des familles de ce peuple de la Grande Forêt. Pour éviter tout impair, les chefs de troupes devaient non seulement imposer une discipline de fer, mais aussi faire exécuter des tâches précises. Le Prince Alisan avait donc désigné un site sur la rive d'une rivière où l'ordre était donné d'abattre les arbres et de nettoyer à fond le terrain. En plus de remplir le temps des hommes, cela permettait d'accaparer un lieu où construire un poste permanent de contrôle pour cette région. C'était une façon pour Egohan d'affirmer qu'il était chez lui et qu'il imposait ses règles.

La rencontre de travail s'étira assez tard dans la soirée. Après le départ d'Harchal, les trois servantes qui l'accompagnaient finirent d'installer le lit de camp où elles lui prodiguèrent un massage délassant. Ensuite, le jeune homme ordonna de le laisser seul. Allongé sur sa couche, il plaça en face de lui les aumônières dont il ne se séparait jamais. De la première, il sortit les Fioles de la Vie, de l'Amour, de la Connaissance, de la Vérité, de la Paix, de l'Abondance et de l'Imprévu. De la seconde, il retira les Cassettes des Forces de l'Eau, de l'Air et du Feu. Avant de quitter Saur-Almeth, il s'était assuré d'emporter le trésor des Mithris, cette formidable puissance qu'il pourrait utiliser au besoin si jamais un ennemi semblait être capable de se dresser devant lui.

Tour à tour, Egohan prit les Fioles et les Cassettes en les tournant lentement entre ses doigts. Il adressait la parole à chacune avec un ton d'une douceur inquiétante. La première était la Cassette des Forces du Feu.

– Ta tâche initiale sera purificatrice. Tu consumeras Raidak et les Sormens qui m'ont humilié. Tu réduiras en cendres non seulement leur corps, mais aussi leur âme et leur esprit afin qu'il ne subsiste rien d'eux en Monde d'Ici ou dans l'Éternité.

L'Alisan déposa doucement la Cassette pour ensuite prendre la Fiole de l'Amour et la fixer longuement.

– Quel dommage de te demander de me servir, soupira Egohan avec ironie. Tu devrais normalement unir des gens par les plus beaux sentiments qui existent afin de les rendre heureux. Pourtant, tu ne peux le faire pour moi car je suis condamné à vivre seul, solitaire au-dessus des peuples pour les guider. Mais j'ai besoin d'une union qui me permettra de créer des alliances, puis d'engendrer une descendance digne de poursuivre mon œuvre. Alors, je veux que SpédomSildon soit à mes pieds, qu'elle n'existe plus que dans l'attente de mon bon vouloir, qu'elle brûle du désir de me servir et de me *combler* en toute chose. Cependant, en moi, tu n'établiras aucune attache à son endroit. Si, plus tard, il s'avère préférable d'effectuer un autre choix que la Magomienne, je ne devrai pas avoir de liens à rompre pour m'en départir.

Le jeune homme demeura longtemps immobile, incapable de détacher son regard de la Fiole. Des sentiments contradictoires luttaient en lui, les uns surgissant de son passé, de la Pensée enseignée autrefois par sa mère Delbiam, les autres s'imposant avec toute la certitude envers l'avenir tel que défini par la Pensée de Vorgrar. Les deux proposaient le bonheur, mais par des routes tellement différentes.

Egohan s'arracha à sa contemplation morose de la Fiole pour enfin la ranger et s'adresser ensuite à celle de la Connaissance.

– Comme ta tâche sera grande ! Tu me transmettras tout le savoir de mon père Sauragon lorsqu'il aura terminé ses expériences. Je pourrai ensuite le reléguer dans ses laboratoires à de stériles recherches qui l'isoleront totalement. Le Grand Seigneur ne sera plus qu'un détail négligeable dans la Cité dédiée à la gloire du *Marqué-du-Destin* dont le titre de Prince des Alisans sera le plus sublime du Monde d'Ici. Ô mon père, tu as cru m'abaisser en me désignant ainsi. Bientôt, c'est ton nom qui ne signifiera plus rien aux yeux de tous !

La voix du jeune homme demeurait toujours aussi calme, s'échappant doucement de ses lèvres en un murmure glacial. Ses gestes étaient posés, empreints d'un grand respect envers les Fioles et les Cassettes qu'il manipulait presque tous les soirs. Il s'attardait parfois plus à l'une, parfois plus à une autre, pour préciser sans cesse les détails de leur intervention prochaine dans son grand dessein de domination que lui avait inculqué l'Esprit Mauvais.

– Toi, merveilleuse Cassette des Forces de l'Eau, tu écarteras à tout jamais le Guide des Alisans – ce *cher* Vorgrar – du Monde d'Ici en l'engloutissant au plus profond des mers. Toi, douce Fiole de la Paix, tu enlèveras toute résistance à ma tendre mère Delbiam afin qu'elle voie la gloire de son fils et qu'elle se réconcilie avec sa Pensée.

Finalement, Egohan approcha la Fiole de la Vérité pour la contempler intensément. Pour la première fois, de l'émotion teinta sa voix et laissa deviner une certaine chaleur.

– Comme tu es importante ! Tu as le pouvoir d'ouvrir enfin les yeux de mon frère Santhair sur son véritable destin et sur sa place auprès de moi.

42.

Au troisième jour de la halte à l'entrée de la Grande Forêt, Egohan avait enfin l'occasion de rencontrer le Seigneur Brihan-Sildon et son épouse MilaSildon, les parents de SpédomSildon. Il était convié – et lui seul – au repas du soir. Il arriva donc sans escorte à la maisarbraie des Sildon, accordant un regard blasé à la dizaine d'énormes maisarbres comportant des portes d'un jaune éclatant et à la vingtaine de dômes aux structures métalliques permettant à la lumière d'entrer sous le sol. Après avoir attaché sa monture à l'écart, il traversa d'un bon pas la pelouse verte bien dense, savamment décorée par des massifs de fleurs multicolores, des bancs de bois précieux, des sculptures de marbre immaculé et des fontaines aux bassins grouillant de poissons aux teintes vives. Finalement, il monta les quinze paliers noirs aux contremarches blanches d'un maisarbre monumental.

À son arrivée, la porte glissa silencieusement à l'intérieur du tronc, découvrant l'escalier s'enfonçant dans le sol. Une servante, une Kahopienne assurément, s'inclina en silence devant lui. Comme l'Alisan l'avait remarqué la première fois, les étrangers qu'il voyait au service des Magomiens étaient toujours d'une beauté remarquable, vêtus d'un voile vaporeux qui couvrait le corps tout en laissant deviner aisément les formes. Des bracelets dorés au cou, aux poignets et aux chevilles, étaient manifestement ajustés pour ne pas pouvoir être enlevés et ils comportaient des anneaux qu'Egohan imagina servir à y fixer une chaîne au besoin. Elle l'entraîna à sa suite dans les pièces souterraines au sol recouvert de tuiles colorées aux motifs raffinés, aux plafonds de bois peint créant une surprenante sensation de hauteur et de légèreté, et aux murs de terre totalement dissimulés par des boiseries habilement sculptées ou des tapisseries soyeuses illustrant les grands moments de la vie magomienne.

Comme lors de sa première visite, le jeune homme fut conduit dans une salle circulaire principalement meublée d'une table en rond, libre en son centre pour faciliter le service, autour de laquelle une trentaine de Magomiens dégustaient des mets délicats. Il revit ces femmes aux traits élégants, bien dessinés, et ces hommes aux faces présentant des formes moins marquées, un peu comme de vieilles statues usées par le temps.

MilaSildon et BrihanSildon occupaient les places d'honneur. La mère de SpédomSildon charmait avec son visage ovale d'une beauté remarquable que ses cheveux courts mettaient en évidence. Cependant, malgré son sourire constant et son attitude plutôt chaleureuse, elle maintenait une distance nette avec son entourage. Pour sa part, BrihanSildon imposait par sa stature massive. Exceptionnellement, les traits de sa figure étaient forts, surtout son menton qui avançait presque agressivement et les arcades de ses sourcils qui masquaient ses petits yeux vifs. Ses gestes et sa voix possédaient cette douceur des grands fauves à l'apparence nonchalante, mais toujours prêts à frapper sans merci.

Le repas fut cordial, Egohan laissant aux Magomiens l'occasion de parler d'eux à satiété. MilaSildon, qui dirigeait la conversation avec doigté, aborda d'elle-même l'absence de leur fille.

– Notre chère SpédomSildon n'est pas encore revenue de voyage. Elle est tellement enthousiaste à l'idée de découvrir la vie des autres peuples. Elle désirait se rendre jusqu'à Saur-Almeth. Ton père et toi avez dû l'accueillir, n'est-ce pas ?

– C'est un fait, elle a été reçue avec tous les honneurs qu'elle mérite, confirma Egohan. Il est dommage qu'elle ne se soit pas attardée bien longtemps.

– Cela me surprend un peu, vous sembliez apprécier mutuellement votre compagnie.

– Qui ne serait pas ébloui par chacun des membres de la famille Sildon ? répondit le jeune homme en abordant aussitôt un autre sujet.

Après le repas, des musiciens prirent place dans l'espace central avec de petits instruments à cordes pour créer une ambiance agréable sans pour autant nuire aux discussions. La Kahopienne qui avait conduit Egohan à son arrivée restait à proximité pour servir avec abondance des liqueurs capiteuses et des vins délicats. Elle multipliait les occasions de s'approcher de l'invité, bougeant avec des gestes sensuels, laissant son fin vêtement dévoiler, plus que cacher, son corps racé à la peau sombre. En son for intérieur, l'Alisan suspectait une manœuvre pour le mettre éventuellement dans l'embarras.

Finalement, BrihanSildon démontra son intérêt quant à la présence d'Egohan dans la Grande Forêt. Il questionna le visiteur de sa voix grave, un peu traînante, dont on ne savait si elle était rassurante ou menaçante.

– Nous avons beaucoup parlé de nous, il est temps que tu nous fasses part de tes intentions en t'installant ici avec des milliers des tiens. Tu as fait halte à la frontière du Magolande, la terre à laquelle les Magomiens appartiennent. Je considère même que ton campement empiète sur notre territoire... bien involontairement, j'en suis sûr.

Le sourire enveloppant ces derniers mots n'avait rien d'amical. Egohan sentit très clairement l'irritation de son hôte qui n'appréciait visiblement ni sa présence ni un intérêt possible entre lui et sa fille.

– Je suis navré de m'être trop rapproché des Magomiens, répondit l'Alisan en pensant à SpédomSildon dans un double sens sarcastique que lui seul comprenait. Je n'avais nulle intention de m'installer sur votre territoire. D'ailleurs, je ne suis que de passage dans la Grande Forêt, en route vers le Pays de Santerre. J'ai emprunté cette route parce que le col creusé dans les montagnes par le Roi Otrek facilite grandement notre périple.

— Ces abrutis de Saymails ! grogna BrihanSildon. Je savais que leur ouvrage ne ferait que créer des désagréments. Que le feu les consomme donc !

Le Magomien ne haussait aucunement le ton, mais ses mots n'en étaient que plus lourds de mépris. Il poursuivit ce qui s'avérait un réel interrogatoire malgré sa politesse.

— Tu te diriges vers Santerre ? Avec tant de guerriers pour t'accompagner, il ne s'agit certes pas d'une simple visite de courtoisie !

— En effet, je dois régler des questions qui ne concernent que moi et certaines personnes qui se terrent dans ce pays.

— Cela regarde les Magomiens lorsque tu arrives ici à la tête d'un si grand nombre de gens et que tu aménages un lieu à nos frontières de manière à t'y installer à demeure.

— Oh, cela n'est qu'une halte que je désirais plus confortable et que nous utiliserons lors de notre retour sur le Plateau des Alisans. Surtout, c'est un moyen que je prends pour occuper les hommes. Ainsi, ils ne risquent pas de commettre d'impairs dans votre merveilleux domaine.

La réplique plut à BrihanSildon qui adressa pour la première fois un sourire respectueux à Egohan. Seul dans l'antre de ces Magomiens aux pouvoirs fabuleux, le Prince Alisan ne pouvait que jouer de finesse et de diplomatie. Habilement, il banalisait sa présence et l'impact possible sur les peuples de la Grande Forêt. Il assura à ses hôtes que son unique objectif se trouvait sur les rives de la Mer du Couchant, évoquant mille prétextes pour ne pas élaborer sur ses intentions. Par contre, il se montra désireux d'explorer les liens que les Alisans pouvaient entretenir avec les Magomiens dans leur intérêt respectif. La soirée se poursuivit en discussions en somme assez stériles, le peuple du Magolande vivant en fait très replié sur lui-même, ne portant attention aux étrangers que pour en faire des serviteurs ou pour leur prendre les années de vie leur permettant de préserver sans cesse leur jeunesse.

Finalement, MilaSildon mit fin aux échanges. D'un ton qui se voulait le plus affable possible, elle invita Egohan à terminer la nuit sur place.

– La soirée est fort avancée. Khapia va te conduire dans une chambre réservée à nos invités de marque. Après un sommeil fort bienvenu pour nous tous, nous conclurons cette rencontre au repas du matin.

Un instant, Egohan eut l'intention de décliner l'offre. Un regard rapide autour de lui l'en dissuada. Il se trouvait piégé, soumis à la volonté de ses hôtes.

– Je ne voudrais surtout pas abuser de votre hospitalité...

– Au contraire, tout a été préparé pour te recevoir dignement, répliqua la Magomienne avec douceur. Il serait dommage que cela ait été en vain.

– Alors, je m'incline devant tant de courtoisie.

Le Prince Alisan salua l'assistance avec déférence pour ensuite suivre la Kahopienne qui le guidait vers sa chambre. Intérieurement, Egohan fulminait. Cette visite ne lui avait strictement rien appris sur SpédomSildon, il ne discernait aucun angle sous lequel entretenir des rapports avec les Magomiens et l'animosité de BrihanSildon s'avérait manifeste. Il agissait en père qui suspecte tout homme s'approchant de sa fille de vouloir l'abuser. Cette invitation à dormir ici ressemblait à un piège ou à une épreuve. Cette Khapia devait avoir reçu l'ordre de le séduire par tous les moyens, de telle sorte que les Sildon puissent ensuite confirmer qu'il n'était qu'un vulgaire goujat. En pénétrant dans la luxueuse pièce mise à sa disposition, Egohan se demanda s'il allait effectivement se comporter ainsi. Ce serait une manière somme toute très agréable d'en finir avec son obsession de SpédomSildon. Par contre, il pourrait se moquer d'elle et de ses parents à sa façon en faisant savoir par la Kahopienne qu'il ne touchait à aucune femme afin de se réserver pour celle qui serait sa Reine.

S'attardant exprès dans la pièce, Khapia faisait mine de replacer les fins draps du lit pour leur hôte et de s'assurer de la perfection de tous les détails. Son vêtement avait glissé pour dénuder son épaule et le cordon à la taille pendait, laissant les côtés s'ouvrir au gré de ses mouvements pour livrer son magnifique corps d'ébène au regard de l'invité.

Toujours réfugiée dans un mutisme soumis, les yeux baissés, Kaphia versa une coupe de boisson fraîche qu'elle tendit à Egohan. L'Alisan retarda le moment de l'accepter, se donnant le temps d'examiner la superbe Kahopienne. Il se demanda soudain s'il ne devrait pas accepter le piège trop évident de ces Magomiens qui commençaient à l'irriter par leur attitude dédaigneuse. Cela serait l'occasion idéale de rejeter de sa vie la jeune SpédomSildon. Après tout, le jour où il serait nécessaire d'avoir un fils, il aurait l'embarras du choix. Il pourrait élever au-dessus de la masse quelqu'un d'encore plus utile à son grand dessein. Finalement, cette folie passagère de son cœur envers la Magomienne, cette fièvre inutile, aurait été une bonne leçon. Il n'y avait rien de bon à attendre de la faiblesse des sens, d'un égarement qui rend dépendant d'une autre personne. Lui, le *Marqué-du-Destin*, il était seul et unique.

Voilà ce que son frère Mithris Santhair devrait comprendre lui aussi, même si pour cela il devait lui donner une rude leçon en utilisant Shau.

Le blanc brasier

43.

Les gardes de Saur-Almeth durent sortir leurs armes pour disperser la foule de quelques centaines de personnes. Encore une fois, la tension avait monté entre les deux clans, à tel point que des coups avaient été échangés. Tout avait débuté lorsqu'un groupe de savants était arrivé sur le parvis du Palais Mithris, provoquant les huées de gens de tous âges qui contestaient la volonté du Grand Seigneur Alisan de réaliser sa grandiose expérience.

– Vous allez engendrer un désastre ! hurlaient les plus farouches opposants à Sauragon. Vous défiez les lois du Monde d'Ici et de son Créateur !

En face d'eux, des partisans leur répondaient tout en acclamant les hommes de science.

– N'écoutez pas ces obscurantistes ! Notre savoir doit progresser et alimenter notre puissance. Voyez la grandeur de Saur-Almeth. Vive Mithris Sauragon ! Vive le Peuple Alisan.

– Vous êtes des inconscients. Il y a déjà eu un accident au laboratoire. Cette fois, ce sera encore pire !

– Vous êtes des pleutres ! À vous entendre, il faudrait loger dans des tanières, se vêtir de peaux et vivre comme les plus frustes des Races Anciennes.

– Écervelés ! Irresponsables ! Vous perdez la tête.

– Réactionnaires ! Immobilistes ! Vous êtes des obstacles au progrès.

Les injures se multipliaient, provoquant invariablement une escalade dans les propos blessants et intimidants. Deux jeunes hommes et la compagne de l'un d'eux avaient tenté de s'interposer entre les savants et les portes du palais. Ils furent repoussés brutalement par une dizaine d'impétueux partisans de Sauragon. La femme fit une mauvaise chute et se blessa à la tête. Du sang gicla sur les tuiles de marbre blanc. La fureur de ses proches se tourna contre l'autre groupe. Les altercations devinrent des empoignades, puis la bagarre éclata. Les gardes décidèrent d'intervenir avec de brutales volées de pique, frappant de la hampe ceux qui ne s'éloignaient pas assez vite. Évidemment, les opposants au Grand Seigneur Alisan récoltaient la presque totalité des coups.

Lorsque le parvis fut enfin désert, les manifestants s'étant dispersés dans les rues et les parcs de Saur-Almeth, des serviteurs s'empressèrent de faire disparaître les traces de sang. En se réfugiant dans le palais, l'un des savants jeta un regard derrière lui, ébranlé dans sa conviction qu'il fallait à tout prix appuyer Mithris Sauragon, mais redoutant le jugement de ses pairs s'il exprimait ses doutes.

Depuis une terrasse, Shinouk observait la scène avec exaspération en compagnie d'un chef des gardes du palais. Vêtue d'une tunique blanche, couleur réservée aux Alisans, sa chevelure rousse brillant d'un vif éclat, la Sorvak éblouissait invariablement ceux qui faisaient sa connaissance.

– Que la peste emporte ces manifestants, grogna-t-elle. Cela nuit à l'image de la Cité. Il ne faut pas seulement les disperser, nous devons les empêcher de se réunir.

Son interlocuteur, un Sorvak lui aussi, redoutait la colère de la nouvelle dirigeante de Saur-Almeth. Depuis qu'elle avait été présentée officiellement comme la fondée de pouvoir du Prince Egohan ainsi que du Grand Seigneur Alisan, Shinouk menait la cité alisane avec autant d'habileté que de fermeté.

– Nous tentons de le faire, expliqua-t-il. Mais rien n'interdit les rassemblements et ce sont des Alisans. Ils possèdent le droit de parole en public.

– Mais pas celui de causer du désordre ! J'ai dit d'utiliser ce prétexte.

– Nous le faisons lorsqu'il y a de l'agitation, mais encore faut-il que des manifestants commettent des excès qui nous justifient d'agir.

Shinouk fixa le chef des gardes, les yeux pétillants de colère et de détermination.

– Alors, crée toi-même les conditions dont tu as besoin pour intervenir ! Paie des gens afin qu'ils provoquent des incidents aux moments et aux endroits qui te permettent de contrôler la situation à ta guise... Maintenant, va et ne me déçois pas. Je ne veux plus revoir ces scènes disgracieuses.

Le mercenaire quitta les lieux en hâte, laissant Shinouk seule à la balustrade. La Sorvak retrouva rapidement sa bonne humeur en contemplant la ville sur laquelle elle régnait désormais. Puisqu'elle était le pivot du réseau secret de Sauragon, ils avaient tous deux convenu qu'il s'avérait avantageux qu'elle s'occupe de la Cité en son nom en l'absence du Prince Egohan. Surtout, la maîtresse du Grand Seigneur avait su se montrer très persuasive, faisant valoir que depuis qu'il avait répudié Delbiam officiellement, la voie était libre pour qu'il s'affiche en compagnie d'une autre. Sauragon était tellement absorbé par l'aboutissement de ses travaux qu'il avait fini par acquiescer. La situation était présentée comme temporaire, mais Shinouk avait habilement pris en charge les courtisans toujours présents et ceux qui continuaient d'affluer vers Saur-Almeth. Feignant le plus grand respect pour le Prince absent, elle avait rapidement accaparé l'attention générale et elle tissait un solide réseau de relations à son avantage.

Un bruit derrière elle la fit se retourner.

– Qui est là ?

La voix de la Sorvak était autoritaire, dénuée de toute crainte.

– C'est le vent, répondit un homme en s'approchant. J'apporte des nouvelles des Pays du Couchant.

Shinouk reconnut Galern, l'un de ses informateurs privilégiés. Petit, discret dans son habillement et ses mouvements, c'était le genre de personne qui passe inaperçue en toutes circonstances. Elle s'étonna de sa présence dans le palais alors qu'ils se donnaient toujours rendez-vous dans des lieux secrets. Pour toute réponse, le visiteur invita d'un geste la Sorvak à s'éloigner de la balustrade où ils pourraient être vus. Il fit alors un rapport qui préoccupa visiblement son interlocutrice. Shinouk le paya, lui donna quelques instructions et s'empressa de se rendre dans le laboratoire fourmillant de savants et de leurs assistants. Elle chercha un instant Sauragon et finit par le repérer, affairé à ajuster un mécanisme de précision. Elle l'attira à l'écart pour lui parler en toute confidentialité.

La Sorvak paraissait vraiment atterrée, ce qui fit sourciller le Grand Seigneur.

– Les nouvelles fraîches du Couchant ont tardé parce que Föhn a été capturé, puis il s'est enlevé la vie. Ton fils a probablement compris que tu disposes d'un réseau pour connaître les événements et intervenir au besoin. De plus, selon Galern, le Roi Mornac a déclenché une attaque majeure et tout porte à croire qu'il est entré victorieusement en Santerre...

Shinouk s'interrompit subitement. Elle regarda Sauragon avec exaspération.

– Est-ce que tu m'écoutes ? s'impatienta la Sorvak. Je te dis que notre meilleur informateur des Pays du Couchant a été démasqué alors que les combats doivent faire rage, et cela ne semble pas t'intéresser !

– J'ai besoin de toute ma concentration ici. Je m'en remets totalement à toi pour t'occuper de ce qui se passe là-bas. Donne les ordres que tu estimes judicieux.

L'Alisan déposa un rapide baiser sur sa joue en lui souriant.

– Maintenant, laisse-moi. D'ici au moment ultime, je ne peux me permettre d'être distrait par quoi que ce soit. Va, tu reviendras pour assister à mon triomphe.

La Sorvak réalisa qu'il était inutile d'insister. Elle enlaça Sauragon pour l'embrasser langoureusement, affichant ainsi clairement en public ses liens intimes avec le Grand Seigneur. Elle passa une main visiblement amoureuse sur son épaule et se retira. En s'éloignant, elle regarda à la ronde avec un mauvais pressentiment. Il y avait quelque chose de malsain dans cette foule de savants laborieux, habillés de tuniques de la prestigieuse couleur violette, manipulant des instruments au rôle obscur et des produits de composition secrète. Elle s'engagea dans l'estrade en spirale reconstruite depuis l'accident de l'automne dernier. Plus large, donnant accès à plus de matériel de science, elle montait en s'enroulant autour du cœur du laboratoire, une installation impressionnante. En son centre, une tige monumentale plongeait dans le sol jusqu'à un cours d'eau souterrain au débit rapide et constant qui entraînait les pales situées à son extrémité. Un complexe système d'engrenages permettait de démultiplier pour augmenter ou réduire à volonté la vitesse de rotation que la portion souterraine de la tige transmettait à un grand disque horizontal aux rebords recouverts de cuivre. Celui-ci tournait à l'intérieur d'un cercle fixe constitué aussi de plaques de cuivre, ce qui créait la fabuleuse énergie que Sauragon allait bientôt utiliser.

À la suite des récentes découvertes de Sauragon, un dispositif inédit avait été installé sur le dessus de l'appareillage servant à engendrer le fluide de puissance. Un assemblage de fines tiges d'un métal très pur permettait de faire converger cette formidable énergie dans l'axe central pour la décupler et, ensuite, la rediriger au milieu vers un bloc de roche d'une étrange couleur verte. Sans savoir exactement ce que les savants préparaient, Shinouk voyait bien que cette matière rare, placée à cet endroit critique, serait éventuellement soumise à une force d'une intensité incroyable. Cela la rassura finalement. Que pouvaient espérer ces savants à diriger tant de puissance vers un simple caillou ?

Elle finit par se rendre sur la terrasse de ses appartements, apaisant son esprit en admirant la vue exceptionnelle dont elle profitait désormais chaque jour. Le paysage à l'horizon lui paraissait d'une telle richesse, fertile et généreux, servant d'écrin majestueux à Saur-Almeth. La Sorvak ne se lassait pas d'examiner la Cité dont les rues de pavés aux teintes criardes traçaient des lignes multicolores à travers la blancheur des constructions parsemées des taches vertes d'une multitude de jardins suspendus. Ces traits colorés menaient à des parcs aux arbres immenses, dispensateurs d'ombre et de fraîcheur, à des bassins d'eau fraîche agrémentés de fontaines complexes, ainsi qu'à des places publiques grouillantes d'activité. Elle raffolait de l'ambiance créée par les étals des commerçants croulant sous les marchandises aussi abondantes que variées qui partageaient les lieux et l'attention des habitants avec des artistes de toutes les disciplines. Musiciens, conteurs, peintres et sculpteurs animaient sans arrêt la Cité, stimulés dans leur créativité par la générosité des Mithris qui assumaient la majeure partie de leurs frais.

Centre scientifique du Lentremers depuis longtemps, Saur-Almeth s'affirmait comme son cœur politique et culturel, carrefour resplendissant de la connaissance, de l'imagination et de la puissance. Pour Shinouk, il s'agissait non seulement de la plus merveilleuse ville du Monde d'Ici, mais surtout d'un fabuleux coffre à trésor dans lequel elle avait désormais le loisir de puiser sans compter.

Que pouvait-elle demander de plus au destin ?

44.

Une griserie palpable régnait dans le laboratoire. Le grand moment était enfin arrivé. Selon les calculs de Sauragon, l'expérience devait avoir lieu exactement à la fin du premier tiers de la nuit. Une Cassette semblable à celle renfermant les Forces de l'Air, de l'Eau et du Feu attendait de recueillir l'essence de la Puissance de la Terre.

Shinouk assistait aux derniers préparatifs. Sauragon lui avait appris dans les grandes lignes en quoi consistait l'Œuvre Mithris.

— Pourquoi n'es-tu pas allé chercher les autres Cassettes ? s'étonna-t-elle. Ton but est d'achever cet ensemble.

Sauragon lui sourit. Il se sentait d'humeur à lui confier tous ses secrets.

— Il ne serait pas prudent que les autres énergies vitales soient à proximité au moment de saisir celle de la Terre, expliqua l'Alisan. Demain, je me rendrai dans le sanctuaire familial prendre les Cassettes afin de compléter définitivement mon Œuvre.

À l'extérieur du palais, des gardes avaient dû intervenir régulièrement durant la journée pour chasser les gens. Des rixes avaient éclaté dans la Cité, mettant aux prises des partisans des deux clans. Finalement, à la nuit tombée, une foule nombreuse s'était massée sur le parvis dans l'attente de la réalisation ultime des Mithris. À l'intérieur du palais, l'ambiance était à la fête. Des musiciens jouaient des pièces composées pour l'occasion, les boissons fines accompagnaient les mets les plus extravagants, et des amuseurs se produisaient sans relâche. Dans la fabuleuse Salle Soleil aménagée selon les instructions d'Egohan, les invités d'importance festoyaient en attendant de se rendre dans les luxueux jardins à l'heure prévue de l'expérience. Effervescente, Saur-Almeth vivait pour cet instant magique qui couronnerait Mithris Sauragon. Même les opposants ne pouvaient échapper à la fébrilité du moment et ils se regroupaient dans les lieux publics, certains donnant à leur rassemblement l'allure d'une veillée funèbre, d'autres priant ensemble Elhuï de raisonner leur Grand Seigneur. Ils subissaient les quolibets et les insultes des partisans, toujours plus nombreux, de Sauragon et de ceux qui considéraient tout cela avec plus ou moins d'indifférence.

Alors que les derniers instants d'attente s'écoulaient, le Grand Seigneur Alisan harangua une ultime fois les savants et les invités d'honneur qui l'entouraient dans le laboratoire.

– Mes amis, mes amis ! Nous vivons ce soir un moment culminant de l'histoire des Alisans. Le regard tourné vers l'avenir, nos esprits assoiffés de connaissance, notre science atteignant de nouveaux sommets de grandeur, nous hissons notre Race à l'égal des dieux. Nos êtres touchent les étoiles et embrassent l'Univers. Ce petit geste que je ferai dans un instant, individuellement, sera d'une grandeur incalculable pour nous tous, collectivement ! Je vous promets une lumière flamboyante qui éclairera brillamment la route de notre destinée.

Des acclamations enthousiastes répondirent à ce discours.

– Vive Mithris Sauragon ! Vive le Grand Seigneur ! Vive le Peuple Alisan !

Les applaudissements devinrent ovation, le concert de louanges se transforma en clameur à la gloire de Sauragon qui s'avança lentement vers un podium dont la plus haute marche donnait accès à un panneau métallique. Sept leviers surgissaient de la surface argentée, chacun devant être abaissé en suivant une graduation complexe.

L'Alisan actionna le premier levier selon une séquence déterminée, l'amenant enfin au maximum de sa course. La tige centrale de l'installation se mit à tourner, d'abord douce-ment, puis avec de plus en plus de rapidité. Au-dessus, le grand disque révolutionnait avec une douceur stupéfiante. La méca-nique s'avérait si précise qu'aucune vibration n'était percep-tible. Un second levier. La tige prit encore plus de vitesse. Un troisième. Le mouvement était devenu si rapide que l'ensemble en paraissait immobile. Seul un faible déplacement d'air confir-mait la vélocité atteinte par les pièces mobiles.

Le Grand Seigneur Alisan abaissa deux autres leviers. Les personnes présentes ressentirent un doux chatouillement, puis elles réalisèrent avec amusement que leurs cheveux cherchaient à se dresser sur leur tête. Effectivement, certaines chevelures particulièrement fines se gonflèrent en boules semblables aux pics d'un hérisson. Ceux qui tentaient de les ramener à leur place éprouvaient de légers picotements en les touchant. Un grésillement se fit entendre avec de petits bruits secs.

Sauragon abaissa les deux derniers leviers.

L'énergie devint visible, un fluide d'un bleu blanc à force de puissance. Le disque dégagea une lumière qui enveloppa lentement le savant enchevêtrement de tiges le coiffant. Le labo-ratoire baigna dans une lueur d'une blancheur vive et pure. L'influx lumineux parut immobile un moment, puis il glissa dans l'axe central, accélérant son mouvement interne jusqu'à atteindre en son propre sein la vitesse de la lumière.

Alors, tout se déroula instantanément. Concurremment, sans qu'il y ait de début ni de fin dans la séquence, l'énergie plongea dans la Terre et remonta le long de la tige. Elle enve-loppa le morceau de roche aux propriétés si particulières que Sauragon avait découvertes. Le fluide le compressa de toute part, en même temps qu'il pénétrait à l'intérieur et qu'il en ressortait simultanément après avoir transformé la nature de ses éléments infiniment petits, ceux-là mêmes qui appartenaient à l'Essence de la Terre.

La roche aux reflets verts n'existait plus. À sa place, on aurait dit le Soleil lui-même. À l'intérieur du laboratoire, la chaleur atteignit immédiatement une intensité inimaginable, incalculable, hors de toute compréhension. L'air lui-même s'enflamma et forma alors une sphère incandescente de la taille du palais Mithris. Depuis que l'énergie avait été absorbée et rejetée par la roche, le temps n'avait pas encore eu de durée. Toujours dans le même instant, la boule de feu était devenue une entité en expansion, à la fois embryonnaire et ultime, se nourrissant de tout ce qui pouvait alimenter sa combustion : l'air, l'eau, le feu, la terre, la vie, les âmes, les esprits, la réalité...

Un premier rayonnement se propagea autour de la sphère, intense, brûlant et enflammant tout ce qui se trouvait autour sur des miljies à la ronde. Trop concentrée, la boule de feu avait besoin de s'étendre. L'embrasement qu'elle avait provoqué lui permit de se gonfler. À ce moment, le temps commença enfin à s'écouler.

Dans la nuit du Lentremers, un brasier d'une blancheur aveuglante surgit de Saur-Almeth. En moins de temps qu'il n'en fallait pour prononcer le nom de la Cité alisane, ses sept collines étaient recouvertes par la boule incandescente, plus haute que le sommet d'une montagne aux neiges éternelles. Partout, la lumière d'un éclat douloureux enveloppait la moindre présence à laquelle elle pouvait s'agripper, objets de toute dimension ou êtres vivants de toute nature. En aucun endroit, il n'était plus possible de distinguer les formes et les couleurs. Tout se fondait dans une brillance d'un blanc flamboyant. La lumière pénétrait toute matière comme l'eau de la mer est aspirée à la hâte par le sable chaud du rivage. Ce qui osait prétendre exister dans cet espace et ce temps était pulvérisé, annihilé, rejeté dans le néant.

Saur-Almeth brilla un instant à en faire pâlir le soleil, puis les constructions les plus majestueuses de l'orgueilleuse cité ne furent plus rien d'autre qu'une poussière terne s'écroulant sous son propre poids.

C'est à ce moment que l'explosion eut lieu.

L'apogée de l'énergie dans le sein de la sphère incandescente qui s'était formée sur Saur-Almeth fut la genèse d'une onde circulaire semblable à celle qui se propage sur la surface calme d'un étang lorsqu'on y lance une pierre. Mais cette nuit-là, tout le Plateau des Alisans tenait lieu de plan d'eau, la Cité alisane représentait le point d'impact du caillou et l'onde était un blanc brasier labourant le sol avec une fureur démentielle.

Les gens encore éveillés qui se trouvaient à l'extérieur virent dans le ciel une lueur aveuglante, accompagnée d'une sorte de frémissement. Le temps de s'étonner, ils ressentirent une chaleur suffocante qui les consuma sur place. Partout où l'onde passait, les gens se tordirent comme des vers, atrocement brûlés. Arbres, maisons, bâtiments, constructions de toute nature disparurent, balayés par un souffle se répandant dans toutes les directions à une vitesse si grande que rien ni personne ne pouvait y échapper.

Le gigantesque anneau de feu commença à se charger de débris pulvérisés qui parurent le ralentir un peu, mais qui le rendirent encore plus dévastateur. Ces particules, les unes tranchantes, les autres dures comme l'acier le plus résistant, étaient projetées avec une puissance incontrôlable devant l'onde brûlante, ravageant tout ce qu'elles atteignaient, réduisant même des parois rocheuses en fin gravier, aplanissant le paysage telle l'incommensurable herse d'un titanesque laboureur. Finalement, alors que le sol n'était plus que ruines et désolation, le son parvenait enfin sur les lieux, monstrueux retardataire dont personne n'entendait le rugissement assourdissant car la vie n'existait plus.

Durant une éternité, durant un si bref instant, le cercle de destruction s'élargit sans arrêt. Lentement, il commença à s'essouffler, acceptant que des structures résistent en partie, que des gens à l'abri de leur habitation ne soient pas anéantis immédiatement par la chaleur. Pourtant, il eût mieux valu qu'il en soit ainsi, les éphémères survivants étant appelés à succomber plus tard dans d'atroces souffrances ou à s'accrocher à une existence pitoyable en ne méritant pratiquement plus le nom d'êtres vivants.

Tout à coup, l'onde se heurta à la Grande Falaise qui sépare le Bas-Plateau du Haut-Plateau. Elle s'élança à la verticale pour franchir l'obstacle, y laissant alors un peu de sa vigueur. Ce furent les massifs montagneux entourant le Plateau des Alisans qui finirent par contenir l'onde dévastatrice. Les Grandes Rocheuses, les Monts Soleil, les Petites Rocheuses et les Sommets des Neiges se dressèrent en autant de barrières infranchissables. Ils opposèrent leur éternelle majesté à la brève fureur des éléments.

Dans un premier temps, le cercle irrégulier des montagnes força l'onde de choc à dévier de sa course. Si le rond eût été complet et sans faille, l'énergie du blanc brasier aurait sans doute été retournée vers l'intérieur du Plateau des Alisans pour s'éteindre à son point d'origine, à l'endroit où s'élevait Saur-Almeth un instant auparavant. Or, il existait un passage où le souffle s'engouffra. Le col creusé par les Géants et les Saymails.

La Terre eut-elle pitié du Moyen Peuple ? Son dû était-il enfin largement prélevé ? Sa colère contre les Alisans était-elle suffisamment assouvie ? Éprouvait-elle déjà des remords de sa fureur ? Qui peut prétendre comprendre ses desseins ?

Alors que le dernier sursaut du cercle incandescent aurait pu surgir dans la Grande Forêt et l'incendier à son tour, la Terre préféra reprendre en son sein ce feu furieux, le dompter, le calmer et, peut-être, l'endormir à jamais. Les parois du passage concentrèrent le blanc brasier en une ligne d'énergie qui pénétra dans le sol, forçant ses entrailles comme un pieu de métal qu'on y enfonce d'un grand coup de masse. Or, à l'échelle de la Terre, le mouvement se fit juste sous sa peau, à peu de profondeur. Le sol se souleva au passage de l'énergie venue du Plateau des Alisans.

Depuis le col d'Otrek jusqu'à la limite du Pays de Santerre, la Grande Forêt vit surgir des monts traçant une longue ligne, relativement étroite, qui sépara à jamais ce territoire en deux. En fait, il ne s'agissait pas de réelles collines, mais plutôt d'un amas désordonné de rochers projetés à la verticale par le passage de l'onde, un lieu rendu stérile par l'immense effort consenti afin de contenir la fureur de la Terre.

45.

La coupe de boisson tendue par Khapia tremblait légèrement. Egohan nota les cercles concentriques que cela produisait à la surface du liquide. La Kahopienne attendait son bon vouloir, docile, ou plutôt privée de volonté par les Magomiens qui l'asservissaient. Le Prince Alisan la contemplait avec un sentiment trouble. Elle était si belle, un joyau arraché par quelque malheureux destin à son lointain pays, mais l'âme brisée par l'absence d'avenir. Libre, aurait-elle été fière et audacieuse comme Delbiam ? Rebelle et assoiffée de savoir à la manière de SpédomSildon ?

Un désabusement profond fit soupirer Egohan. Il tendit la main pour prendre la coupe, couvrant de ses doigts ceux de la Kahopienne et la retenant dans cette position. Il avança l'autre main et, du bout de l'index, il l'obligea doucement à relever le menton afin qu'elle le regarde enfin dans les yeux. Elle ou une autre ? Elle ou SpédomSildon ? L'Alisan ne savait plus vraiment ce que son cœur ressentait. Était-il devenu sec, son âme brisée comme cette pauvre enfant perdue en Magolande ?

Il allait dire quelque chose lorsqu'il y eut un éclair blanc dans la nuit, visible dans le domaine souterrain des Magomiens grâce à ses nombreux puits de lumière. Ensuite, le sol trembla avec un grondement sourd. Tout le Lentremers ressentit que la Terre laissait éclater sa colère. Soudain, ce fut assourdissant, un son indescriptible, bref et intense, qui occulta les autres sens. Il n'y avait plus d'odeur, de couleur, de sensations autres que ce bruit comme un cri de rage, effrayant et sublime à la fois de puissance infinie. Le silence qui suivit ressembla à un arrêt total de l'existence, la réalité figée dans une attente angoissée de ce qui allait se produire ensuite.

Lentement, la vie reprit son déroulement normal. D'abord, Egohan ne bougea que les yeux. Il constata quelques dégâts mineurs autour de lui, des objets déplacés, des panneaux muraux lézardés, mais rien de majeur. Khapia le regardait, terrorisée, et lui-même se sentait peu rassuré. Leur main serrait tellement la coupe en argent qu'elle s'était déformée et vidée de son contenu. Doucement, l'Alisan écarta les doigts pour laisser tomber le contenant, puis il reprit la main de la Kahopienne.

– Qu'est-ce que cela ? murmura Egohan. As-tu déjà ressenti cela en Magolande ?

La Kahopienne n'osait pas faire le moindre geste, comme si cela risquait de déclencher une nouvelle catastrophe. Elle répondit d'une voix blanche.

– Non, c'est la première fois... Ici, jamais rien n'a ressemblé à cela...

Le jeune homme se dirigea vers la porte. Spontanément, la Kahopienne le suivit sans lui laisser la main. Egohan mit un certain temps à réaliser que lui non plus ne voulait pas rompre ce contact rassurant. Ils se frayèrent un chemin parmi la grande agitation qui régnait dans les corridors du domaine. Les Magomiens et les autres habitants couraient vers les sorties et, avec eux, le Prince Alisan et Khapia débouchèrent à l'air libre au cœur d'un brouhaha anxieux. Ils virent BrihanSildon compléter une rapide inspection des lieux, puis revenir vers le maisarbre principal. Le Magomien gravit les marches pour dominer la foule et s'efforça de calmer les gens malgré sa totale ignorance du phénomène qui venait de se produire.

Immédiatement, Egohan réalisa que personne ne prêtait attention à lui ni à la Kahopienne. Rien n'était plus facile que de se fondre dans la nuit avec la plus grande discrétion. Il s'éloigna de l'attroupement, accompagné de Khapia. Après avoir parcouru un large arc de cercle aux limites du terrain gazonné, ils parvinrent à l'endroit où sa monture attendait. La pauvre bête avait été attachée à un arbre et, épouvantée, elle tentait de se libérer. Un serviteur, assurément chargé par les Magomiens de prendre soin du cheval de leur invité, essayait gauchement de l'approcher. Il paraissait certainement plus apeuré des conséquences qu'il subirait s'il arrivait quoi que ce soit à l'animal, que des coups de sabots qu'il risquait de recevoir.

Egohan l'interpella.

– Recule-toi, l'ami. Je m'en occupe.

L'Alisan se plaça légèrement de biais devant son cheval et marcha vers lui d'un pas assuré en lui parlant fermement. La monture portait toujours sa bride et Egohan l'empoigna solidement. L'étalon était nerveux et frappait le sol d'une patte, puis de l'autre, mais le jeune homme le força à s'immobiliser. Il s'adressa à lui plus doucement en frottant son front, parvenant à le calmer complètement.

– Aide-moi à le seller, ordonna Egohan au serviteur. Ensuite, tu iras dire à ton maître BhihanSildon que le Prince Alisan devait retourner auprès des siens au plus vite après ce qui s'est passé. Présente-lui mes hommages ainsi que mes excuses de ne pas avoir pris le temps de le saluer. Tu lui expliqueras que je suis certain qu'il comprend ma hâte à reprendre le commandement de mon armée.

Dès que le cheval fut prêt, le serviteur s'éloigna. Egohan monta en selle. Khapia restait là, se mordillant la lèvre, osant lever les yeux vers ce Prince si énergique et rassurant. Elle trouva la force de l'interpeller, non pas en le suppliant, mais en lui donnant presque un ordre.

– Emmène-moi avec toi. Je veux redevenir libre.

Le jeune homme fut surpris non par la demande elle-même, mais plutôt par le ton déterminé de la Kahopienne.

Renouait-elle avec sa vraie nature ? Cette perle de Kahopie se révélerait-elle un pur joyau ? Sans réfléchir, sans chercher pour l'instant à expliquer son geste, il lui tendit la main pour la faire monter en croupe avec lui.

Pourquoi faisait-il cela ? Egohan se dit qu'il arrivait des choses tellement étranges cette nuit. Cela prendrait certes un sens dans la suite des événements.

46.

Près des Monts Chantants, Herkas veillait sur sa compagne. Du moins, il essayait de le faire de son mieux à travers les visites incessantes des chefs de troupe qui venaient écouter ses directives ou lui demander conseil. Un combattant, que sa fort belle humeur rendait particulièrement bruyant, était finalement parti. Il avait évidemment réveillé Delbiam et le Frett s'était approché pour lui apporter à boire.

– Comment te sens-tu maintenant ? s'inquiéta Herkas.

La Culter lui sourit, amusée de le voir si gauchement attentif.

– Tu es vraiment plus à l'aise à la tête de milliers de gens en armes que dans le rôle d'une nourrice personnelle, se moqua-t-elle gentiment. Allez, ne t'en fais pas. Je m'en remettrai !

Herkas soupira d'aise. Si Delbiam crânait déjà, c'est qu'elle avait la tête solide et qu'elle se portait mieux. Le Frett s'assit près d'elle pour lui prendre la main.

– Je crois que je commence à avoir besoin d'un peu de repos moi aussi. Je vais demander qu'on nous laisse seuls jusqu'au lever du jour.

Comme s'il avait suffi d'évoquer la fin de l'obscurité, une lumière vive chassa soudain la nuit. Durant un moment, ils eurent l'impression que le soleil s'était mis à briller en plein milieu du Lentremers, mais au ras du sol plutôt qu'en plein ciel. Le phénomène cessa rapidement, la luminosité devenant un éphémère miroitement rougeâtre.

– Mais, qu'est-ce que c'est ? murmura Herkas sur le qui-vive, la main déjà sur son arme.

Pendant qu'il regardait Delbiam, tout aussi interloquée que lui, un grondement sourd s'appropria le temps et l'espace qui les entouraient. Ce fut une incommensurable plainte, une voix caverneuse qui s'amplifia comme si elle parcourait le sein de la Terre et passait sous le Pays de Santerre. Le sol bougea, soulevé par la puissance de l'onde qui traversa la vallée pour disparaître au loin.

Delbiam eut un étrange pressentiment qu'elle partagea aussitôt.

– On dirait que cela émane du centre du Lentremers. Du Plateau des Alisans ! Herkas, j'ai l'impression qu'il s'est produit quelque chose de terrible là-bas...

– Mais quoi ?

– Je l'ignore... et je ne sais pas si je désire l'apprendre. Cela me fait peur.

❖   ❖   ❖

Les voiliers commandés par Jhibé étaient à peine accostés à Belbaie que déjà Gouïk était sur place, excité au possible. Il pétaradait, relatait les derniers événements à Belbaie et interrogeait le ménestrel plus vite que celui-ci pouvait répondre.

– Par Elhuï, calme-toi, je pourrai mieux satisfaire ta curiosité, s'impatienta Jhibé. D'ailleurs, un peu de tenue, je t'en prie. Voici des gens importants qui arrivent.

– Friuuul ! Le nouveau Roi Ingled vient lui-même personnellement en personne de façon individuelle et personnelle accueillir le retour d'un Prince de Santerre ! s'exclama le Gouhach.

– Qu'y a-t-il d'étonnant à cela ?

330

– Klagrasuhaluiïl ! Je n'ai pas la certitude d'être certain qu'on ne peut pas douter de la considération avec laquelle il nous considère ! Disons que je resterai incertain tant que je ne serai pas convaincu qu'on vaut pour lui ce que nous valons pour Alahid.

– Et moi, je suis certain que tu t'inquiètes pour rien, rétorqua Jhibé.

Gouïk grimaça, mais il cacha rapidement ses sentiments derrière un grand sourire à l'arrivée du Roi et de ses proches. Ingled avait été incapable de trouver le sommeil et, à l'annonce que des navires revenaient, il était venu immédiatement au port afin d'être bien certain que tout Prince de retour de l'expédition contre les Sormens l'informerait en priorité de la situation.

Le Roi et le ménestrel se firent face juste à l'endroit où la jetée s'accroche à la terre ferme. Jhibé s'arrêta sur la dernière planche, comme s'il ne voulait pas quitter le monde de la mer, tandis qu'Ingled restait sur le quai, tel celui qui est solidement enraciné dans la réalité de Santerre. Ils se jaugèrent du regard, chacun vaguement intimidé par l'autre. Un attroupement s'était formé autour d'eux. Du côté du Roi, se tenaient ses proches collaborateurs et d'éminents dirigeants de la vieille Cité. Autour du ménestrel, se pressait une foule de marins et de Baïhars de toute condition. La situation – le rapport de force, en fait – apparut soudain d'une grande limpidité pour les deux hommes. Ils représentaient deux mondes, celui du petit nombre chargé des responsabilités du pouvoir, et celui du plus grand nombre appelé à accepter cette autorité. Deux univers d'égale valeur qui devaient n'en faire qu'un et s'accordant une confiance mutuelle. Ce fut le message que Jhibé et Ingled s'échangèrent silencieusement.

Le ménestrel fut le premier à parler.

– Je te salue, Roi Ingled, mon souverain.

– Je te salue, Prince de Santerre, valeureux serviteur du pays.

– J'apporte les nouvelles de notre rencontre avec le Roi Mornac.

– Nous avons hâte de les apprendre. Raconte-nous, à tous, en public et sans retenue ! Que le plus petit sache les mêmes choses que le plus grand.

Le ménestrel se détendit. Les rapports avec le nouveau Roi se présentaient sous de favorables auspices. Jhibé fit donc le récit de ce qui s'était déroulé en mer, utilisant par réflexe ses talents de conteur pour captiver l'auditoire, le faire trembler de peur ou s'exclamer de soulagement selon les péripéties.

– Alors, pendant que la flotte de Mornac dérive, privée de voiles pour se diriger à son gré, je suis revenu en hâte pour que nos troupes se préparent à contrer les Sormens qui auront débarqué sur nos côtes.

– Mais nous avons remporté la victoire, se réjouit Ingled. Le Roi Sormens est vaincu.

– Oh que non, répliqua Jhibé. C'est une bête blessée, donc enragée et dangereuse, qui aborde notre rivage. Nous n'avons pas un instant à perdre.

Ingled s'apprêtait à argumenter lorsque le ciel devint brusquement éclatant. Une vive lumière blanche éclaira Belbaie, figeant de stupeur la foule rassemblée dans le port.

– Sirkesaulhel ! éructa Gouïk sans se soucier de la présence du Roi. Que tous les mhaguermaurs de l'histoire Gouhach me kaphartysent si cette lumière est naturelle, saine, bienfaisante, chaleureuse, légitime, hygiénique et le moindrement du monde sensée, rationnelle et raisonnable !

La tirade de Gouïk n'était pas sitôt terminée qu'un grondement se fit entendre, accompagnant un mouvement indéfinissable, d'abord lointain, puis qui s'approchait de toute évidence très rapidement. Or, il n'arrivait pas *sur* eux, mais plutôt *sous* eux, en faisant trembler le sol. Ce fut comme une plainte douloureuse remuant les entrailles mêmes de la Terre.

Elle se jeta dans la mer, gonflant les flots pour créer une vague qui s'éloigna vers le large en rugissant son soulagement de quitter le Lentremers.

– Ben shaparlausnchkor ! commenta le Gouhach. Quelqu'un a mis la Terre en colère. Et il a payé pour cela. Cher. Très cher !

✧ ✧ ✧

Appuyés sur le bastingage, Francœur et Shau observaient la flotte de Mornac dériver vers le rivage. Malgré l'obscurité, les marins Sormens tentaient de trouver un lieu propice pour s'échouer en demeurant le plus possible regroupés. La marée descendante laissait surgir des rochers dangereux qui n'étaient vus qu'au dernier instant dans la nuit. Un navire s'y fracassa et dut être abandonné. L'équipage et les guerriers à bord nagèrent jusqu'à un autre bâtiment plus au large qui put les recueillir pour la plupart. Les autres constituèrent la part prélevée par la mer.

Les Princes avaient fait le compte final. Sur les cinquante voiliers partis de Belbaie, huit étaient disparus. Cela représentait une cinquantaine de marins qui ne reviendraient pas au port sur les six cents qui les avaient accompagnés. Du côté des Sormens, la flotte se trouvait décimée, sept vaisseaux perdus corps et biens, tandis que les autres avaient souffert plus ou moins gravement des incendies, notamment en étant privés de leurs voiles. Quant aux pertes de vies, elles demeuraient difficilement estimables, mais elles s'avéraient certainement lourdes.

Les vingt-huit voiliers de Santerre encore sur les lieux surveillaient l'ennemi en conservant une sage distance, tout autant des bâtiments de Mornac que des récifs de la côte.

– Ceux qui sont repartis vers Belbaie n'ont pu repêcher que quelques corps des nôtres, se désola Shau. Nous devrons faire d'autres recherches dès le lever du jour.

– Bien sûr, approuva gravement Francœur. Toutefois, il faudra se résoudre à ce que plusieurs reposent à jamais au creux de la Mer du Couchant.

Le commandant Baïhar s'approcha à ce moment.

– Tu dis vrai, Prince Francœur. C'est une réalité pour toutes les familles de marins. *Qui sait lorsqu'il part en mer, ne sait s'il reviendra à terre !* Voilà une expression que nous connaissons et que nous acceptons. La mer est une amante capricieuse, toujours généreuse, mais parfois douloureuse à fréquenter. Cependant, ce n'est pas de cela que je désire vous parler. Il nous reste encore un certain nombre de projectiles incendiaires.

– Tu veux reprendre l'attaque en pleine nuit, s'étonna Shau.

– Pourquoi pas ? Continuons à mettre de la pression plutôt que les observer sans rien faire. Plus nous leur rendrons la tâche difficile pour débarquer en Santerre, plus il sera facile de les vaincre sur nos terres.

La Baïhar exprimait la raison. D'un point de vue tactique, ainsi que lui avait enseigné son père autrefois à Saur-Almeth, il ne faut pas laisser l'adversaire refaire ses forces lorsqu'il se trouve en situation de faiblesse. Au contraire, il faut en profiter pour le frapper encore plus fort ! Cette logique faisait partie de son apprentissage de Seigneur Alisan, mais elle se heurtait à la Pensée qu'il avait approfondie en compagnie de Delbon et d'Alahid. Francœur se tourna vers la flotte Sormens qui dérivait entre eux et le Pays de Santerre. Il imagina les navires ennemis en feu dans la nuit, cet avantage précieux pour la victoire, mais aussi ces hommes désespérés livrés aux flammes et aux flots dans la noirceur.

Shau se serra contre lui. Ils regardaient en silence en direction du Levant lorsque, soudain, le ciel s'illumina. Une intense lueur blanche brilla au-dessus du Lentremers, leur donnant l'impression d'être en plein jour durant un instant. La lumière s'évanouit dans un chatoiement de reflets rouges. Un moment s'écoula, étrangement silencieux, puis la mer se gonfla. Une vague parut se détacher de la côte pour s'élancer vers le large en prenant de plus en plus d'amplitude. L'onde passa en soulevant les navires Sormens, puis les voiliers de Santerre, accompagnée d'un grondement profond, venant du fond de l'océan.

Le calme revint. La Terre avait noyé les derniers feux de sa fureur dans la mer.

Shau et Francœur se regardèrent, encore incrédules devant ce qu'ils avaient pourtant bien vu et entendu.

Épilogue du troisième tome

Tuwit s'était envolé de très bonne heure le matin. Il avait passé la nuit très loin de son nid habituel, au cœur des Monts Soleil. La grande lueur blanche et le fracas qui l'accompagnait l'avaient réveillé en sursaut et il avait attendu impatiemment le lever du jour pour aller voir ce qui s'était produit. L'Oiseleur entretenait des relations difficiles avec plusieurs des siens depuis que le Peuple Ailé avait collaboré avec Mithris Sauragon pour retracer son épouse en fuite de Saur-Almeth. Il n'acceptait pas cette idée de négocier avec le Grand Seigneur Alisan afin de préserver l'intégrité d'un territoire bien délimité qui serait à eux, en *exclusivité*. Tuwit était de ceux qui croyaient fermement que les Oiseleurs ne devaient surtout pas se mêler de ce qui se passait au sol. C'était aux courants aériens sans frontières que son peuple appartenait, à la grandeur du Monde d'Ici.

La polémique suscitait encore des débats houleux entre les clans qui s'étaient formés l'été précédent. Il faut comprendre que le Peuple Ailé avait connu le Grand Centre – ainsi qu'ils nommaient le Plateau des Alisans – avant qu'il ne fût habité, à une époque où il n'existait aucune raison de se soucier de la présence d'autres races. Or, avec le temps, les villages et les cités s'étaient multipliés au point de restreindre leur sentiment de liberté. Nombre d'Oiseleurs, notamment Hiyou, considéraient les routes et les pistes au sol comme autant de cicatrices, les villes comme autant de furoncles qui défiguraient la beauté du Monde d'Ici. Pour sa part, Tuwit faisait partie de ceux qui ne se formalisaient aucunement des tracés et des constructions des Basses Races sur un sol qu'ils ne foulaient pratiquement jamais.

L'Oiseleur fit une vrille pour se réveiller totalement. Il enchaîna avec quelques gracieuses acrobaties pour se sentir en pleine possession de ses talents de vol, appréciant de tout son être la sensation merveilleuse de l'air coulant sur son plumage. Il reprit de l'altitude pour profiter des courants supérieurs et, brusquement, il huma une odeur affreuse qui lui leva le cœur. Alarmé, il s'empressa de gagner la limite des Monts Soleil derrière lesquels il pourrait survoler le Grand Centre. En s'approchant, il constata que l'air se chargeait de poussières inhabituelles et d'une fumée âcre. Parfois, des incendies de forêt allumés par la foudre dégageaient quelque chose de semblable. Pourtant, cette fois, Tuwit appréhendait une catastrophe pire encore. Les odeurs contenaient une sorte de lamentation inconsolable. L'Oiseleur eut l'impression qu'un cri hallucinant de détresse s'obstinait à retentir et à emplir tout l'espace du Grand Centre.

En quelques puissants coups d'aile, Tuwit parvint à un point d'où il put voir le Plateau des Alisans. Saisi de stupéfaction, il faillit s'évanouir et tomber en chute libre. Seule une réaction instinctive lui permit de continuer à planer tandis que sa raison refusait d'admettre le spectacle sous ses yeux.

À perte de vue, le Grand Centre n'était plus qu'un espace vide, stérile, totalement ravagé et brûlé au ras du sol.

Tuwit voulait fuir cette vision cauchemardesque, s'en retourner près des siens, chercher du réconfort, même auprès de Hiyou qui le contredisait constamment. Pourtant, une fascination impérieuse le forçait à poursuivre son vol, à regarder, à s'efforcer de comprendre. Les traces démontraient qu'une force inimaginable avait tout renversé sur son passage. L'angle dans lequel elle s'était déplacée indiquait que son origine devait être Saur-Almeth. L'Oiseleur s'engagea résolument dans cette direction en scrutant les lieux dans le fol espoir de découvrir des signes de vie. Effectivement, il distingua parfois des formes qui bougeaient. Qui erraient plutôt. De rares gens ou des bêtes avaient été épargnés parce qu'ils avaient eu la chance – ou le malheur – de se trouver protégés par la configuration du terrain, soit dans une caverne, soit derrière une paroi abrupte. Le souffle était passé au-dessus d'eux sans les consumer instantanément.

Bientôt, l'Oiseleur ne vit plus rien d'autre qu'un mélange gris sale de sable, de poussière et de cendres. Même les formes du sol semblaient avoir été supprimées. Tuwit chercha les sept collines caractéristiques de Saur-Almeth, mais le paysage n'était plus qu'une surface dramatiquement plane d'où l'existence de l'orgueilleuse cité avait été éradiquée. Incapable de se résoudre à accepter une telle disparition pure et simple, l'Oiseleur poursuivit ses recherches. Il passa une partie de la journée à survoler les environs, retournant sans cesse à l'endroit vers lequel convergeaient les traces de la catastrophe.

Tuwit dut finalement se rendre à l'évidence. Au cœur d'un paysage désormais désertique, cet amas de cendres et de sable vitrifié dans un creux circulaire avait été la fabuleuse Cité Alisane de Saur-Almeth dirigée par le Grand Seigneur Mithris Sauragon.

Fin
de l'épisode

L'épopée des Princes de Santerre se poursuit avec le tome 4.

Les Histoires du Pays de Santerre

À propos du Monde d'Ici

Les Histoires du Pays de Santerre se déroulent en Monde d'Ici. Il est nommé ainsi par distinction avec les différents Mondes d'Ailleurs qui sont cependant tous l'œuvre du même Dieu créateur Elhuï.

L'histoire du Monde d'Ici

Le peuplement du Monde d'Ici a débuté sur le continent du Lentremers. Des Âges Anciens jusqu'à l'expansion du Moyen Peuple, toutes les races et tous les peuples y furent engendrés. L'histoire du Monde d'Ici se déroule en vagues successives.

La Race Ancestrale

Lorsque prit forme le Monde d'Ici, Elhuï commença par engendrer les six membres de la Race Ancestrale. Ils assument la responsabilité de la création physique des différentes Races qui peuplent le Monde d'Ici. Ce sont des hermaphrodites ; le terme *frœurs* sert à désigner leurs liens à la fois de frères et de sœurs. Ils se manifestent auprès des autres races sous des identités diverses, autres que leur véritable apparence.

Les Races Anciennes

La première grande vague de peuplement a été celle des Races originelles appelées à disparaître rapidement. Ces races s'intègrent au maximum à la nature, ne laissant généralement que peu de traces sur leur environnement. Parmi elles, on compte notamment les douze Géants, les Oiseleurs et leurs descendants Gardols, les Facombres, les Gobins et les Saymails.

Le Moyen Peuple ou Basses Races

Le Moyen Peuple constitue la troisième et dernière grande vague de peuplement en Monde d'Ici. Il s'agit en fait d'une race unique dont sont issus différents peuples relativement homogènes quant à leurs caractéristiques et à leur organisation sociale. Conscients de leur unité, ces peuples se désignent sous l'appellation de « Moyen Peuple » alors que, par mépris, les races précédentes les qualifient de Basses Races. Bien qu'ils vivent moins longtemps et qu'ils possèdent moins de pouvoirs, ils deviennent sans cesse plus nombreux et ils occupent désormais tous les continents du Monde d'Ici.

La géographie

Le Monde d'Ici est représenté par le Moyen Peuple depuis la Terre Cahan au Levant jusqu'à la Terre Abal au Couchant, et des Terres de Glace à la Mi-Nuit jusqu'aux Terres Blanches à la Mi-Jour. Au-delà de ces contrées, il n'y a que des îles ou des landes désertiques où ne réside aucun peuple. L'orientation en Monde d'Ici se fait avec quatre points cardinaux faisant référence au soleil et qui sont le Levant, la Mi-Jour, le Couchant et la Mi-Nuit. Les moments de la journée sont aussi désignés avec les mêmes termes, mais ils s'écrivent alors sans majuscules.

Le continent du Lentremers est le plus important, tant par la population qui y demeure que par son histoire. C'est du Lentremers que sont originaires tous les peuples vivant en Monde d'Ici. En effet, c'est au cœur de ce continent que réside l'Ancêtre. Outre les Terres et les continents identifiés sur les cartes, il existe en Monde d'Ici certains lieux accessibles uniquement par des routes secrètes. Il s'agit notamment de :

L'Augenterie

Pays fabuleux des Autegens (dits aussi Hautes Gens ou Autegentiens), impossible à atteindre sans y être conduit par l'un d'eux. C'est là qu'ils compilent le Vérécit, l'histoire complète de tous les habitants du Monde d'Ici.

Le Taslande

Domaine souterrain du Peuple Fouisseur, les Tanês, parents éloignés des Nains, qui s'étend sous les Montagnes Interdites depuis le Plateau des Alisans jusqu'au Kalar Dhun.

Les Domaines Cachés

Ces lieux constituent des enclaves protégées de l'influence de l'Esprit Mauvais. Ils sont accessibles uniquement à ceux qui les occupent ainsi qu'à leurs invités. Sur place, le temps échappe aux règles normales du Monde d'Ici. À l'époque de Francœur, les Naliens s'occupent déjà de l'aménagement du Nalahir, le plus fameux de ces lieux privilégiés.

Les unités de mesure

Les mesures principalement utilisées par le Moyen Peuple sont :

- la main, distance du poignet au bout des doigts d'un adulte ;
- le jambé, distance du large pas d'un adulte ;
- le miljie, qui vaut mille jambés ;
- le tail, mesure de courte hauteur équivalant à la hauteur d'un adulte.

Ainsi, on calcule la superficie d'une pièce en jambés et celle d'un territoire en miljies. Pour la hauteur d'un édifice, on utilise le tail et pour la taille d'une personne, ce sera une fraction de tail. Lorsque la mesure est très grande, pour la hauteur d'une falaise par exemple, la mesure en miljie peut être préférée.

La Race Ancestrale

Les six membres de cette Race sont responsables de la création physique et de l'épanouissement des différentes Races qui peuplent le Monde d'Ici. Comme leur tâche doit demeurer secrète aux yeux du Moyen Peuple, ils ont l'habitude de se dévoiler sous une apparence semblable aux membres de cette race.

Orvak Shen Komi – Le plus puissant des membres de la Race Ancestrale et, au début, l'un des plus grands serviteurs du Monde d'Ici. Cet être exceptionnel avait la charge de Guide des siens et il aurait pu engendrer ce qu'il y a de plus valable. Malheureusement, son désir d'amener les races au plus haut degré de perfection l'a conduit à s'écarter de la Pensée du Dieu Elhuï dont il se crut l'égal. Cela entraîna sa chute, à la suite de laquelle il est devenu Vorgrar, l'Esprit Mauvais, *Celui-dont-la-Pensée-est-différente*. Éclat rouge, l'Amour, dans la lumière des siens.

Shar Mohos Varkur – Responsable de l'épanouissement de nombreuses races, notamment celles occupant les Pays du Levant. Il se fait surtout connaître sous l'identité de Maître Sorvak. Éclat orange dans la lumière des siens.

Shan Tair Cahal – Responsable de l'épanouissement des races résidant en Pays du Couchant. Il est connu sous l'identité d'Alahid, le Roi légendaire du Pays de Santerre. Éclat jaune dans la lumière des siens.

Jein Dhar Thaar – L'adversaire le plus acharné de Vorgrar, connu sous plusieurs identités, notamment le Sage Delbon en Pays de Santerre, Kaldan l'*Ami-qui-se-cache* chez les Saymails, Nobled chez les Autegentiens et Myset Thag en terre alisane. Éclat vert dans la lumière des siens.

Jeim Mier Pehar – C'est à lui que furent remis exclusivement tous les pouvoirs d'enfantement de la Race Ancestrale après la déchéance d'Orvak Shen Komi. L'Ancêtre se tient le plus possible en retrait des conflits entre les membres de sa race. Éclat bleu dans la lumière des siens.

Hunil Ahos Nuhel – Deuxième en puissance parmi les membres de la Race Ancestrale, il est connu parmi le Moyen Peuple sous l'identité de Maître Alios. Il prend la relève de Vorgrar comme Guide auprès des siens. Éclat violet dans la lumière des siens.

Les Races Anciennes

Ce sont les Races originelles, les premières à habiter le Monde d'Ici. Parmi elles, on remarque les douze Géants, les Oiseleurs, les Facombres, les Gobins et les Saymails. Une de leurs caractéristiques est de porter peu de vêtements, sinon aucun, puisque leur fourrure ou leur plumage leur suffit. À l'époque de Francœur et Egohan, il ne reste que quelques-unes d'entre elles dont la présence est très discrète. Les Races Anciennes évitent au maximum les contacts avec les races des autres vagues de peuplement.

Les Géants – Ils sont au nombre de douze. D'un naturel très discret, ils vivent sur le Plateau des Anciens qu'ils ne quittent pratiquement jamais. Les Géants entrent en litige avec les Saymails pour qui ils ont creusé le Col d'Otrek.

Les Oiseleurs – Dite le Peuple Ailé, cette race d'êtres mi-Oiseaux et mi-Gens se mêle très rarement aux autres races. Chez le Moyen Peuple, ils sont considérés comme relevant de la légende. Les nobles de cette race portent le titre d'Oiselien.

Les Saymails – Ce peuple pacifique représente la transition entre les Races Anciennes et les Races Premières. Très proches de la nature, ils sont parmi les premiers à vouloir transformer leur environnement et à laisser des traces durables de leur existence.

Les Races Premières

Ce sont les premières grandes Races à habiter le Monde d'Ici et à le régir. Leur corps doit être protégé par des vêtements. Constructeurs et inventeurs, ils ressentent le besoin de transformer leur environnement. Ce sont des races encore très diversifiées quant à leurs caractéristiques et à leur organisation sociale. On compte parmi eux notamment les Alisans, les Autegentiens, les Belles-Gens, les Gouhachs, les Magistiens, les Magomiens, les Nains et les Nyctales.

Les Alisans – Ce peuple est la seule des races du Monde d'Ici qui n'a pas été engendrée par l'Ancêtre (exception faite de la Race Ancestrale elle-même, évidemment). Le germe en vient d'Orvak Shen Komi. Celui-ci a cru participer avec éclat aux actes du Dieu Créateur en donnant aux Alisans la beauté, la force et surtout une intelligence telle qu'ils sont capables de percer une partie des secrets de la Vie et des Énergies constituant le Monde d'Ici. De grands savants font l'orgueil de cette race, dont le Grand Seigneur Alisan Mithris Sauragon le Splendide qui dirige la cité fabuleuse de Saur-Almeth.

Les Autegens – Nommés aussi les Hautes Gens ou les Autegentiens, ils se disent descendants royaux des enfants d'Elhuï. Ils entourent leur indépendance d'une discrétion jalouse, ce qui les pousse à éviter les Basses Races. Ils voisinent les autres Races Anciennes amicalement, sans plus, dans une neutralité totale. Ils observent tout ce qui se passe, afin d'accomplir leur tâche universelle qui est de consigner dans le Vérécit l'histoire complète de tous les individus, de toutes les Races. Leur pays, l'Augenterie, semble situé hors des limites connues, invisible à qui n'y est point invité.

Les Gouhachs – Ce sont des êtres de la taille d'un Nain, voire plus petits encore, mais leur filiation à ce groupe s'avère plutôt incertaine. Les Gouhachs prennent tous les propos au premier degré et ils disent uniquement la vérité. Ils ont la détestable manie (pour les non-Gouhachs) de péter et de roter continuellement, utilisant même ce moyen pour exprimer leurs émotions.

Les Nains – Ainsi qu'il est bien connu en Monde d'Ici, les Nains forment un Peuple fort étrange, aux liens parfois difficiles à démêler. Tous se réclament d'une même lignée originelle, mais leur appartenance va à leur groupe spécifique qu'ils considèrent comme une race à part entière et distincte. Ainsi, lorsqu'il se dissimule sous l'identité de Kaldan le Nain, Jein Dhar Thaar a l'allure des Conteurs Nains. Les Tzigits représentent la branche des Nains Commerçants. Les grottes du Taslande sont le domaine des Tanês, dit aussi le Peuple Fouisseur. On connaît aussi les Petits-Génies, les Natriciens, les Sauteurs, les Poilus et les Nageurs. Selon les légendes, le Peuple Nain devait se diversifier afin de conquérir tout le Monde d'Ici et ainsi préparer la souveraineté des Nains Véritables, les Vrainains.

Les Nyctales – Cette race de femmes marque à sa manière la transition entre les Races Anciennes et les Races Premières. Très proches de la nature, elles portent des vêtements très courts et rudimentaires, bien que faits de peaux tannées avec adresse. Elles construisent leur environnement de vie, mais de manière à ce qu'il n'ait aucune permanence. Ce sont uniquement des chasseresses qui ont besoin de mâles d'autres races pour enfanter leurs filles. D'une beauté sauvage et farouche, les Nyctales se révèlent parmi les plus séduisantes du Monde d'Ici.

Les Magomiens – Race qui vit plutôt repliée sur elle-même, elle réside dans de somptueux domaines souterrains accessibles par des maisarbres aménagés à cette fin. Les Magomiens maintiennent leur jeunesse de façon permanente en s'appropriant des années de vie chez ceux qui ont le malheur de provoquer leur courroux. Cultivés mais imbus d'eux-mêmes, ils entretiennent des relations plutôt froides avec les autres peuples de la Grande Forêt.

Les Basses Races
(ou Moyen Peuple)

Troisième et dernière vague de Races à apparaître en Monde d'Ici, les Basses Races ont su occuper graduellement tous les continents. Relativement homogènes quant à leurs caractéristiques et à leur organisation sociale, elles forment le Moyen Peuple, réparti en plusieurs pays, notamment au Pays de Santerre et dans les Pays du Levant.

Les Basses Races ne possèdent aucun pouvoir particulier. Elles doivent compter sur leur capacité d'apprendre et d'inventer pour s'imposer comme des Races d'avenir en Monde d'Ici. L'Ancêtre se plaît à affirmer que le Moyen Peuple est l'une de ses belles réussites parce qu'il l'a fait de telle sorte qu'il possède peu de connaissances, mais qu'il cherche continuellement à en découvrir de nouvelles. À tout prendre, il estime que cette Race durera plus longtemps que bien d'autres sur lesquelles il s'est attardé de longs siècles.

Les Darchais – Peuple du Pays de Darchez, réputés pour être les meilleurs cavaliers du Lentremers. Experts du camouflage dans les plaines avec leurs chevelures blondes, leurs vêtements aux couleurs d'herbes jaunies et leurs bêtes à la robe de sable.

Les Kahopiens – Ce peuple des Terres Brûlées, à la peau très sombre, appartient à la Kahopie, au Levant de la Contrée des Nomades.

Les Haylabois – Habitants du Haylabec, ce sont surtout des pêcheurs qui pratiquent aussi un peu de chasse dans la plaine au pied des Monts Soleil. Ils vivent selon une très forte tradition régissant les rapports entre les clans familiaux ainsi qu'entre les hommes et les femmes.

Les Sorvaks – Ces nomades sont aussi habiles chasseurs que pêcheurs, amoureux des vastes étendues des Terres du Levant auxquelles ils appartiennent avec fierté, peu portés sur les arts de combat, mais débrouillards, forts et habiles en toutes circonstances.

Les Sormens – Les Sormens furent parmi les premiers occupants des Terres du Couchant. Refoulés plus ou moins volontairement en Terres Mortes, ils vivent depuis avec l'espoir d'appartenir un jour à des terres plus accueillantes. Chasseurs et pêcheurs, ils n'hésitent pas à faire des expéditions où s'entremêlent le commerce et le pillage.

Le Pays de Santerre

Situé sur la côte du Couchant du Lentremers, le Pays de Santerre est en fait une confédération de quatre régions distinctes à plusieurs points de vue. Les mœurs et les tâches sont spécialisées, ce qui rend les quatre groupes interdépendants. L'administration politique et religieuse se fait avec une grande autonomie.

La Région des Fretts – De la Mi-Nuit jusqu'au Levant du pays, cette région regorge de gibier et de matières premières. Elle est habitée par les Fretts et le siège de l'administration est le Temple Fret, dit aussi Temple du Glacier.

La Région des Baïhars – Au Couchant du pays, cette région habitée par les Baïhars s'avère le haut lieu des activités artistiques et artisanales. C'est le centre politique du pays qui s'exerce depuis le Temple Baïa, dit aussi le Temple des Arts, où se trouve la Résidence des Sages.

La Région des Artans – Située entre les deux précédentes, cette région est spécialisée dans la production des armes et des produits transformés. Les Artans sont gouvernés depuis le Temple Arta, dit aussi Temple de Bronze.

La Région des Culters – À la Mi-Jour, les terres du Pays de Santerre se révèlent particulièrement fertiles. Elles sont mises en valeur par les Culters. Région de plus en plus importante, on y retrouve le Temple Cult, dit aussi Temple de l'Abondance.

Index des principaux personnages

La présentation comprend : le nom ; la race ou le peuple ; les particularités notables le cas échéant.

A

Alahid ; Race Ancestrale ; Shan Tair Cahal, premier Roi du Pays de Santerre.

Alios ; Race Ancestrale ; Hunil Ahos Nuhel, Maître Alios.

Almé ; présence masculine du Dieu créateur ; dit aussi enfant ou fils d'Elhuï.

Ancêtre ; Race Ancestrale ; Jeim Mier Pehar.

Ankal ; Artan ; garde royal.

Armac ; Sormens ; grand responsable des guerriers du Roi Mornac.

B

Balnar ; Artan ; garde royal.

Bilam ; Baïhar ; fils de Milars et amant de Sylva, victime d'Herkas.

BrihanSildon ; Magomien ; époux de MilaSildon et père de SpédomSildon.

Bruhan ; Culter ; garde royal.

D

Darud ; Sorvak ; transformé par les propos de Delbiam.

Delbiam ; Culter ; mère des jumeaux Egohan et Francœur, ex-épouse de Mithris Sauragon, compagne d'Herkas.

Delbon ; Race Ancestrale ; identité de Sage de Santerre pour Jein Dhar Thaar.

Dumak ; Sormens ; chef de navigation de la flotte du Roi Mornac.

E

Egohan ou **Mithris Egohan** ; mi-Alisan et mi-Culter ; fils de Mithris Sauragon et de Delbiam, *Marqué-du-Destin*, jumeau de Francœur.

Elhuï ; Dieu créateur et unique.

Emla ; origine inconnue ; Messager divin.

F

Ferdern ; Kalardhin ; mercenaire membre de la première troupe d'Egohan.

Föhn ; Saglan ; messager de Mithris Sauragon.

Francœur ou **Mithris Santhair** ; mi-Alisan et mi-Culter ; fils de Mithris Sauragon et de Delbiam, *Marqué-du-Destin*, jumeau d'Egohan.

G

Galern ; Mauseran ; informateur au service de Shinouk.

Gouand ; origine inconnue ; troubadour, diseur, jongleur, chantre du Moyen Peuple, auteur des chroniques relatant les Histoires du Pays de Santerre.

Gouïk dit le Preux ; Gouhach ; après avoir su communiquer avec Francœur, se joint à lui.

Guelnou ; Saymail ; jeune à l'esprit vif et sage qui prend Egohan en amitié.

H

Harchal ; Darchais ; mercenaire, commandant de la première troupe d'Egohan.

350

Haruk ; Sorvak ; jeune colosse qui accompagne Raidak chez les Sormens.

Herkas ; Frett ; auparavant au service du Roi Alahid, il se rend au Plateau des Alisans où il se porte au secours de Delbiam et Francœur.

Hiyou ; Oiseleur ; favorable à la collaboration avec les Alisans.

Horhar ; Frett ; garde royal, archer et chef de troupe aux Monts Chantants.

Hunil Ahos Nuhel ; Race Ancestrale ; dit Maître Alios.

I

Ingléged ou **Ingled le Posé** ; Artan ; successeur désigné du Roi Alahid.

J

Jalnac ; Frett ; garde royal.

Jeim Mier Pehar ; Race Ancestrale ; dit l'Ancêtre.

Jein Dhar Thaar ; Race Ancestrale ; dit le Sage Delbon.

Jhibé ; Baïhar ; ménestrel, musicien et charmeur impénitent qui se lie avec Herkas, puis Delbiam, Francœur et Gouïk.

K

Khandas ; Frett ; responsable régional portant le titre de Maître Frett.

Karls ; Haylabois ; fils de Kors et frère de Shau.

Karnar ; Artan ; garde royal en charge de l'arrestation d'Herkas.

Khapia ; Kahopienne ; esclave des Magomiens qui s'enfuit avec Egohan.

Korjak ; Sorvak ; guerrier et aventurier qui accompagne Raidak chez les Sormens.

Kors ; Haylabois ; père de Karls, Pakas, Shau et Kesi, frère aîné de Korley et Tikas.

L

Lebtar ; Frett ; garde royal tué lors du premier affrontement avec les Sormens.

M

Maghnas ; Frett ; garde royal et chef de troupe aux Monts Chantants.

Milars ; Baïhar ; père de Bilam, protecteur de Safyr.

MilaSildon ; Magomienne ; épouse de BrihanSildon, mère de SpédomSildon.

Miran ; Baïhar ; propriétaire de l'auberge aux Mille coques.

Mithal Plar ; Alisan ; Noble influent du Haut-Plateau.

Mithris Egohan, ou **Egohan**.

Mithris Santhair, ou **Francœur**.

Mithris Sauragon ; Alisan ; Grand Seigneur Alisan ; dit le Splendide, dirige la Cité Alisane de Saur-Almeth à son apogée, savant, chercheur et expérimentateur.

Mornac ; Sormens ; Roi du peuple Sormens, détenteur du Glaive Galiv.

N

Nobled ; Race Ancestrale ; identité naine de Jein Dhar Thaar.

Nocta ; Nyctale ; aînée de son peuple, femme d'autorité sereine et guérisseuse.

Nulva ; Nyctale ; guide des fuyards dans les Monts Soleil dont Jhibé fut amoureux.

O

Ochen ; Saymail ; dite Ochen Saymienne, Reine-Porteuse-du-Destin.

Orvak Shen Komi ; Race Ancestrale ; dit Vorgrar, l'Esprit Mauvais.

Otrek ; Saymail ; Roi initiateur du projet de défilé entre la Grande Forêt et le Haut-Plateau.

P

Pakas ; Haylabois ; fils de Kors, frère de Shau.

R

Raidak ; Sorvak ; chef du groupe de dix-huit Sorvaks à la poursuite de Francœur.

Reiche ; Géant ; avec qui Egohan tente de négocier une alliance.

S

Safyr ; Baïhar ; amie de la famille de Bilam, victime d'Herkas qui l'a défigurée.

Sajal ; Alisan ; scribe au service de Mithris Sauragon.

Shan Tair Cahal ; Race Ancestrale ; qui prend l'identité du Roi Alahid en Santerre.

Shar Mohos Varkur ; Race Ancestrale ; dit le Maître Sorvak.

Shau ; Haylaboise ; fille de Kors qui s'enfuit du Haylabec en se joignant à Francœur.

Shinouk ; Sorvak ; messagère et amante de Mithris Sauragon.

SpédomSildon ; Magomienne ; fille de BrihanSildon et Mila-Sildon, sensible au charme d'Egohan, ce qui est réciproque, puis séduite par l'intelligence d'Alios.

Sylva ; Baïhar ; fiancée d'Herkas dont l'amant Bilam est la victime du Frett.

T

Taras ; Frett ; garde royal.

Teldias ; Culter ; garde royal et chef de troupe aux Monts Chantants.

Thalos ; Artan ; Sage de Santerre.

Tholam ; Culter ; garde royal et chef de troupe aux Monts Chantants.

Tikas ; Haylabois ; frère de Kors, oncle de Shau.

Tolcan ; Frett ; garde royal.

Tuwit ; Oiseleur ; incite les siens à de ne pas collaborer avec les Alisans.

U

Ulnas ; Frett ; garde royal.

Umée ; Culter ; Sage de Santerre.

Urgagon ; Géant ; le plus retors des siens, de caractère ombrageux.

V

Valissa ; présence féminine du Dieu créateur ; dite aussi enfant ou fille d'Elhuï.

Vardal ; Sorvak ; compagne de Raidak, victime involontaire de Delbiam.

Varek ; Sorvak ; lors de la poursuite en Haylabec, Gouïk a soigné son épaule démise.

Vorgrar ; Race Ancestrale ; Orvak Shen Komi, dit l'Esprit Mauvais.

W

Wami ; Géant ; celui avec qui Egohan tente d'établir les premiers contacts.

Les Histoires du Pays de Santerre
Les Princes de Santerre
Tomes 1 et 2

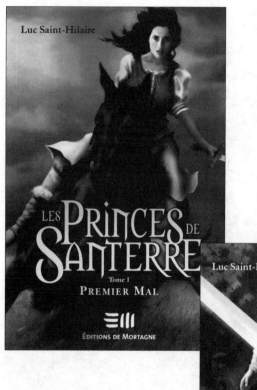

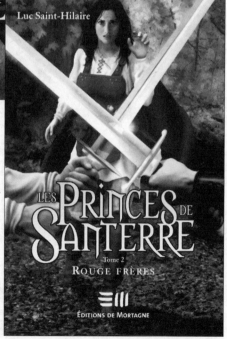

Les Histoires du Pays de Santerre
L'Eldnade
Tomes 1 et 2

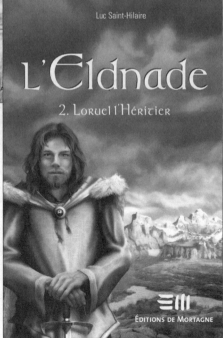

Les Histoires du Pays de Santerre
L'Eldnade
Tomes 3 et 4

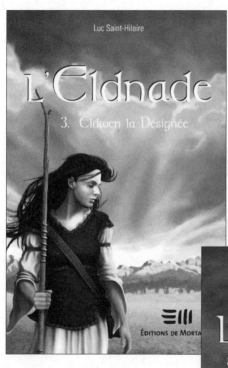

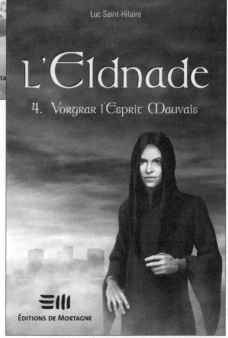